BESTSELLER

Peter May fue periodista antes de convertirse en uno de los más brillantes y productivos guionistas de la televisión escocesa. Hace algunos años decidió abandonar la pequeña pantalla para concentrarse exclusivamente en su faceta de escritor. Con su primera novela, *La isla de los cazadores de pájaros*, que fue un gran éxito internacional, inició la trilogía protagonizada por el inspector Fin Macleod. *El hombre sin pasado*, la segunda entrega, pasó dieciocho semanas entre los diez libros más vendidos en el Reino Unido y ha recibido numerosos premios. Actualmente vive en la región de Lot, en el sur de Francia.

Para más información, puede consultar su página web: Petermay.co.uk

Biblioteca

PETER MAY

El hombre sin pasado

Traducción de

Sílvia Pons Pradilla

DEBOLS!LLO

Título original: *The Lewis Man*

Primera edición en Debolsillo: abril, 2014

Printed in Spain – Impreso en España

ISBN: 978-84-9032-768-5 (vol. 924/2)
Depósito legal: B-3193-2014

Compuesto en Fotocomposición 2000, S. A.

Impreso en Novoprint
Sant Andreu de la Barca (Barcelona)

P 327685

A la memoria de mi padre

Allí viven:
no aquí y ahora, sino donde todo sucedió una vez.

PHILIP LARKIN,
«Los viejos bobos»

Prólogo

El escaso terreno existente en esta isla azotada por las tormentas, a tres horas de la costa noroeste de Escocia, ofrece el calor y el sustento a sus pobladores. También se lleva a sus muertos. Y muy de cuando en cuando, como hoy, les devuelve uno.

La extracción de turba es un acontecimiento social. Familia, vecinos, niños… todos se reúnen en el páramo mientras sopla una brisa del sudoeste que reseca la hierba y mantiene a raya los mosquitos. Annag solo tiene cinco años. Esta es la primera vez que participa en la extracción de turba, y la recordará toda la vida.

Se ha pasado la mañana con la abuela en la granja, viendo cocer los huevos en la vieja cocina económica alimentada con la turba del año anterior. Ahora las mujeres cruzan el páramo cargadas con cestos, y Annag se adelanta corriendo, descalza, con el agua cenagosa metiéndosele entre los dedos de los pies, pisando brezo espinoso, embargada por la emoción del día.

Absorbe el cielo con la mirada. Un cielo que el viento ha desgarrado y hecho jirones. Un cielo que deja escapar, en destellos momentáneos, rayos de sol que se derraman sobre la hierba seca entre la que asoman los extremos blancos del algodón de pantano; se mecen frenéticamente de un lado a otro agitados por los remolinos de viento. En los próximos días, las flores silvestres de primavera y principios de verano transformarán el marrón del paisaje invernal en un estallido de amarillos y púrpuras, pero por ahora permanecen aletargadas, muertas.

A lo lejos, las siluetas de media docena de hombres vestidos con monos y tocados con gorras de tela se recortan contra el reflejo del sol sobre un océano que bate los acantilados de roca negra, irreducible. Es un resplandor casi cegador, y Annag alza una mano a modo de visera y los ve inclinarse y encorvarse mientras clavan el *tarasgeir*, el azadón, en el suelo negro y esponjoso para extraer bloques cuadrados, empapados de agua. Generaciones de cortadores de turba han dejado cicatrices en la tierra. Zanjas de entre treinta y cincuenta centímetros de profundidad, sobre las cuales se ponen a secar, primero por un lado y luego por el otro, los cuadrados de turba recién cortados. Dentro de unos días los cortadores regresarán para la *cruinneachadh*, la recogida de los bloques para hacer los *rùdhain*, pequeños montones triangulares por entre los cuales circula el viento para completar el secado.

Cuando sea el momento, los cargarán en un carro y se los llevarán a la granja, bloques secos y quebradizos, colocados unos encima de otros como ladrillos haciendo espiga, para formar la pila de turba que dará calor a la familia y les permitirá cocinar los alimentos con los que se llenarán el estómago el próximo invierno.

Así han sobrevivido los habitantes de esta isla de Lewis, la más septentrional del archipiélago escocés de las Hébridas, durante siglos. Y en esta época de inseguridad económica, en la que el precio del combustible se ha disparado, quienes tienen chimenea, estufa o cocina económica han vuelto todos a las tradiciones de sus antepasados. Pues lo único necesario aquí para calentar el hogar es el trabajo y la devoción a Dios.

En cambio para Annag es simplemente una aventura en este páramo barrido por el viento, que le entra en la boca cuando la abre para reír y llamar a gritos a su padre y a su abuelo, mientras a su espalda, en algún lugar distante, se oye la conversación a voces que mantienen su madre y su abuela. No es nada consciente de la tensión que se ha apoderado del pequeño grupo de cortadores de turba que tiene delante. No es capaz, dada su escasa experiencia, de leer el lenguaje corporal de los hombres agachados junto al tramo de zanja que se ha derrumbado a sus pies.

Ya es demasiado tarde cuando su padre la ve acercarse y le grita que se detenga. Ya es demasiado tarde para que ella aminore la velocidad o para responder a esa nota de pánico en el grito. Los hombres se yerguen de repente, se vuelven hacia ella, y Annag ve el rostro de su hermano, del color de las sábanas de algodón tendidas al sol para blanquearlas.

Y sigue la mirada de su hermano hacia el montículo de turba caído y el brazo estirado hacia ella, la piel curtida como pergamino marrón, los dedos agarrotados como si sujetaran una pelota invisible. Una pierna retorcida sobre la otra, una cabeza inclinada hacia la zanja como si buscara una vida perdida, unas cuencas negras donde deberían haber estado los ojos.

Por un momento, Annag se siente perdida en un mar de confusión, hasta que comprende y el viento le arrebata el grito de la boca.

1

Gunn vio los vehículos aparcados al borde del camino desde lejos. El cielo era negro y azul, amenazador, contuso, y se aproximaba desde el océano, bajo e infinito. El intermitente vaivén del limpiaparabrisas barría las primeras gotas de lluvia. El color peltre del océano estaba ribeteado por el blanco de las olas de tres o cuatro metros que rompían, y el solitario destello azul del coche de policía junto a la ambulancia resultaba insignificante, engullido por la inmensidad del paisaje.

Más allá de los vehículos, se apiñaban las casas de fachadas impermeabilizadas de Siader, plantando cara al clima, expectantes y cansadas, pero acostumbradas a su asalto implacable. Ni siquiera un árbol interrumpía el horizonte. Tan solo hileras de postes podridos a lo largo del camino, y los restos oxidados de tractores y coches en patios desiertos. Arbustos castigados de vigorosas puntas verdes se aferraban con raíces persistentes al delgado suelo, previendo tiempos mejores, y un mar de algodón de pantano se mecía formando ondas y corrientes, como el agua rielada por el viento.

Gunn aparcó junto al coche de policía y salió al vendaval. La mata de pelo grueso y oscuro que le crecía en forma de pico sobre la frente surcada de arrugas se le alborotó mientras se ponía el anorak negro acolchado. Maldijo que no se le hubiera ocurrido llevar unas botas y, al principio con cautela, avanzó sobre el blando suelo y sintió el frío del agua cenagosa que le calaba los zapatos y le empapaba los calcetines.

Alcanzó el primer banco de turba y siguió el camino que lo bordeaba, rodeando los bloques puestos a secar. Los agentes habían clavado estacas de metal en la tierra blanda para delimitar el escenario del crimen con cinta azul y blanca que restallaba y se retorcía, vibrando con el viento. Le llegó olor a humo de turba de las granjas más cercanas, algunas a unos ochocientos metros de distancia, próximas al borde de los acantilados.

Había un grupo de hombres alrededor del cuerpo, casi inclinados contra el viento; los técnicos de ambulancia, vestidos de amarillo fluorescente, esperaban para retirarlo; los policías, con impermeables negros y gorras de plato, convencidos de haberlo visto todo. Hasta ese momento.

Se apartaron en silencio para dejar pasar a Gunn, que vio al forense agachado junto al cuerpo, retirando con delicadeza los restos de turba con las manos protegidas con guantes de látex. Alzó la mirada al percatarse de la presencia de Gunn de pie a su lado, y fue entonces cuando Gunn se fijó por primera vez en la piel oscura y apergaminada del cadáver. Frunció el entrecejo.

—¿Es un hombre… de color?

—Del color de la turba. Diría que era caucásico. Bastante joven. Puede que un adolescente, o de veintipocos años. El típico cadáver de pantano, casi en perfecto estado de conservación.

—¿Has visto otros antes?

—Nunca. Pero he leído sobre ellos. La sal transportada por el viento procedente del océano hace que aquí se desarrolle muy bien el musgo de turbera. Y cuando se le pudren las raíces, se produce ácido. El ácido conserva el cuerpo, casi como si estuviera en salazón. Sus órganos internos deben de estar prácticamente intactos.

Gunn observó sin disimular su curiosidad los restos casi momificados.

—¿Cómo murió, Murdo?

—De manera violenta, por lo que se ve. Parece que tiene varias puñaladas en la zona del pecho, y le cortaron el cuello. Pero será el patólogo forense quien te dé la causa definitiva de su muerte, George. —Se puso en pie y se quitó los guantes—. Será mejor que lo saquemos de aquí antes de que empiece a llover.

Gunn asintió con la cabeza, incapaz de apartar la mirada del rostro del joven atrapado en la turba. Aun con los rasgos consumidos, seguiría siendo reconocible para cualquiera que lo hubiera conocido. Solo el tejido de los ojos, tan delicado y desprotegido, se había descompuesto.

—¿Cuánto tiempo lleva aquí?

La risotada de Murdo se perdió en el viento.

—¿Quién sabe? Cientos de años, puede que miles. Necesitarás a un experto para averiguarlo.

2

No me hace falta mirar el reloj para saber qué hora es.

Es curioso que la mancha marrón del techo se vea más clara por la mañana. Los residuos cristalinos del moho que recorren la grieta parecen algo más blancos. Y es extraño que siempre me despierte a la misma hora. Y no es por la luz que se cuela por los extremos de la cortina, porque en esta época del año son muy pocas las horas de oscuridad total. Debe de ser mi reloj interno. Tantos años levantándome al amanecer para el ordeño y las demás tareas con las que ocupaba las primeras horas del día. Todo eso ya se ha terminado.

Me gusta bastante observar esta mancha del techo. No sé por qué, pero por las mañanas me recuerda a un bonito caballo, ensillado, esperando para llevarme a un futuro más brillante. Mientras que por la noche, cuando oscurece, tiene un aspecto diferente. Como si fuera una bestia rampante y con cuernos, lista para arrastrarme a las tinieblas.

Oigo que se abre la puerta y, al volverme, veo a una mujer allí de pie. Me resulta familiar, pero no logro situarla. Hasta que habla.

—Oh, Tormod…

Por supuesto. Es Mary. Reconocería su voz en cualquier lugar. Me pregunto por qué parece tan triste. Y algo más. Algo que le tuerce hacia abajo las comisuras de los labios. Algo parecido al asco. Sé que antes me quería, aunque yo no estoy seguro de haberla querido alguna vez.

—¿Qué pasa, Mary?

—Has vuelto a ensuciar la cama.

Y entonces yo también lo huelo. De repente. De un modo casi aplastante. ¿Por qué no lo he notado antes?

—¿No podías haberte levantado? ¿No podías?

No sé por qué me culpa. No lo he hecho a propósito. Nunca lo hago a propósito. El olor empeora cuando retira las mantas, y se cubre la boca con la mano.

—Levántate —me ordena—. Tendré que cambiar las sábanas. Deja el pijama en el baño y date una ducha.

Deslizo las piernas por el borde de la cama y espero a que me ayude a levantarme. Antes no era así. Yo siempre fui el fuerte. Recuerdo la vez que se torció el tobillo en el viejo cercado de las ovejas mientras reuníamos a los animales para el esquileo. No podía andar y tuve que llevarla a casa. Casi tres kilómetros, con los brazos doloridos y sin pronunciar una sola queja. ¿Por qué nunca se acuerda de eso?

¿No se da cuenta de lo humillante que es? Vuelvo la cabeza para que no vea las lágrimas que me afloran a los ojos, y noto que parpadeo con furia para contenerlas. Respiro hondo.

—Pato Donald.

—¿Pato Donald?

La miro y estoy a punto de encogerme ante la furia que veo en su mirada. ¿Es eso lo que he dicho? ¿Pato Donald? No puede ser eso lo que pretendía decir. Pero ahora no se me ocurre qué es lo que quería decir. Así que, de nuevo, repito con firmeza:

—Sí, Pato Donald.

Tira de mí para levantarme, casi con brusquedad, y me empuja hacia la puerta.

—¡Fuera de mi vista!

¿Por qué está tan furiosa?

Anadeo hasta el baño y me quito el pijama. ¿Dónde ha dicho que lo dejara? Lo tiro al suelo y me miro en el espejo. Un anciano de pelo fino, cano y alborotado con palidísimos ojos azules me devuelve la mirada. Durante un instante me pregunto quién es, después me vuelvo y miro por la ventana el *machair*, la franja de tierra limosa junto a la costa, y un poco más allá. Veo que el viento agita el grueso pelaje invernal de las ovejas que pacen la hierba dulce y salada, pero no lo oigo. Tampoco logro oír el océano romper contra la orilla. Preciosa espuma blanca llena de arena y furia.

Debe de ser por el doble acristalamiento. En la granja no teníamos de eso. Allí sí que te sentías vivo, con el silbido del viento que se colaba por los marcos de las ventanas y agitaba el humo de turba de la chimenea. Allí sí que había espacio para respirar, espacio para vivir. Aquí las habitaciones son muy pequeñas y están selladas al mundo. Es como vivir en una burbuja.

Ese anciano vuelve a mirarme a través del espejo. Sonrío y me devuelve la sonrisa. Por supuesto, sabía que era yo desde el principio. Y me pregunto cómo le van las cosas a Peter.

3

Ya era noche cerrada cuando Fin apagó la luz. Sin embargo, las palabras seguían allí, grabadas a fuego en su retina. La oscuridad no le ofrecía escapatoria.

Aparte de la de Mona, había otras dos declaraciones de testigos. Ninguno de ellos había tenido la presencia de ánimo suficiente para fijarse en la matrícula del vehículo. No era de extrañar que Mona no la hubiera visto. El coche la había levantado por los aires, tras lo cual había aterrizado con fuerza sobre el capó y el parabrisas, antes de salir disparada hacia un lado y rodar varias veces sobre la calzada de gravilla. Era un milagro que no hubiera resultado herida de gravedad.

Robbie, con el centro de gravedad más bajo, había caído al suelo y el coche le había pasado por encima.

Cada vez que leía las palabras se imaginaba haber estado allí, haberlo visto, y cada vez sentía una arcada que le revolvía el estómago. En su mente, la imagen era tan viva como si se tratara de un recuerdo auténtico. Al igual que la descripción del rostro que Mona había visto tras el volante, grabado con total claridad en su memoria, si bien solo pudo haber alcanzado a verlo fugazmente. Un hombre de mediana edad, con el pelo más bien largo y de un tono castaño desvaído. Una barba de dos o tres días. ¿Cómo pudo haberse fijado en eso? Sin embargo, no tenía la menor duda. Él incluso había conseguido que un dibujante de la policía realizara el retrato del hombre a partir de su descripción. Un rostro que formaba parte del expediente, un rostro que aún se le aparecía en sueños, incluso después de nueve meses.

Se dio la vuelta y cerró los ojos en un vano intento por dormir. Había dejado entreabiertas las ventanas de la habitación de hotel, pero había corrido las cortinas; así entraba el aire, aunque también el ruido del tráfico en Princess Street. Encogió las rodillas hacia el pecho, pegó los brazos al cuerpo y entrelazó las manos sobre el esternón, como un feto en actitud de rezo.

El día siguiente marcaría el final de todo lo que había conocido durante la mayor parte de su vida adulta. Todo lo que había sido y en lo que se había convertido, el fin de todo lo que podría llegar a ser. Como el día de hacía tantos años en que su tía le había dicho que sus padres habían muerto y él se sintió, por primera vez en su corta vida, completa y absolutamente solo.

La luz del día no trajo alivio alguno, tan solo la silenciosa determinación de ver pasar esa jornada. Una brisa cálida soplaba sobre los puentes de la ciudad mientras la luz del sol proyectaba diseños cambiantes sobre los jardines de la parte baja del castillo. Fin avanzó con paso decidido entre la multitud parloteante vestida con ligeras prendas primaverales. Una generación que había olvidado la advertencia de sus mayores: «Hasta el cuarenta de mayo no te quites el sayo». Nunca le pareció demasiado justo que la vida de las otras personas siguiera adelante, inalterada. Sin embargo, ¿quién podría adivinar su dolor tras la máscara de normalidad? Así pues, ¿quién sabía qué agitación se escondía detrás de las fachadas de los otros?

Se detuvo en la copistería de Nicolson Street y guardó las fotocopias en su cartera de cuero antes de dirigirse hacia el este, en dirección a St. Leonard's Street y a la comisaría de la división A, donde había pasado la mayor parte de los últimos diez años. Había celebrado su fiesta de despedida tomando unas copas con un puñado de colegas en un pub de Lothian Road, hacía dos noches. Un encuentro apagado, marcado principalmente por el recuerdo y el pesar, pero también por muestras de afecto sincero.

Algunas personas lo saludaron con la cabeza por el pasillo. Otras le estrecharon la mano. Una vez en su mesa, tardó solo unos minutos en colocar sus pertenencias en una caja. Los tristes desechos acumulados durante una agitada vida laboral.

—Yo me quedaré con tu identificación, Fin.

Fin se volvió. El inspector jefe Black tenía cierto aire de buitre. Hambriento y vigilante. Fin asintió con la cabeza y le entregó la tarjeta.

—Lamento que te vayas —comentó Black.

Sin embargo, no parecía lamentar nada. Jamás había puesto en duda la habilidad de Fin, únicamente su compromiso. Y solo ahora, después de tantos años, Fin estaba por fin dispuesto a aceptar que Black tenía razón. Ambos sabían que era un buen poli, solo que Fin había tardado más tiempo en aceptar que aquello no era lo suyo. Había tenido que morir Robbie para que se diera cuenta.

—Los del registro me dicen que te llevaste el expediente del atropello con fuga de tu hijo hace tres semanas. —Black hizo una pausa, tal vez esperando un gesto de asentimiento. Como no llegó, agregó—: Quieren que lo devuelvas.

—Por supuesto. —Fin sacó el expediente de su bolsa y lo dejó en el escritorio—. Aunque no creo que nadie lo abra nunca más.

Black asintió con la cabeza.

—Es probable que no. —Vaciló—. Ya es hora de que también tú lo des por cerrado, Fin. O te comerá por dentro y te joderá el resto de tu vida. Intenta olvidarlo, muchacho.

Fin no fue capaz de mirarlo a los ojos. Levantó la caja con sus pertenencias.

—No puedo.

Una vez fuera, se dirigió a la parte trasera del edificio, abrió la tapa del gran contenedor verde de reciclaje, vació en él la caja de cartón, y después la arrojó también a su interior. Nada de todo ello tenía la menor utilidad.

Permaneció inmóvil durante un momento, mirando la ventana desde la que tantas veces había contemplado el sol, la lluvia y la nieve cubrir las sombrías pendientes de Salisbury Craggs. Todas las estaciones de todos esos años desperdiciados. A continuación se dirigió a St. Leonard para coger un taxi.

El taxi lo dejó en la empinada calle adoquinada de la Milla Real, justo debajo de la catedral de Saint Giles, y vio a Mona esperándolo en la plaza del Parlamento. Aún vestía sus apagados grises invernales, quedaba casi difuminada contra la arquitectura clásica de aquella Atenas del norte, con sus edificios de piedra arenisca ennegrecidos por el tiempo y el humo. Fin supuso que reflejaban su estado de ánimo. Sin embargo, la mujer estaba algo más que deprimida. Su inquietud era evidente.

—Llegas tarde.

—Lo siento. —La tomó del brazo y se apresuraron a cruzar la plaza desierta, cruzando las arcadas situadas bajo unas columnas imponentes. Y se preguntó si su retraso pretendía lanzar un mensaje subliminal. No tanto que no estuviera dispuesto a olvidar el pasado como un temor hacia lo desconocido, miedo a abandonar la seguridad de una relación cómoda para enfrentarse a un futuro en solitario.

Dirigió una fugaz mirada a Mona mientras entraban en los portales de lo que una vez fuera la sede del Parlamento escocés, antes de que los terratenientes y los comerciantes que ocupaban allí sus escaños sucumbieran, trescientos años atrás, a los sobornos de los ingleses y vendieran a las personas a quienes se suponía que debían representar a una unión no deseada. La de Fin y Mona también había sido una unión por conveniencia, una amistad sin amor. Impulsada por sexo ocasional, se había mantenido gracias al amor que compartían por su hijo. Y ahora, sin Robbie, todo terminaba allí, en el Tribunal Supremo. En una sentencia firme de divorcio. Un pedazo de papel que cerraba un capítulo de sus vidas que habían tardado dieciséis años en escribir.

Él vio el dolor en el rostro de su mujer y los reproches de toda una vida lo asaltaron de nuevo.

Al final, solo tardaron unos minutos en arrojar todos esos años al cubo de la basura de la historia. Los buenos momentos y los malos. Las dificultades, las risas, las peleas. Luego salieron a la brillante luz del sol que bañaba los adoquines y al rugido del tráfico por la Milla Real. La vida de otra gente fluía alrededor, mientras que las suyas habían pasado de una pausa a detenerse por completo. Permanecieron como figuras estáticas en el centro de una imagen fotografiada con tomas a intervalos prefijados, mientras el resto del mundo pasaba a su alrededor a gran velocidad.

Tras dieciséis años de convivencia volvían a ser dos desconocidos, sin saber qué decirse, excepto adiós, y casi con miedo de pronunciarlo en voz alta, pese a las hojas de papel que sujetaban entre las manos. Porque, aparte de un adiós, ¿qué más había? Fin abrió su cartera de cuero para guardar los documentos, y las fotocopias de la carpeta beis cayeron al suelo y quedaron esparcidas a sus pies. Se inclinó de inmediato para recogerlas y Mona se agachó para ayudarlo.

Se dio cuenta de que ella volvía la cabeza hacia él mientras sostenía unas cuantas hojas en la mano. Debió descubrir a primera vista de qué se trataba. Su declaración estaba entre esos papeles. Unos cientos de palabras que describían una vida arrebatada y la pérdida de una relación. El retrato de un rostro dibujado a partir de su descripción. La obsesión de Fin. Sin embargo, no dijo nada. Se levantó, se las ofreció y lo observó mientras él las metía de nuevo en la cartera.

Cuando llegaron a la calle y el momento de separarse resultó inevitable, ella preguntó:

—¿Seguiremos en contacto?

—¿Tiene algún sentido?

—Supongo que no.

Y con esas escasas palabras, todo lo que habían invertido el uno en el otro a lo largo de los años, las experiencias compartidas, el placer y el dolor, se desvanecieron para siempre como copos de nieve sobre la superficie de un río.

Él la miró.

—¿Qué harás cuando se venda la casa?

—Regresaré a Glasgow. Me quedaré con mi padre durante un tiempo. —Le devolvió la mirada—. ¿Y qué me dices de ti?

Se encogió de hombros.

—No lo sé.

—Sí lo sabes. —Sonó casi a acusación—. Volverás a la isla.

—Mona, llevo buena parte de mi vida adulta evitándolo.

Ella negó con la cabeza.

—Pero lo harás. Lo sabes. No puedes escapar de la isla. Se interpuso entre nosotros, todos estos años, como una sombra invisible. Nos separó. Fue algo que nunca pudimos compartir.

Fin respiró hondo y sintió el calor del sol en el rostro al alzarlo un momento hacia el cielo. A continuación la miró de nuevo.

—Hubo una sombra, sí. Pero no fue la isla.

Por supuesto, ella tenía razón. No tenía otro lugar al que ir, salvo regresar al útero. La tierra donde había crecido, la que lo había alienado y al final lo había ahuyentado. Sabía que era el único lugar donde tenía alguna posibilidad de volver a encontrarse consigo mismo. Entre los suyos, hablando su propio idioma.

Permaneció en la cubierta delantera del *Isla de Lewis* y observó el suave ascenso y descenso de la proa mientras surcaba las aguas inusualmente tranquilas del estrecho de Minch. Las montañas de tierra firme habían dejado de verse hacía rato, y la sirena del barco emitió un sonido lastimero mientras se adentraban en la densa bruma primaveral que cubría la costa este de la isla.

Fin se quedó mirando fijamente los remolinos de gris, sintiendo la humedad en la cara, hasta que por fin una tenue sombra emergió entre la penumbra. Un pequeño borrón en un horizonte perdido, inquietante y eterno, como si el fantasma de su pasado hubiera regresado para perseguirlo.

Mientras la isla empezaba a tomar forma gradualmente entre la bruma, notó que se le erizaba el vello de la nuca y se sintió casi apabullado por la sensación de vuelta a casa.

4

Gunn estaba sentado a su mesa, mirando con los ojos entornados la pantalla del ordenador. De un modo casi inconsciente, percibió el sonido de una sirena no demasiado lejos, en el estrecho de Minch, y supo que el ferry llegaría al puerto en breve.

Compartía su oficina en el primer piso con otros dos agentes, y desde su ventana tenía una buena vista de la tienda benéfica Blythswood Care, al otro lado de Church Street. «Cuidado cristiano para el cuerpo y el alma.» Si se molestaba en estirar el cuello, veía la parte alta de la calle hasta el restaurante hindú Bangla Spice, con sus salsas de llamativos colores y un irresistible arroz frito con ajo. Sin embargo, ahora, el asunto de la pantalla había apartado de su mente cualquier pensamiento acerca de comida.

Las momias de los pantanos, también llamadas cuerpos de los pantanos, eran cadáveres humanos hallados entre musgo esfagno en el norte de Europa, Gran Bretaña e Irlanda, según leyó en la página de Wikipedia sobre el tema. El agua muy ácida, las bajas temperaturas y la ausencia de oxígeno contribuían a la conservación de la piel y los órganos, hasta tal punto que en algunos casos incluso era posible obtener huellas dactilares.

Pensó en el cuerpo tendido en el refrigerador de la sala de autopsias del hospital. Ahora que lo habían sacado del pantano, ¿cuánto tardaría en empezar a descomponerse? Recorrió la página y se fijó en la fotografía de un cuerpo recuperado hacía sesenta años de una turbera de Dinamarca. El rostro achocolatado notablemente bien definido, con una mejilla aplastada contra la nariz del lado sobre el que lo encontraron en reposo, pelo incipiente de color naranja aún visible sobre el labio y en el mentón.

—Ah, sí, el hombre de Tollund.

Gunn levantó la mirada y vio una silueta alta y esbelta, de rostro enjuto, con un halo de pelo oscuro y poco abundante, inclinándose junto a él para mirar la pantalla.

—La prueba del carbono 14 que le hicieron en el cabello lo sitúa aproximadamente en el 400 a. de C. Los idiotas que le realizaron la autopsia le cortaron la cabeza y desecharon el resto de su cuerpo. Salvo los pies y un dedo, que siguen conservados en formol. —Sonrió y le ofreció una mano—. Soy el profesor Colin Mulgrew.

Gunn se sorprendió por la fuerza con que le estrechó la mano. Parecía mucho más flojo.

Casi como si le hubiera leído el pensamiento, o detectado la mueca de dolor al apretarle la mano, el profesor Mulgrew sonrió y comentó:

—Los patólogos forenses necesitamos buenas manos, sargento, para atravesar huesos y separar estructuras óseas. Le sorprendería la fuerza que hace falta. —Se apreciaba un leve matiz de acento irlandés culto en su voz. Se volvió de nuevo hacia el hombre de Tollund—. Asombroso, ¿verdad? Después de dos mil cuatrocientos años, fue posible deducir que lo habían colgado, y que lo último que comió fue unas gachas de cereales y semillas.

—¿Participó también en esa autopsia?

—No, qué va. Esa fue muy anterior a mi época. Yo participé en la del hombre de Croghan, al que encontraron en una turbera irlandesa en 2003. Aunque era igual de viejo. Sin duda tenía más de dos mil años. Un tipo enorme para su época. Casi dos metros. Imagínese. Un puto gigante. —Se rascó la cabeza y esbozó una sonrisa—. Entonces, ¿cómo llamaremos a su hombre, eh? ¿El hombre de Lewis?

Gunn se volvió haciendo girar su asiento y le señaló al profesor una silla vacía. Sin embargo, el forense negó con la cabeza.

—Llevo un montón de horas sentado. Y los aviones que llegan aquí no permiten estirar demasiado las piernas.

Gunn asintió. De estatura algo más baja que la media, nunca había tenido ese problema.

—¿Cómo murió su hombre de Croghan?

—Asesinado. Primero lo torturaron. Presentaba cortes profundos por debajo de los pezones. Luego lo apuñalaron en el pecho, lo decapitaron y le cortaron el cuerpo por la mitad. —El profesor se acercó a la ventana y miró a un lado y a otro de la calle mientras hablaba—. A decir verdad, es un poco misterioso, porque llevaba las uñas muy cuidadas. Así que no debía de ser alguien que trabajaba. No hay duda de que consumía carne, pero su última comida consistió en una mezcla de trigo y suero de leche. Mi viejo amigo Ned Kelly, del Museo Nacional de Irlanda, cree que lo sacrificaron para garantizar una buena producción de avena y leche en las espléndidas tierras cercanas. —Se volvió hacia Gunn—. ¿El restaurante hindú que se ve calle arriba es bueno?

Gunn se encogió de hombros.

—No está mal.

—Bien. Hace siglos que no pruebo un plato hindú decente. ¿Dónde está ahora su hombre?

—En un refrigerador, en el depósito de cadáveres del hospital.

El profesor Mulgrew se frotó las manos.

—Será mejor que vayamos a echarle un vistazo antes de que empiece a descomponerse ante nuestros ojos. ¿Le parece si después almorzamos algo? Tengo un hambre de mil demonios.

El cuerpo, ahora tendido sobre la mesa de autopsias, parecía extrañamente reducido; de constitución robusta, pero como si hubiera menguado. Tenía el color del té y era como si lo hubieran esculpido en resina.

El profesor Mulgrew llevaba un mono azul oscuro debajo de la bata de cirujano y una mascarilla de color amarillo intenso que le cubría la nariz y la boca. Por encima de esta, le asomaban unas gafas protectoras exageradamente grandes que hacían que su cabeza pareciera más pequeña y lo convertían en una extraña y estrambótica caricatura de sí mismo. Sin aparentar ser consciente de su aspecto ridículo, se desplazaba con agilidad alrededor de la mesa mientras tomaba medidas, con sus zapatillas blancas de tenis protegidas con fundas de plástico verde.

Se dirigió a la pizarra blanca para anotar los primeros datos y no dejó de hablar ni un momento por encima del chirrido del rotulador.

—El pobre diablo apenas pesa cuarenta y un kilos. No es mucho para un hombre de un metro setenta y tres. —Echó un vistazo a Gunn por encima de las gafas—. Poco más de cinco pies y ocho pulgadas, para que me entienda.

—¿Cree que estaba enfermo?

—No, no necesariamente. Aunque está bien conservado, habrá perdido mucho peso en fluidos a lo largo de los años. En mi opinión, parece un espécimen bastante sano.

—¿Cuántos años?

—Un adolescente, o un joven de veintipocos, tal vez.

—No, me refiero a cuántos años llevaba en la turbera.

El profesor Mulgrew arqueó una ceja e inclinó la cabeza hacia Gunn en un gesto cargado de ironía.

—Paciencia, por favor. No soy una puñetera máquina de datación por carbono, sargento.

Regresó junto al cuerpo, lo puso boca abajo y se inclinó sobre él para retirarle fragmentos de musgo marrón y verde amarillento.

—¿Encontraron alguna pieza de ropa con el cuerpo?

—No, nada. —Gunn se acercó para intentar distinguir qué era lo que atraía la atención de Mulgrew—. Removimos toda la zona. Ni ropa, ni utensilios de ninguna clase.

—Mmm. En ese caso, diría que es probable que lo envolvieran en una especie de manta antes de enterrarlo. Y debió de permanecer envuelto en ella unas cuantas horas.

Gunn alzó las cejas de repente en un gesto de sorpresa.

—¿Cómo puede saberlo?

—En las horas transcurridas desde la muerte, señor Gunn, la sangre se acumula en la parte inferior del cuerpo, lo que provoca una decoloración púrpura rojiza de la piel. Lo llamamos lividez post mórtem. Si se fija en la espalda, las nalgas y los muslos, observará que la piel es más oscura, pero que hay un dibujo más blanco, más pálido en la lividez.

—¿Lo que significa?

—Lo que significa que pasó entre ocho y diez horas tumbado de espaldas después de morir, envuelto en una especie de manta áspera cuyo tejido imprimió su dibujo en la coloración más oscura. Podemos limpiarlo, fotografiarlo y, si quiere, pedir que un artista haga un boceto que reproduzca ese diseño.

Con unas pinzas, recuperó algunas fibras que seguían adheridas a la piel.

—Podría ser lana —comentó—. No será difícil confirmarlo.

Gunn asintió, pero decidió no preguntar qué sentido tendría identificar el diseño y el material de una manta tejida hacía cientos, tal vez miles de años. El forense volvió a examinar la cabeza.

—Hace demasiado que perdió los ojos para determinar el color de los iris, y este tono de pelo castaño rojizo no es indicativo del color que pudo tener originalmente. Está teñido de turba, igual que la piel. —Hurgó en los agujeros de la nariz—. Pero esto es interesante. —Se examinó los dedos enguantados en látex—. Una cantidad considerable de arena plateada de grano fino en la nariz. Y parece la misma arena que se advierte en las abrasiones de las rodillas y los empeines. —Se dirigió a la frente del cadáver y, con cuidado, le limpió la sien izquierda y el pelo que le quedaba por encima—. ¡Joder!

—¿Qué ocurre?

—Tiene una cicatriz curva en la región frontotemporal izquierda. De unos diez centímetros de longitud.

—¿Una herida?

El profesor meneó la cabeza pensativamente.

—No, parece una cicatriz quirúrgica. Diría que este joven fue intervenido en algún momento por una herida en la cabeza.

Gunn se quedó atónito.

—Bueno, entonces eso significa que se trata de un cadáver mucho más reciente de lo que creíamos, ¿verdad?

La sonrisa de Mulgrew transmitía superioridad y diversión al mismo tiempo.

—Depende de lo que entienda por reciente, sargento. La cirugía cerebral es, probablemente, una de las artes médicas más antiguas. Existen numerosas pruebas arqueológicas que sitúan sus orígenes en el neolítico. —Hizo una pausa, y a continuación, para que Gunn lo entendiera, aclaró—: La Edad de Piedra.

Después se concentró en el cuello y en la ancha y profunda herida que lo atravesaba. Medía 18,4 centímetros.

—¿Es lo que lo mató? —preguntó Gunn.

Mulgrew suspiró.

—Tengo la impresión, sargento, de que no ha asistido a muchas autopsias.

Gunn se sonrojó.

—No, señor, no demasiadas. —No quiso confesar que solo había estado en una con anterioridad.

—Es imposible determinar la maldita causa de la muerte sin abrirlo. E incluso entonces, no puedo asegurarle nada. Le han cortado la garganta, sí. Pero presenta múltiples puñaladas en el pecho, y otra en el omóplato derecho. Las abrasiones en el cuello apuntan a que le ataron una cuerda alrededor, y lo mismo sucede con las muñecas y los tobillos.

—¿Como si lo hubieran atado de pies y manos?

—Eso es. Puede que lo ahorcaran, y de ahí las abrasiones en el cuello, o que lo arrastraran por una playa con esa misma cuerda, lo que explicaría la arena en las raspaduras de las rodillas y los pies. En cualquier caso, es demasiado pronto para lanzar teorías sobre la causa de su muerte. Las posibilidades son múltiples.

Un trozo de piel más oscura en el antebrazo derecho del cadáver llamó su atención. Lo limpió con un bastoncillo de algodón, después cogió una esponja rugosa del lavamanos de acero inoxidable que tenía a sus espaldas y empezó a frotar bruscamente la capa superior de piel.

—La hostia —exclamó.

Gunn ladeó la cabeza para intentar echarle un vistazo.

—¿Qué es?

El profesor Mulgrew permaneció en silencio durante un rato largo antes de levantar de nuevo la cabeza para mirar a Gunn.

—¿Por qué le interesaba tanto saber cuánto tiempo llevaba el cuerpo en la turbera?

—Para quitármelo de encima y entregarlo a los arqueólogos, profesor.

—Me temo que no podrá hacer eso, sargento.

—¿Por qué?

—Porque este cuerpo no lleva en la turbera más de cincuenta y seis años… como mucho.

Gunn sintió que se sonrojaba de indignación.

—No hace ni diez minutos me ha dicho que no era una

puñetera máquina de datación por carbono. —Disfrutó pronunciando con énfasis la palabra «puñetera»—. ¿Cómo puede estar tan seguro ahora?

Mulgrew sonrió.

—Acérquese a echar un vistazo al antebrazo derecho, sargento. Supongo que se dará cuenta de que lo que tenemos aquí es un burdo tatuaje del rostro de Elvis Presley, debajo del cual puede leerse «Heartbreak Hotel». Bueno, estoy casi seguro de que Elvis no corría por el mundo antes de Cristo. Y como fan incondicional puedo asegurarle, sin miedo a equivocarme, que «Heartbreak Hotel» fue un número uno en 1956.

5

El profesor Mulgrew tardó casi dos horas en finalizar la autopsia después de una pausa para tomar un almuerzo consistente en bhaji de cebolla, cordero bhuna con arroz frito con ajo y helado kulfi. George Gunn comió un sándwich de queso en su oficina, y pasó serias dificultades para mantenerlo en el estómago.

Debido a que la piel del cadáver se había endurecido como el cuero, fue imposible abrirle el pecho utilizando un sencillo bisturí, por lo que al final el forense tuvo que recurrir a unas pesadas tijeras antes de usar el instrumental que solía emplear para separar la piel y los músculos de la cavidad torácica.

Ahora el cuerpo yacía abierto, como una pieza colgada del gancho de un carnicero, con los órganos internos retirados y seccionados. Sin embargo, se trataba de un joven fuerte y sano, y nada de lo que se descubrió en su interior hacía pensar en otra cosa que no fuera una muerte causada por un brutal asesinato. Un asesinato perpetrado por alguien que tal vez aún siguiera vivo.

—Joder, tiene un cadáver de lo más interesante, sargento. —Gotas de sudor le perlaban las arrugas de la frente, pero el profesor Mulgrew se estaba divirtiendo—. Su última comida no fue tan espectacular como la mía. Microrrestos de carne blanda y un material transparente y diminuto de aspecto filamentoso que parece espina de pescado. Pescado y patatas, probablemente. —Sonrió—. En fin, me alegra poder ofrecerle una hipótesis sobre cómo pudo morir.

Gunn se mostró ligeramente sorprendido. Por todo lo que había oído decir, los patólogos forenses casi siempre eran reacios a comprometerse. Sin embargo, saltaba a la vista que Mulgrew era un hombre sumamente seguro de sus capacidades. Cerró la cavidad torácica, dobló la piel y el tejido sobre el pecho, hacia la incisión inicial, y dio unos golpecitos en las heridas con el bisturí.

—Lo apuñalaron cuatro veces en el pecho. Por el ángulo descendente de las puñaladas, diría que o bien su atacante era mucho más alto que él, o bien la víctima estaba de rodillas. Me inclino por la segunda opción, pero ya llegaremos a eso más adelante. Le infligieron las heridas con un cuchillo largo y estrecho de doble filo. Algo como un cuchillo de combate o una especie de estilete. Esta de aquí, por ejemplo —dijo mientras señalaba la herida superior—, tiene una longitud de un centímetro y medio y es puntiaguda por ambos extremos, lo que indica casi con seguridad un arma de doble filo. Tiene casi trece centímetros de profundidad y le atraviesa el vértice del pulmón izquierdo, el atrio derecho del corazón y el septo ventricular. Así que es bastante considerable, al igual que las otras tres heridas.

—¿Y es la que lo mató?

—Bueno, es seguro que cualquiera de estas heridas podría haber resultado fatal al cabo de unos minutos, pero sospecho que fue esta incisión profunda que le cruza la parte anterior del cuello la que acabó con su vida. —Centró su atención en ella—. Mide más de diecisiete centímetros y se extiende entre la zona mastoidea izquierda, justo por debajo de la oreja, hasta el esternocleidomastoideo derecho. —Alzó la vista—. Como puede ver. —Sonrió y volvió a centrarse en la herida—. Secciona por completo la vena yugular izquierda, corta la arteria carótida izquierda y penetra en la yugular derecha. Tiene casi ocho centímetros en la parte más profunda, y alcanza la espina dorsal.

—¿Eso es importante?

—En mi opinión, el ángulo y la profundidad del corte sugieren que le atacaron por detrás, y casi seguro que con un arma distinta. Teoría que se ve reforzada por la puñalada que presenta en la espalda. Esa herida tiene una longitud de cuatro centímetros, con una terminación superior cuadrada y una inferior puntiaguda. Podría tratarse de un cuchillo grande, de un único filo, más apropiado para hacer un corte profundo en el cuello.

Gunn frunció el entrecejo.

—No lo veo claro, profesor. ¿Me está diciendo que el asesino utilizó dos armas, que lo apuñaló en el pecho con una, y que después lo agarró por detrás y le cortó el cuello con otra?

Una sonrisita de condescendencia asomó al rostro del forense tras la mascarilla, aunque Gunn solo pudo intuirla en los ojos, que brillaban tras las enormes gafas de protección.

—No, sargento. Lo que le estoy diciendo es que hubo dos atacantes. Uno que lo sujetó por detrás y lo obligó a arrodillarse al tiempo que el otro lo apuñalaba en el pecho. Es probable que la puñalada de la espalda fuera accidental, mientras el primer atacante se preparaba para rebanarle el cuello a su víctima.

Rodeó la mesa, se acercó a la cabeza del hombre y empezó a colocar de nuevo la piel y los músculos sobre la cara y el cráneo a partir de la incisión inicial.

—Esta es la escena que con toda probabilidad debería considerar: a este hombre le ataron las muñecas y los tobillos. Le anudaron una cuerda al cuello. Si la hubieran utilizado para ahorcarlo, la abrasión aparecería inclinada hacia el punto de suspensión. No es el caso. Así que supongo que la emplearon para arrastrarlo por la playa. Tiene arena fina en la nariz y en la boca, y en los rasguños de las rodillas y los empeines. En algún momento lo obligaron a arrodillarse y lo apuñalaron repetidamente antes de cortarle el cuello.

La escena que el forense dibujó con sus palabras se tornó de repente muy vívida para Gunn. No estaba seguro del porqué, pero por algún motivo la imaginaba de noche, con un mar fosforescente rompiendo contra la arena plateada, brillante bajo la luz de la luna. Y después la sangre, tiñendo de rojo la espuma blanca. Sin embargo, lo que lo impresionaba más que cualquier otra cosa era que ese brutal crimen hubiera sucedido allí, en la isla de Lewis, donde en más de cien años solo se habían producido dos asesinatos.

—¿Sería posible obtener huellas dactilares? —preguntó—. Tendremos que intentar identificar a este hombre.

El profesor Mulgrew no respondió de inmediato. Estaba concentrado en retirar el cuero cabelludo del cráneo sin romperlo.

—Está condenadamente reseco. Quebradizo como un demonio. —Alzó la mirada—. Las yemas de los dedos están algo arrugadas a causa de la pérdida de fluidos, pero puedo inyectarles un poco de formol para rehidratarlas, y entonces podrá obtener huellas más que aceptables. Es probable que incluso pueda obtener una muestra de ADN.

—El médico de la policía ya ha enviado muestras para su análisis.

—¿Ah, sí? —Al profesor Mulgrew no pareció gustarle la noticia—. Dudo que sirvan para aclarar algo, pero nunca se sabe. Oh... —De repente dirigió su atención al cráneo, que quedó expuesto una vez retirada toda la piel—. Interesante.

—¿De qué se trata? —Gunn se acercó de mala gana al cadáver.

—Por debajo de la cicatriz quirúrgica que tiene aquí el amigo... hay una pequeña placa metálica para proteger el cerebro.

Gunn se fijó en la placa rectangular de color gris apagado, de unos cinco centímetros, suturada al cráneo con hilo metálico a través de los agujeros que tenía a cada uno de los lados. Aparecía parcialmente oculta bajo una capa de tejido cicatricial de un tono gris más claro.

—Alguna clase de herida. Y es muy probable que acompañada de un leve daño cerebral.

A petición de Mulgrew, Gunn salió al pasillo y miró por la ventana que daba a la sala de autopsias mientras el forense seccionaba la parte superior del cráneo con una sierra oscilante para extraer el cerebro. Cuando volvió a entrar, el profesor lo estaba examinando en un cuenco de acero inoxidable.

—Sí… lo que sospechaba. Aquí… —Le dio un golpecito con el dedo—. Encefalomalacia quística del lóbulo frontal izquierdo.

—¿Lo que significa?

—Lo que significa, amigo mío, que este pobre diablo no tuvo mucha suerte en su vida. Sufrió una lesión en la cabeza que le dañó el lóbulo frontal izquierdo, por lo que es posible que… ¿cómo decirlo?… que al pobre le faltara un hervor.

Volvió a centrarse en el cráneo y, rascando delicadamente con el bisturí, separó la capa de tejido que había crecido sobre la placa metálica.

—Si no me equivoco, es de tantalio.

—¿Qué es eso?

—Un metal muy resistente a la corrosión que se introdujo en craneoplastia durante la primera mitad del siglo XX. Se utilizó con frecuencia durante la Segunda Guerra Mundial para reparar heridas de metralla. —Se inclinó para acercarse más mientras seguía raspando la superficie del metal—. Altamente biocompatible, pero solía provocar unos dolores de cabeza terribles. Por algo relacionado con la electroconductividad, creo. Los avances en plástico durante los sesenta lo sustituyeron. Ahora se emplea principalmente en electrónica. ¡Ajá!

—¿Qué? —Gunn superó su reticencia natural y se aproximó un poco más.

Sin embargo, el profesor Mulgrew tan solo se volvió para hurgar en su juego de utensilios forenses, que descansaba en la encimera junto al lavamanos. Regresó con una lupa de diez centímetros que sujetó entre el índice y el pulgar y sostuvo sobre la placa de tantalio.

—Lo que creía —comentó con una nota de triunfalismo en la voz.

—¿Qué creía? —dijo Gunn con un tono que evidenciaba su frustración.

—Los fabricantes de estas placas solían grabar en ellas los números de serie. Y en este caso, también una maldita fecha. —Se hizo atrás e invitó a Gunn a echar un vistazo.

Gunn cogió la lupa y la sostuvo con cuidado sobre el cráneo al tiempo que contraía el rostro al acercarse para mirar a través de ella. Debajo de un número de serie de diez dígitos, descubrió los siguientes numerales romanos: MCMLIV.

El forense sonrió.

—1954, por si no sabe descifrarlo. Unos dos años antes de que se tatuara a Elvis. Y a juzgar por el crecimiento del tejido, tres años, tal vez cuatro, antes de que lo asesinaran en la playa.

6

En un primer momento, Fin se sintió totalmente desorientado. Notaba un latido intermitente en los oídos, por encima del ruido del viento y el agua. Tenía calor y sudaba en abundancia bajo las mantas, pero notaba la cara y las manos frías. Una extraña luz azul impregnaba el brillo que lo deslumbró cuando abrió los ojos. Tardó casi treinta segundos en recordar dónde estaba, entonces vio la cubierta interior blanca de su tienda respirando erráticamente, hacia dentro y hacia fuera, como un corredor que intenta recuperar el aliento al final de una carrera. A su alrededor, montones de ropa desordenada, una mochila de lona a medio deshacer, su portátil y documentos desperdigados.

Bajo la luz crepuscular, había elegido un espacio de suelo que le había parecido relativamente llano para montar su tienda de campaña para dos personas. Sin embargo, ahora se dio cuenta de que el terreno se inclinaba hacia los acantilados y el mar que había debajo. Se incorporó y durante un momento prestó atención al sonido de las cuerdas tensoras, que crujían y tiraban de las estacas, después salió del saco de dormir y se puso ropa limpia.

La luz del día lo cegó cuando bajó la cremallera de la cubierta exterior y salió a la colina. Por la noche había llovido, pero el viento ya había secado la hierba. Se sentó sobre ella y se puso los calcetines, entornando los ojos ante el resplandor del sol sobre el océano, un tenue anillo de luminiscencia que destelló brevemente antes de que la abertura entre las nubes se cerrara, como si se hubiera apagado la luz con un interruptor. Permaneció sentado, las rodillas dobladas contra el pecho, los antebrazos apoyados en ellas, y respiró el aire cargado de sal, y con él le llegó el olor a humo de turba y a tierra húmeda. El viento, que le agitaba los rizos cortos y rubios, le azotaba el rostro y le proporcionaba la maravillosa sensación de, sencillamente, estar vivo.

Se volvió para mirar por encima del hombro izquierdo y vio las ruinas de la granja de su padre, así como una vieja «casa blanca» (como llamaban en la isla a las construcciones encaladas hechas a partir de los años veinte) y, más allá, los restos de la «casa negra», la antigua vivienda de piedra con tejado de paja en la que sus antepasados habían vivido durante siglos, y en la que él había jugado de pequeño, feliz y seguro, incapaz de imaginar lo que le depararía la vida.

Por encima de aquellas ruinas, la carretera descendía por la colina, atravesando la desperdigada colección de viviendas dispares que formaban el pueblo de Crobost. Tejados rojos de cinc sobre viejos cobertizos, casas encaladas o de granito rosa, postes irregulares, mechones de lana enganchados en alambre de espino y flotando al viento. Las estrechas franjas de terreno de las granjas ocupaban la pendiente hacia los acantilados, algunas cultivadas para producir cosechas básicas, como cereales y tubérculos, otras solo servían como pasto para las ovejas. La tecnología desechada de décadas lejanas, tractores oxidados y cosechadoras rotas, se amontonaba en parcelas cubiertas de maleza, convertida en los símbolos descompuestos de una prosperidad antaño anhelada.

Más allá de la curvatura de la colina, Fin alcanzó a ver el tejado oscuro de la iglesia de Crobost, dominando la línea de edificios recortados contra el horizonte y a la gente sobre cuyas vidas se cernía su sombra. Alguien había tendido la ropa en la casa del pastor, y las sábanas blancas ondeaban furiosas al viento, como un desquiciado semáforo de banderas que instara a alabar y temer a Dios en igual medida.

Fin detestaba la iglesia y todo lo que esta representaba. Sin embargo, la sensación de familiaridad le resultaba agradable. Al fin y al cabo, ese era su hogar. Y se sintió de repente animado.

Oyó su nombre transportado por el viento mientras se ponía las botas y se volvió, se puso en pie apresuradamente y vio a un joven de pie junto a su coche, donde lo había dejado la noche anterior, frente a la verja de la granja. Se dirigió hacia él, avanzando entre la hierba, y al acercarse apreció la ambivalencia en la sonrisa de su visitante.

El joven tenía unos dieciocho años, casi la mitad de la edad de Fin, el pelo rubio engominado en punta y los ojos azul lavanda, con una mirada penetrante, tan parecida a la de su madre que a Fin se le erizó el vello de los brazos. Durante un momento guardaron un silencio incómodo mientras se examinaban el uno al otro, hasta que Fin alargó un brazo y el joven le estrechó la mano brevemente y con firmeza.

—Hola, Fionnlagh.

El joven señaló con la cabeza la tienda azul pálido.

—¿Estás de paso?

—Alojamiento temporal.

—Ha pasado mucho tiempo.

—Es verdad.

Fionnlagh hizo una breve pausa para dar mayor énfasis a sus palabras.

—Nueve meses —dijo, en un tono de evidente acusación.

—Tenía que empaquetar toda una vida.

Fionnlagh ladeó la cabeza ligeramente.

—¿Significa eso que has vuelto para quedarte?

—Tal vez. —Fin desvió la mirada hacia la granja—. Es mi casa. Allí donde regresas cuando no tienes ningún otro lugar al que ir. Si me quedo o no… bueno, está por ver. —Sus ojos verdes volvieron a centrarse en el chico—. ¿La gente lo sabe?

Se miraron fijamente durante unos segundos cargados de historia.

—Lo único que saben es que mi padre murió en An Sgeir el pasado agosto, durante la caza de la *guga*.

Fin asintió con la cabeza.

—Está bien. —Se volvió para abrir la verja y recorrió el camino ocupado por la maleza, en dirección a lo que una vez fuera la puerta de entrada a la vieja casa blanca. Hacía tiempo que la puerta había desaparecido, y de ella solo quedaban trozos de arquitrabe podridos pegados al ladrillo. La pintura morada con la que su padre había cubierto abundantemente las superficies de madera, incluidos los suelos, aún se distinguía en manchas y escamas irregulares. El techo estaba en buena parte intacto, pero las vigas estaban podridas y el agua de la lluvia había empapado las paredes. Los listones del suelo habían desaparecido, y tan solo algunas viguetas obstinadas resistían. El lugar no era más que un armazón, sin el menor rastro del amor que alguna vez lo había ocupado. Oyó a Fionnlagh junto a su hombro y se volvió.

—Voy a echar al suelo este lugar. Reformarlo de arriba abajo. Tal vez podrías echarme una mano durante las vacaciones de verano.

Fionnlagh se encogió de hombros sin comprometerse.

—Tal vez.

—¿Irás a la universidad en otoño?

—No.

—¿Por qué no?

—Necesito encontrar trabajo. Ahora soy padre. Tengo responsabilidades.

Fin asintió con la cabeza.

—¿Cómo está la niña?

—Está bien. Gracias por preguntar.

Fin pasó por alto el tono sarcástico.

—¿Y Donna?

—Vive en casa de sus padres, con el bebé.

Fin frunció el entrecejo.

—¿Y qué hay de ti?

—Sigo con mi madre, en el chalet a los pies de la colina. —Señaló de forma vaga con la cabeza en dirección a la casa que Marsaili había heredado de Artair—. El reverendo Murray no me deja que suba a verlos a la casa del pastor.

Fin se mostró incrédulo.

—¿Por qué no? Por el amor de Dios, eres el padre de esa niña.

—Pero no tengo recursos para mantener a la hija ni a la madre. De vez en cuando, Donna se escapa a verme al chalet, pero por lo general quedamos en la ciudad.

Fin se tragó su enfado. No tenía sentido descargarlo sobre Fionnlagh. Ya habría tiempo para ello. En otro lugar, con otra persona.

—¿Está tu madre en casa? —Era una pregunta inocente, pero ambos eran conscientes de la carga que contenía.

—Ha estado fuera, en Glasgow, para presentarse a los exámenes de acceso a la universidad. —Fionnlagh percibió la sorpresa en el rostro de Fin—. ¿No te lo dijo?

—No hemos mantenido el contacto.

—Ah. —Desvió nuevamente la mirada a la colina, hacia el chalet de los Macinnes—. Siempre pensé que era posible que mi madre y tú volvierais a estar juntos.

La sonrisa de Fin estuvo teñida de tristeza, y quizá también de arrepentimiento.

—Marsaili y yo no conseguimos hacer funcionar nuestra relación hace años, Fionnlagh. ¿Por qué iba a ser diferente ahora? —Vaciló—. ¿Sigue en Glasgow?

—No. Ha vuelto esta mañana temprano. Una emergencia familiar.

7

Los oigo hablar en el pasillo como si yo estuviera sordo. Como si no estuviera aquí. Como si estuviera muerto. A veces me gustaría estarlo.

No sé por qué tengo que llevar el abrigo. En casa hace calor. No me hace falta. Ni tampoco sombrero. Mi preciosa y suave gorra. Me calentó la cabeza durante años.

Ahora, cuando salgo de la habitación, nunca sé con qué Mary me encontraré. A veces es la Mary buena. Otras veces es la mala. Parecen la misma, pero son personas distintas. Esta mañana ha sido la Mary mala. Me ha gritado, me ha dicho lo que tenía que hacer, me ha obligado a ponerme el abrigo. Y a quedarme aquí sentado. Esperando. ¿Para qué?

¿Y qué hay en la maleta? Me ha dicho que mis cosas. Pero ¿a qué se refería? Si es a mi ropa, tengo un armario lleno, y no cabría toda aquí. Ni todos mis papeles. Facturas de hace años. Fotografías. Todas mis cosas. Sin duda no cabrían en una maleta de este tamaño. Tal vez nos vayamos de vacaciones.

Ahora oigo la voz de Marsaili.

—Mamá, es que no es justo.

«Mamá.» Claro. Siempre se me olvida que Mary es su madre.

Y Mary responde, en inglés, por supuesto, porque nunca aprendió gaélico:

—¿Justo? ¿Y crees que es justo para mí, Marsaili? Tengo

setenta años. No lo aguanto más. Al menos dos veces por semana ensucia la cama. Si sale solo, se pierde. Como un maldito perro. No se puede confiar en él. Los vecinos lo traen de vuelta a casa. Si yo digo blanco, él dice negro, y si yo digo negro, él dice blanco.

Nunca digo blanco ni negro. ¿De qué está hablando? Ahora habla la Mary mala.

—Mamá, llevas cuarenta y ocho años casada con él. —De nuevo la voz de Marsaili.

Y Mary responde:

—No es el hombre con el que me casé, Marsaili. Vivo con un desconocido. Todo es motivo de discusión. No quiere aceptar que padece demencia, que ya no se acuerda de las cosas. Siempre es todo culpa mía. Hace algo y después lo niega. El otro día rompió la ventana de la cocina. No sé por qué. La golpeó con un martillo. Me dijo que tenía que dejar entrar al perro. Marsaili, no tenemos perro desde que nos marchamos de la granja. Cinco minutos después, me pregunta quién ha roto la ventana, y cuando le digo que ha sido él, me dice que no es verdad, que debo de haber sido yo. ¡Yo! Marsaili, estoy harta.

—¿Y qué me dices del centro de día? Va tres veces por semana, ¿no? Tal vez podríamos conseguir que se quede cinco o seis.

—¡No! —grita Mary—. El hecho de mandarlo a ese centro empeora todavía más las cosas. Unas pocas horas de cordura a diario, la casa para mí sola, y lo único que pienso es que volverá por la noche para convertir mi vida de nuevo en un infierno.

La oigo sollozar. Sollozos terribles e incontrolables. Ahora no estoy seguro de si es la Mary mala o no. No me gusta oírla llorar. Me molesta. Me inclino para mirar el pasillo, pero están fuera de mi campo visual. Supongo que debería ir e intentar ayudar. Pero la Mary mala me dijo que me quedara aquí. Imagino que Marsaili estará consolándola. Me pregunto qué la habrá disgustado tanto. Me acuerdo del día en que nos casamos. Yo solo tenía veinticinco años. Y ella no era más que una chiquilla de veintidós. Entonces también lloró. Era una joven encantadora. Inglesa. Pero eso no podía remediarlo.

Por fin ha dejado de llorar. Y tengo que hacer un esfuerzo para oír la voz de Mary.

—Lo quiero fuera de esta casa, Marsaili.

—Mamá, eso no es factible. ¿Adónde quieres que vaya? Yo no estoy preparada para lidiar con él, y no podemos permitirnos una residencia privada.

—Me da igual. —Me doy cuenta de lo severa que suena su voz. Egoísta. Rebosante de autocompasión—. Tendrás que pensar en algo. Yo solo lo quiero fuera de esta casa. Ahora.

—Mamá…

—Está vestido y listo para marcharse, con la maleta hecha. He tomado la decisión, Marsaili. No lo quiero aquí ni un segundo más.

Ahora hay un silencio largo. ¿De quién demonios estaban hablando?

Y de repente, cuando levanto la vista, veo a Marsaili de pie en la puerta, mirándome. No la he oído entrar. Mi niñita. La quiero más que a cualquier otra cosa de este mundo. Algún día tengo que decírselo. Pero se la ve pálida y cansada, a mi pequeña. Y tiene la cara mojada de lágrimas.

—No llores —le digo—. Me voy de vacaciones. No estaré fuera mucho tiempo.

8

Fin examinó su trabajo. Había decidido empezar por arrancar toda la madera podrida, que ahora se encontraba apilada en el patio que había entre la casa y el viejo cobertizo de piedra con el tejado de cinc oxidado. Si se mantenía sin llover el tiempo suficiente, el viento la secaría, y Fin podría cubrirla y reservarla para la hoguera de noviembre.

Las paredes y los cimientos estaban en bastante buen estado, aunque tendría que retirar y reparar el tejado para evitar que se filtrara el agua y conseguir así que se secara el interior. Lo primero sería quitar y amontonar la pizarra. Pero para ello necesitaría una escalera.

El viento azotaba y tiraba de su mono azul, le agitaba la camisa a cuadros y le secaba el sudor de la frente. Casi había olvidado lo implacable que podía ser. Cuando se vivía allí, solo se notaba cuando dejaba de soplar. Miró colina abajo, hacia el chalet de Marsaili, y al no ver el coche supo que todavía no había regresado. Fionnlagh estaría en clase, en Stornoway. Bajaría más tarde y les pediría prestada una escalera.

El viento, procedente del sudoeste, no era demasiado frío, pero Fin olió el atisbo de la lluvia, y vio a lo lejos las nubes negroazuladas que se acumulaban en el horizonte distante. En primer plano, rayos de sol que relampagueaban sobre la tierra en formas siempre cambiantes, intensos y afilados, recortados contra la inquietante oscuridad cada vez más próxima. El ruido del motor de un vehículo hizo que se volviera, y entonces vio a Marsaili en el viejo Vauxhall Astra de Artair. Había aparcado a un lado de la calzada y miraba colina abajo, hacia donde estaba él. En el coche había alguien más.

Tuvo la impresión de permanecer allí de pie durante mucho tiempo, observándola desde lejos, antes de que saliera del coche y empezara a descender por el camino, en dirección a él. Su pelo largo y rubio se le arremolinaba sobre la cara. Parecía más delgada, y cuando la tuvo cerca se fijó en que no iba maquillada y en que tenía el rostro demacrado y anormalmente pálido bajo la implacable luz.

Se detuvo aproximadamente a un metro de él y se quedaron mirándose durante un momento. A continuación, ella dijo:

—No sabía que venías.

—No lo decidí hasta hace un par de días. Después de conseguir el divorcio.

Marsaili se ciñó la chaqueta impermeable al cuerpo, como si tuviera frío, y se cruzó de brazos para que no se le abriera.

—¿Vas a quedarte?

—Aún no lo sé. Quiero arreglar un poco la casa, y después veré.

—¿Y qué pasa con tu trabajo?

—He dejado la policía.

Pareció sorprendida.

—¿Y qué vas a hacer?

—No lo sé.

Ella sonrió, con esa vieja sonrisa sarcástica que él conocía tan bien.

—Aquí yacen los restos de Fin Macleod. El que no sabía.

Fin le devolvió la sonrisa.

—Ahora soy licenciado en informática.

Marsaili arqueó una ceja.

—¡Vaya! Te será muy útil en Crobost.

En esa ocasión, fue él quien se rió.

—Sí. —Siempre había conseguido hacerlo reír—. Bueno, ya veremos. Quizá termine trabajando en Arnish, como mi padre, o como Artair.

Cuando oyó mencionar a Artair, el rostro de Marsaili se ensombreció.

—Nunca harás eso, Fin. —Por algún motivo, siempre había sido el último recurso para los isleños que no lograban conseguir trabajo en una barca pesquera o escapar al continente para ir a la universidad. Aunque era un trabajo bien pagado.

—No.

—Entonces deja de decir gilipolleces. Te hartaste de decirlas cuando éramos jóvenes.

Fin esbozó una sonrisa forzada.

—Sí, supongo que sí. —Señaló el Vauxhall con la cabeza—. ¿Quién está en el coche?

—Mi padre. —Su voz sonó crispada.

—Ah. ¿Qué tal está? —Fue una pregunta inocente, pero cuando miró a Marsaili se dio cuenta de que había provocado en ella una reacción alarmante. Se le habían llenado los ojos de lágrimas y Fin se inquietó—. ¿Qué pasa?

Sin embargo, ella mantuvo los labios apretados, como si no confiara en sí misma para hablar. Al fin respondió:

—Mi madre lo ha echado de casa. Dice que no lo aguanta más. Que ahora es responsabilidad mía.

Fin frunció el entrecejo, confuso.

—¿Por qué?

—Porque sufre demencia, Fin. No estaba tan mal la última vez que lo viste. Pero ha ido de mal en peor en poco tiempo. Empeora casi a diario. —Miró hacia el coche y las lágrimas le fluyeron libremente—. Pero yo no puedo cuidarlo. ¡No puedo! Acabo de recuperar mi vida después de aguantar veinte años a Artair. Y a su madre. Tengo más exámenes dentro de poco, tengo que pensar en el futuro de Fionnlagh… —Volvió la mirada desesperada hacia Fin—. Suena espantoso, ¿verdad? Egoísta.

Fin sintió ganas de estrecharla en un abrazo, pero había pasado demasiado tiempo.

—Claro que no —fue cuanto logró decir.

—¡Es mi padre! —El dolor y la culpabilidad eran más que evidentes.

—Estoy seguro de que los servicios sociales le encontrarán un lugar, al menos de manera temporal. ¿Y si lo llevas a una residencia?

—No podemos permitírnoslo. La granja no era nuestra. Nos la habían arrendado. —Se secó las mejillas con las palmas de las manos e hizo un esfuerzo firme por recuperar la calma—. Llamé a los servicios sociales desde casa de mi madre. Les expliqué la situación, pero me dijeron que tenía que ir allí a hablar con ellos. Creo que lo dejaré en un centro de día, a ver si logro pensar en algo. —Meneó la cabeza, a punto de volver a perder el control—. Es que no sé qué hacer.

—Me cambiaré y te acompañaré a la ciudad. Iremos a almorzar a un pub con tu padre, después lo dejaremos en el centro de día mientras hablamos con los de servicios sociales.

Marsaili lo miró con sus ojos azules y llorosos, la expresión inquisitiva.

—¿Por qué harías eso, Fin?

Él sonrió.

—Porque necesito tomarme un descanso y una pinta me sentaría de maravilla.

El Crown Hotel se alzaba sobre la lengua de tierra llamada South Beach que separaba los puertos interior y exterior de Stornoway. El bar se hallaba en el primer piso, y desde allí se divisaban ambos. La flota pesquera estaba anclada en el puerto interior, meciéndose con suavidad al compás de la marea entrante, barcas medio oxidadas y barcos de pesca de cangrejo desvencijados, pintados con colores primarios, como ancianas que intentaran en vano disimular los estragos del tiempo.

Tormod estaba confuso. Al principio no dio ninguna muestra de reconocer a Fin. Hasta que Fin le habló de su infancia, cuando visitaba a Marsaili en la granja, ya entonces loco por ella, como si el dolor futuro hubiera estado predestinado. Entonces, el rostro de Tormod se iluminó al reconocerlo. Al parecer, guardaba un recuerdo claro del Fin joven.

—Has crecido rápido, chico —dijo, y le alborotó el pelo como si aún tuviera cinco años—. ¿Cómo están tus padres?

Marsaili miró avergonzada a Fin, y respondió en voz baja:

—Papá, los padres de Fin murieron en un accidente de tráfico hace más de treinta años.

La expresión de Tormod se tiñó de tristeza. Desde detrás de las gafas redondas de montura plateada, dirigió sus azules ojos de mirada húmeda hacia Fin y, por un momento, Fin vio en ellos a su hija, y al hijo de ella. Tres generaciones perdidas en la confusión.

—Lo siento mucho, chico.

Fin los acompañó a la mesa junto a la ventana y se fue a la barra para coger las cartas y pedir las bebidas. Cuando regresó a la mesa, Tormod intentaba sacarse algo del bolsillo del pantalón con gran dificultad. Se movía y se retorcía en la silla.

—Maldita sea, maldita sea —dijo.

Fin miró a Marsaili.

—¿Qué está haciendo?

Marsaili meneó la cabeza con gesto abatido.

—Ha vuelto a fumar. ¡Después de haberlo dejado hace más de veinte años! Tiene un paquete de cigarrillos en el bolsillo, pero parece que no puede sacarlo.

—Señor Macdonald, aquí no se puede fumar —dijo Fin—. Tiene que salir fuera, si quiere hacerlo.

—Está lloviendo —respondió el anciano.

—No —lo corrigió Fin con delicadeza—. Aún no. Si quiere un cigarrillo, saldré con usted a hacerle compañía.

—¡No puedo sacarme el maldito chisme del bolsillo! —dijo Tormod alzando la voz. Casi a gritos. El bar se estaba llenando de gente de la zona y turistas que llegaban para almorzar, y varias cabezas se volvieron en su dirección.

Marsaili habló en un susurro.

—Papá, no es necesario que grites. Ven, déjame ayudarte.

—¡Soy perfectamente capaz de hacerlo yo!

Más cabezas se volvieron a mirarlos.

El camarero llegó con las bebidas. Un joven de poco más de veinte años y acento polaco.

Tormod levantó la cabeza para mirarlo y dijo:

—¡Dame juego!

—Creo que quiere decir «fuego» —aclaró Marsaili a modo de disculpa. Se volvió hacia Fin—. Querrá cerillas. Mi madre se las escondía.

El camarero sonrió y dejó las bebidas en la mesa.

Tormod seguía peleando con la mano en el bolsillo.

—Está aquí. Lo noto. Pero no quiere salir.

Oyeron unas risas débiles procedentes de las mesas más cercanas.

—Permítame echarle una mano, señor Macdonald —dijo Fin.

Si bien no había aceptado el ofrecimiento de su hija, a Tormod le pareció bien que Fin intentara ayudarlo. Fin dirigió a Marsaili una mirada de disculpa. Se arrodilló junto al anciano, consciente de las cabezas que se habían vuelto desde la barra hacia ellos, y metió la mano en el bolsillo de Tormod. Notó el paquete de cigarrillos pero, al igual que el anciano, no era capaz de sacarlo. Como si el paquete estuviera por debajo del bolsillo en lugar de en su interior. Fin no entendía cómo era posible. Le levantó el jersey para buscar un bolsillo oculto en la pretina de los pantalones y lo que vio le hizo sonreír, aun sin querer. Alzó la vista.

—Señor Macdonald, lleva dos pantalones —dijo, lo que provocó una carcajada en quienes estaban sentados a las mesas más próximas.

Tormod frunció el entrecejo.

—¿Ah, sí?

Fin miró a Marsaili.

—El paquete de cigarrillos está en el bolsillo del pantalón que lleva debajo. Será mejor que vaya con él al aseo para que pueda quitarse uno de ellos.

En el baño, Fin lo acompañó a un cubículo. Consiguió, no sin dificultad, sacarle el primer par de pantalones después de convencerlo de que se descalzara. Luego, cuando ya se había puesto de nuevo los zapatos, Fin lo hizo sentar en la taza mientras él se arrodillaba para atarle los cordones. Dobló la prenda y ayudó a Tormod a ponerse en pie.

Tormod le permitió hacerlo todo sin oponer resistencia, como un niño bien educado. Solo que insistía en expresar su gratitud de manera excesiva.

—Eres un buen muchacho, Fin. Siempre me has gustado, hijo. Eres como tu viejo. —Acarició el pelo de Fin y a continuación agregó—: Ahora tengo que mear.

—Adelante, señor Macdonald. Lo esperaré. —Fin se volvió y abrió el grifo para que el agua estuviera tibia cuando el hombre se lavara las manos.

—¡Ooh, mierda!

Fin se volvió al oír la queja de Tormod, justo después de que las gafas del anciano se le resbalaran de la punta de la nariz y cayeran en el retrete. Sin embargo, el accidente no hizo que el chorro de orina amarilla procedente de la vejiga de Tormod disminuyera o se desviara. Al contrario, parecía que apuntara justo sobre las gafas. Fin suspiró. Era evidente a quién le tocaría recuperarlas. Cuando el anciano por fin terminó, Fin se inclinó junto a él, alargó un brazo con cuidado y sacó las gafas empapadas de orina del urinario.

Tormod observó en silencio mientras el joven las lavaba con abundante agua del grifo antes de enjabonarse las manos y enjuagárselas después.

—Ahora lávese usted las manos, señor Macdonald —dijo Fin mientras entraba en el cubículo para coger papel con el que secar las gafas. Cuando Tormod hubo terminado de enjugarse las manos, Fin le colocó de nuevo las gafas, fijándoselas con firmeza por encima del puente de la nariz y por detrás de las orejas—. Será mejor que no vuelva a pasarle, señor Macdonald. No queremos que se mee patas abajo, ¿verdad?

Por algún motivo, a Tormod, la idea de mearse encima le resultó bastante hilarante. Y se rió con ganas mientras Fin lo conducía de vuelta al bar.

Marsaili alzó la mirada con expectación y en su rostro afloró una media sonrisa al ver reír a su padre.

—¿Qué ha pasado?

Fin sentó al anciano.

—Nada —dijo, y le tendió los pantalones, cuidadosamente doblados—. Tu padre aún tiene un gran sentido del humor, nada más.

Al sentarse, observó la mirada de agradecimiento en los ojos de Tormod, como si el anciano supiera que si Fin hubiera contado la verdad, se habría sentido humillado. Sin embargo, no había forma de saber qué pensaba, qué sentía, o cuán consciente era de lo que sucedía a su alrededor. Estaba perdido en una niebla que nublaba su mente. Tal vez hubiera ocasiones en que esa niebla se disipara un poco, pero Fin sabía que también habría veces en que se precipitaría como una bruma veraniega y oscurecería toda luz y todo raciocinio.

El centro de día Solas se encontraba en las afueras, al nordeste de Stornoway, en Westview Terrace; un edificio moderno de una sola planta, con zonas de aparcamiento al frente y en su parte trasera. Estaba junto a la residencia de ancianos Dun Eisdean, subvencionada por el ayuntamiento, rodeada de árboles y de zonas de césped muy cuidado. Más allá, había la turbera salpicada de blanco, reluciendo fugazmente bajo el último sol de la tarde, antes de que empezara a llover. A la luz sesgada de los rayos, parecía un campo de oro que llegaba a Aird y Broadbay. Por el sudoeste, las nubes se aproximaban empujadas por un viento fortalecido, oscuras, amenazantes y preñadas de lluvia.

Marsaili aparcó en la parte trasera, frente a una hilera de caravanas incorporadas para ampliar el centro, que ya no daba más de sí, y los primeros goterones de lluvia empezaron a caer mientras Fin y ella se dirigían apresuradamente a la entrada con Tormod caminando entre ambos. Cuando llegaron, la puerta se abrió hacia fuera y un hombre de pelo oscuro vestido con un anorak negro acolchado la sujetó para que pasaran. No fue hasta que estuvieron dentro, protegidos de la lluvia, cuando Fin reconoció al hombre.

—¡George Gunn!

Gunn parecía igualmente sorprendido de ver a Fin. Se tomó un instante para recobrar su gesto impasible y a continuación asintió con cortesía.

—Señor Macleod. —Se estrecharon la mano—. No sabía que estaba en la isla, señor. —Dirigió la mirada a Marsaili en señal de saludo—. Señora Macinnes.

—Es Macdonald. He recuperado el apellido de soltera.

—Ya no hace falta que me llame «señor», George. Bastará con «Fin». Entregué la placa.

Gunn alzó una ceja.

—Vaya, lo lamento, señor Macleod.

Una mujer mayor, con desvaídos reflejos azules en el pelo entrecano, se acercó a Tormod, lo tomó del brazo y se alejó con él lentamente.

—Hola, Tormod. Hoy no lo esperábamos. Venga conmigo y le serviré una taza de té.

Gunn los observó y después se volvió hacia Marsaili.

—A decir verdad, señorita Macdonald, era con su padre con quien quería hablar.

Marsaili abrió, sorprendida, los ojos.

—¿Para qué diablos quiere hablar con mi padre? Además, no creo que consiga sacarle nada coherente.

Gunn asintió con solemnidad.

—Eso tengo entendido. He subido a Eòropaidh a visitar a su madre. Pero ya que está usted aquí, me sería de gran ayuda que me confirmara un par de datos.

Fin apoyó una mano en el antebrazo de Gunn.

—George, ¿de qué va todo esto?

Gunn desplazó ligeramente el brazo, fuera del alcance de Fin.

—Le pido que tenga paciencia, señor... —respondió, y Fin supo que no se trataba de un interrogatorio rutinario.

—¿Qué clase de datos? —preguntó Marsaili.

—Datos familiares.

—¿Por ejemplo?

—¿Tiene algún tío, señorita Macdonald? ¿O primos? ¿Algún pariente, cercano o no, que no pertenezca a su familia más directa?

Marsaili frunció el entrecejo.

—Creo que mi madre tiene algún pariente lejano en algún lugar del sur de Inglaterra.

—Quería decir por parte de su padre.

—Oh. —La confusión de Marsaili se volvió más intensa—. No que yo sepa. Mi padre es hijo único. No tiene ningún hermano.

—¿Primos?

—No lo creo. Es del pueblo de Seilebost, en Harris. Por lo que sé, es el único miembro de su familia que sigue vivo. Una vez nos llevó a conocer la pequeña granja en la que había crecido. Ahora está abandonada y en ruinas, por supuesto. Y la escuela de Seilebost, a la que fue de niño. Una escuela pequeña y preciosa que se encuentra en medio del *machair*, con las vistas más increíbles que pueda imaginar sobre las arenas de Luskentyre. Pero nunca nos habló de parientes.

—Vamos, George, ¿qué pasa? —A Fin le resultaba difícil seguir la recomendación de Gunn de que tuviera paciencia.

Gunn le dirigió una mirada fugaz y pareció extrañamente avergonzado mientras se pasaba una mano por el oscuro cabello, que le caía en forma de pico sobre la frente. Vaciló durante un momento antes de tomar una decisión.

—Hace unos días, señor Macleod, recuperamos un cadáver de la turbera de Siader, en la costa oeste. Se trata del cuerpo en perfecto estado de conservación de un joven de apenas veinte años. Murió de manera violenta. —Hizo una pausa—. Al principio supusimos que podía llevar allí cientos de años, tal vez desde la época de la ocupación escandinava. O incluso desde antes, quizá desde la Edad de Piedra. Sin embargo, un tatuaje de Elvis Presley en el antebrazo derecho echó por tierra esa teoría.

Fin asintió.

—Por supuesto.

—Bueno, en cualquier caso, el forense ha determinado que, probablemente, ese joven fuera asesinado a finales de la década de los cincuenta. Lo que significa que su asesino puede seguir vivo.

Marsaili meneaba la cabeza, consternada.

—Pero ¿qué tiene que ver eso con mi padre?

Gunn tomó aire entre dientes.

—Bueno, señorita Macdonald, el hecho es que no hallamos ropa ni nada que pudiera ayudarnos a identificar el cadáver. Cuando descubrimos el cuerpo, el médico de la policía le extrajo fluido y muestras de tejido que envió a analizar.

—¿Y cotejaron su ADN con los de la base de datos? —preguntó Fin.

Gunn se sonrojó levemente y asintió con la cabeza.

—Se acordará —empezó a decir— de que el año pasado la mayoría de los hombres de Crobost nos proporcionaron muestras para descartarlos como sospechosos del asesinato de Angel Macritchie…

—Que ya deberían haberse destruido —respondió Fin.

—El donante es quien debe solicitarlo, señor Macleod, mediante un documento firmado. Al parecer, el señor Macdonald no lo hizo. Debería habérsele explicado, pero todo apunta a que no fue así, o a que no lo entendió. —Miró a Marsaili—. En resumen, la base de datos nos mostró una coincidencia de grado familiar. Quienquiera que sea el joven que encontramos en la turbera, estaba emparentado con su padre.

9

La lluvia golpea la ventana. ¡Menudo escándalo! Cuando estabas ahí fuera, en el páramo, no se oía, claro. No se oía nada por encima del viento. Pero te sentías bien. Te azotaba la cara, que te ardía, cuando soplaba con fuerza diez. A veces en horizontal. Me encantaba esa sensación. Allí fuera, en plena naturaleza, solos yo y ese cielo infinito, mientras la lluvia me quemaba en la cara.

Pero últimamente me tienen encerrado en casa. No confían en mí lo suficiente para dejarme salir, dice la Mary mala.

Como ahora, aquí sentado en esta sala enorme y vacía, con las sillas alineadas. Todos me miran. No sé qué esperan. ¿Han venido para llevarme a casa? Reconozco a Marsaili, claro. Y el joven de pelo claro y rizado me resulta familiar. Pronto me vendrá el nombre a la cabeza. Normalmente acaba viniéndome.

Pero el otro muchacho… No lo conozco de nada, con esa cara rubicunda y el pelo negro y brillante.

Marsaili se inclina hacia mí y me dice:

—Papá, ¿qué les pasó a tus padres? ¿Tenías primos o tíos de los que nunca nos hablaras?

No sé a qué se refiere. Están todos muertos. Pero si eso ya lo saben…

¡Fin! Eso es. El joven de los rizos. Ahora lo recuerdo. Solía venir por la granja a buscar a la pequeña Marsaili, antes de que ninguno de los dos supiera contar. Me pregunto cómo estarán sus padres. Me caía bien su viejo. Era un tipo bueno, decente.

Yo no conocí a mi padre. Solo oí hablar de él. Era marinero, claro. Cualquier hombre que se preciara de serlo era marinero en esa época. El día que mi madre nos reunió en la sala delantera para darnos la noticia fue muy triste. No faltaba mucho para Navidad, y ella se había esforzado para que la casa tuviera un aspecto festivo. A nosotros solo nos importaban los regalos que pudieran dejarnos. No es que esperásemos recibir muchos. Pero nos gustaba la sorpresa.

Había nieve en las calles. No mucha, y se había convertido en una masa fangosa con rapidez. Pero el cielo había adquirido esa penumbra gris verdosa que trae la nieve, aunque, de todos modos, nunca se colaba mucha luz entre los edificios.

Era una mujer encantadora, mi madre, por lo que recuerdo de ella. Que no es mucho. Solo su suavidad cuando me abrazaba, y el olor de su perfume, o su colonia, o lo que fuera que utilizara. Y ese delantal azul estampado que siempre llevaba.

Bueno, ese día nos sentó en el sofá, uno al lado del otro, y se arrodilló en el suelo frente a nosotros. Me apoyó una mano en el hombro. Tenía un color horrible. Estaba tan pálida que su cara se habría confundido con la nieve. Y había estado llorando. Lo noté enseguida.

Yo no debía de tener más de cuatro años. Peter era un año menor. Debieron de concebirlo en uno de los permisos de vuelta a casa, antes de que mi padre se hiciera definitivamente a la mar.

Nos dijo: «Vuestro padre no volverá a casa, niños». Y se le quebró la voz. Del resto del día, no recuerdo nada. La Navidad no fue divertida ese año. En mi cabeza, todo está en color sepia, como una imagen en blanco y negro expuesta a la luz. Triste y deprimente. Tiempo más tarde, cuando ya era un poco mayor, supe que un submarino alemán había hundido su barco. Fue uno de esos convoys que atacaban a todas horas en el Atlántico, entre América y Gran Bretaña. Y yo tuve la extraña sensación de hundirme con él, atravesando el agua incesantemente hacia la oscuridad.

—¿Le queda algún pariente en Harris, señor Macdonald?

La voz me sobresalta. Fin me está mirando con gesto muy serio. Tiene unos ojos verdes preciosos, el muchacho. No sé por qué Marsaili no se casó con él en lugar de con ese gandul de Artair Macinnes. Nunca me gustó ese tipo.

Fin sigue mirándome, y trato de recordar qué me ha preguntado. Algo sobre mi familia.

—Estaba con mi madre la noche en que ella murió —digo y, de repente, noto lágrimas en los ojos. ¿Por qué tuvo que morir? Estaba tan oscura, esa habitación. Hacía calor y olía a enfermedad y a muerte. Había una lámpara en la mesilla de noche. Una lámpara eléctrica que emitía una espantosa luz pálida sobre su rostro en la cama.

¿Qué edad tendría yo entonces? No lo recuerdo con claridad. Trece o catorce años, tal vez. Lo bastante mayor para entenderlo, eso sin duda. Pero no lo bastante mayor para asumir la responsabilidad. Y no estaba preparado, si es que alguna vez se está, para quedarme solo en este mundo. Un mundo que jamás podría haber imaginado. Al menos no entonces, cuando lo único que conocía era el calor y la seguridad de mi hogar y a una madre que me quería.

No sé dónde estaba Peter esa noche. Dormido, probablemente. Pobre Peter. No volvió a ser el mismo después de caerse del tiovivo en la feria. ¡Absurdo! Un momento de despiste al bajar del maldito cacharro antes de que se hubiera detenido del todo. Y su vida cambió para siempre.

Mi madre tenía los ojos oscurísimos y la lámpara de la mesilla de noche se reflejaba en ellos. Pero vi que la luz se apagaba. Ella volvió la cabeza hacia mí. Había tal tristeza en sus ojos, y yo sabía que era por mí, no por ella. Alzó la mano derecha por encima de la izquierda sobre las mantas, y se quitó el anillo de boda. Nunca he visto un anillo como ese. De plata, con dos serpientes entrelazadas. Un tío de mi padre lo trajo de algún país extranjero y fue pasando de generación en generación. Cuando se casaron, mi padre no tenía dinero, así que se lo regaló a mi madre como anillo de boda.

Me tomó la mano, me lo dejó en la palma y me dobló los dedos sobre él. «Quiero que cuides de Peter», me dijo. «No logrará sobrevivir a solas. Quiero que me lo prometas, Johnny. Que siempre cuidarás de él.»

Por supuesto, entonces no sabía la responsabilidad que eso implicaba. Pero era lo último que mi madre me pediría, así que asentí con aire de gravedad y dije que lo haría. Ella sonrió y me dio un leve apretón en la mano.

Observé la luz morir en sus ojos antes de que se cerraran, y su mano relajada soltó la mía. El sacerdote no llegó hasta al cabo de quince minutos.

¿Qué es ese timbre que suena? ¡Maldita sea!

10

Marsaili hurgó en el bolso en busca de su móvil.

—Lo siento —dijo, aturullada y nerviosa por la interrupción. Aunque no podía decirse que su padre les estuviera contando muchas cosas, ni que lo que contaba tuviera demasiado sentido. De hecho, después de desvelarles que estuvo junto a su madre cuando esta murió, grandes y silenciosas lágrimas empezaron a rodarle por las mejillas, tras las cuales se escondía una confusión de intensa carga emocional. Que el sonido del teléfono había interrumpido.

—¿Qué diablos es eso? —preguntó, claramente agitado—. ¿Es que un hombre no puede estar tranquilo en su propia casa?

Fin se inclinó hacia él y le apoyó una mano en el brazo.

—No pasa nada, señor Macdonald. Es el móvil de Marsaili.

—Un momento, por favor —dijo Marsaili al teléfono. Lo cubrió con una mano y anunció—: Salgo a hablar al vestíbulo. —Acto seguido se levantó y salió rápidamente de la enorme sala vacía. La mayoría de los pacientes se habían ido de excursión en el microbús, así que tenían el centro prácticamente para ellos solos.

Gunn hizo un gesto con la cabeza en dirección a la puerta, y él y Fin se levantaron y se alejaron de Tormod hablando en voz baja. Gunn debía de ser unos seis o siete años mayor que Fin, pero no tenía una sola cana, y Fin se preguntó si se teñiría. Aunque no parecía la clase de hombre que haría algo así. Apenas tenía arrugas en el rostro. Salvo en el entrecejo, que ahora fruncía.

—No cabe duda de que enviarán a alguien del continente, señor Macleod —dijo—. No confiarán la investigación de un asesinato a un policía de la isla. Ya sabe cómo va esto.

Fin asintió con la cabeza.

—Y es probable que quienquiera que venga sea mucho menos sensible que yo a la hora de manejar el asunto. La única pista que tenemos para identificar al joven de la turbera es que está emparentado de algún modo con Tormod Macdonald. —Hizo una pausa y frunció los labios en un gesto que Fin interpretó como de disculpa—. Eso convierte a Tormod en el principal sospechoso de asesinato.

Marsaili regresó del vestíbulo y guardó el móvil en el bolso.

—Me han llamado de servicios sociales —anunció—. Al parecer hay una cama disponible, al menos temporalmente, en la unidad de Alzheimer del centro de aquí al lado, en Dun Eisdean.

11

Esta habitación es más pequeña que la que tengo en casa. Pero parece que la hayan pintado hace poco. No hay manchas en el techo. Paredes blancas y bonitas. Y también doble acristalamiento. No se oye el viento, ni la lluvia azotando la ventana. Solo la veo resbalar por el cristal. Como lágrimas. Lágrimas en la lluvia. ¿Quién se daría cuenta? Pero si vas a llorar, hazlo a solas. Es embarazoso tener la cara cubierta de lágrimas y que la gente se quede mirándote.

Ahora no hay lágrimas, aunque me siento algo triste. No sé bien por qué. Me pregunto cuándo vendrá Marsaili y me llevará a casa. Espero que cuando lleguemos esté la Mary buena. Me gusta esa Mary. Me mira y me toca la cara como si alguna vez me hubiera apreciado.

La puerta se abre y una joven de aspecto amable echa un vistazo. Me recuerda a alguien, pero no sé a quién.

—¡Oh! —exclama—. Aún lleva el abrigo y el sombrero, señor Macdonald. —Hace una pausa—. ¿Puedo llamarlo Tormod?

—¡No! —contesto. Y me oigo ladrar la respuesta, como un perro.

Parece desconcertada.

—Verá, señor Macdonald, aquí todos somos amigos. Déjeme que le quite el abrigo y se lo cuelgue en el armario. Y tendríamos que deshacer su bolsa y guardar la ropa en los cajones. Usted puede decidir dónde quiere cada cosa.

Se acerca a la cama en la que estoy sentado e intenta levantarme. Pero yo me resisto y me la quito de encima.

—Mis vacaciones han terminado —digo—. Marsaili vendrá para llevarme a casa.

—No, señor Macdonald, no vendrá. No va a venir nadie. Ahora esta es su casa.

Me quedo sentado durante un rato largo. ¿A qué se refiere? ¿Qué puede haber querido decir?

Y no hago nada para impedirle que me quite el sombrero, ni me opongo a que me levante para despojarme del abrigo. No me lo puedo creer. Esta no es mi casa. Marsaili llegará pronto. Nunca me dejaría aquí. ¿Verdad? No mi propia hija.

Vuelvo a sentarme. La cama es bastante dura. Y Marsaili no aparece. Y me siento… ¿Cómo me siento? Traicionado. Engañado. Me dijeron que me iba de vacaciones y me dejaron en este lugar. Igual que el día que me llevaron a El Valle. Internos. Así es como nos llamábamos. Como si fuéramos presos.

Fue a finales de octubre cuando llegamos a El Valle, Peter y yo. Era increíble que hubieran construido un lugar así para niños como nosotros. Se alzaba sobre una colina, un edificio largo de piedra, de dos plantas, con alas a ambos extremos y dos campanarios de cuatro esquinas a cada lado de la elevación central. Sin embargo, en ellos no había campanas. Solo urnas de piedra. Había un pórtico en la entrada principal, y sobre ella un techo triangular sostenido por cuatro columnas gigantescas. Y en lo alto, un reloj enorme. Un reloj cuyas manecillas doradas parecían marcar el tiempo que pasábamos allí, como si fueran hacia atrás. O tal vez fuera cosa de la edad. Cuando eres joven, un año supone una gran parte de tu vida y parece durar una eternidad. Cuando eres viejo, ya has dejado muchísimos atrás y pasan demasiado rápido. Nos alejamos tan lentamente del nacimiento y nos dirigimos tan deprisa hacia la muerte…

Ese día llegamos en un gran coche negro. No tengo ni idea de quién era. Hacía frío y el cielo escupía aguanieve. Al volver la cabeza desde lo alto de las escaleras, vi los bloques de viviendas de los trabajadores de los molinos, abajo en el valle, con los tejados de fría pizarra gris y las calles adoquinadas. Y detrás de eso, el perfil de la ciudad. Allí estábamos rodeados de verde, árboles, un enorme huerto, un jardín, y sin embargo nos encontrábamos a un tiro de piedra del centro de la ciudad. Con el tiempo, descubriría que en las noches silenciosas se podía oír el ruido del tráfico, incluso a veces se veían luces traseras rojas a lo lejos, en la oscuridad.

Aquella fue la última imagen que nos llevamos de lo que desde entonces consideré un mundo libre, pues cuando cruzamos el umbral de esa puerta, dejamos atrás toda comodidad y toda humanidad, y nos adentramos en un lugar deprimente en el que el lado más oscuro de la naturaleza humana proyectó su sombra sobre nosotros.

Ese lado oscuro se encarnaba en la figura del director. Señor Anderson, se llamaba, y resultaría difícil encontrar a un hombre más brutal y cruel que él. A menudo me he preguntado qué clase de hombre halla satisfacción maltratando a niños indefensos. Castigándolos, como él decía. Con frecuencia deseé haberme enfrentado a él en igualdad de condiciones, entonces habríamos visto si era tan valiente.

Guardaba un látigo de cuero en un cajón de su habitación. De unos cuarenta y cinco centímetros de largo, tenía dos correas y un grosor de casi un centímetro y medio. Y cuando te arreaba con él, te obligaba a caminar por el pasillo trasero hasta el pie de la escalera que conducía al dormitorio de los chicos y te hacía inclinarte. Con los pies en el primer escalón, para quedar un poco elevado, mientras apoyabas las manos en el tercero. Y entonces te azotaba el culo hasta que se te doblaban las piernas.

No era un hombre corpulento, aunque sí a nuestros ojos.

A decir verdad, yo lo recuerdo como un gigante. Pero en realidad no era mucho más alto que la supervisora. Tenía el cabello fino, de color ceniza, y repeinado hacia atrás con brillantina sobre el estrecho cráneo, como si lo llevara pintado. Un bigote negro y plateado, muy corto, le pinchaba el labio superior. Vestía trajes de color gris oscuro que le venían largos, formando bolsas encima de unos gruesos zapatos negros que chirriaban sobre las baldosas, de manera que siempre sabías cuándo se estaba acercando, como el «tictac» del cocodrilo de *Peter Pan*. Lo rodeaba un olor agrio a tabaco rancio, procedente de la pipa que fumaba, y en las comisuras de los labios se le solía acumular baba, que le pasaba del labio inferior al superior, y de nuevo al inferior mientras hablaba, más densa y espumosa con cada palabra que pronunciaba.

Jamás se refería a nosotros por nuestro nombre. Éramos «niño» o «tú, niña», y siempre utilizaba palabras que no entendíamos. Como «comestibles» en lugar de «caramelos».

Lo conocí ese primer día cuando la gente que nos llevó a ese lugar nos acompañó a su oficina. Fue todo dulzura y amabilidad mientras nos aseguraba que allí cuidarían de nosotros. Bueno, pues esa gente apenas había llegado a la puerta cuando descubrimos lo que en realidad significaba estar bien cuidados. Pero primero nos soltó un breve sermón.

Permanecimos de pie, temblando sobre el linóleo frente a su enorme y reluciente escritorio, y él se colocó al otro lado, cruzado de brazos, con las altas ventanas cuadradas alzándose hasta el techo tras él.

«Lo primero es lo primero. Me llamaréis en todo momento "señor". ¿Queda claro?»

«Sí, señor», respondí, y como Peter no dijo nada, le di un codazo.

Me miró sorprendido.

«¿Qué pasa?»

Señalé con la cabeza en dirección al señor Anderson.

«Sí, señor», repetí.

Mi hermano tardó un momento en entenderlo. A continuación sonrió.

«Sí, señor.»

El señor Anderson le dirigió una mirada fría y prolongada.

«Aquí no tenemos tiempo para los católicos. La Iglesia de Roma no es bien recibida. No seréis invitados al canto de los himnos ni a la lectura de la Biblia, sino que os quedaréis en el dormitorio hasta que las oraciones de la mañana hayan terminado. No os molestéis en instalaros cómodamente, pues con un poco de suerte no os quedaréis mucho tiempo.» Se inclinó hacia delante y se apoyó con los nudillos en el escritorio, cuyo color blanco resaltaba en la penumbra. «Pero mientras estéis aquí, tened en cuenta que solo hay una norma.» Hizo una pausa para dar énfasis a cada una de las palabras que pronunció acto seguido. «Haced. Lo. Que. Se. Os. Diga.» Volvió a erguirse. «Si quebrantáis esa norma, sufriréis las consecuencias. ¿Entendido?»

Peter me miró en busca de mi confirmación, y le respondí con un movimiento de la cabeza casi imperceptible.

«Sí, señor», respondimos al unísono. A veces nos comunicábamos por telepatía, Peter y yo. Siempre y cuando fuera yo quien pensara por los dos.

A continuación nos condujeron al despacho de la supervisora. Era una mujer soltera, creo, y de mediana edad. Siempre recuerdo su boca torcida hacia abajo, y esos ojos ensombrecidos que, de algún modo, resultaban opacos. Nunca sabías lo que pensaba y su humor siempre se reflejaba en esa boca huraña. Incluso cuando sonreía, cosa que casi nunca sucedía.

Tuvimos que permanecer de pie frente a su escritorio durante una eternidad, mientras nos abría un expediente a cada uno, y después nos pidió que nos desnudáramos. A Peter no pareció molestarle. Pero yo sentí vergüenza y tuve miedo de empalmarme. No porque la supervisora tuviera el menor atractivo sexual, sino porque nunca sabía cuándo la maldita cosa se me pondría dura.

Nos examinó a los dos, supongo que en busca de marcas que pudieran identificarnos, y a continuación nos revisó cuidadosamente la cabeza en busca de liendres. Al parecer, no encontró ninguna, pero nos dijo que llevábamos el pelo demasiado largo y que tendrían que cortárnoslo.

Después llegó el turno de los dientes. Las mandíbulas separadas, y esos dedos regordetes que sabían amargos, como a antiséptico, metidos en la boca, husmeando en ella. Como si fuéramos animales y nos evaluaran para llevarnos al mercado.

Recuerdo claramente el paseo hasta el baño. En cueros, sujetando la ropa doblada frente al cuerpo, empujándonos por detrás para que nos diéramos prisa. No sé dónde estaban los otros niños ese día. Es probable que en la escuela. Pero me alegro de que no estuvieran allí para vernos. Fue humillante.

Vertieron unos quince centímetros de agua tibia en una amplia bañera de cinc, y entramos en ella juntos y empezamos a formar espuma con pedazos ásperos de jabón desinfectante y nos frotamos a conciencia bajo la atenta mirada de la supervisora. Fue la única vez en El Valle que compartí baño con una sola persona. Resultó que el baño nocturno semanal consistía en cuatro chicos metidos en una bañera, siempre en quince centímetros de agua espumosa. De modo que esa primera vez fue un lujo.

El dormitorio de los chicos ocupaba la primera planta del ala este. Hileras de camas contra las paredes de una habitación larga. Había ventanas altas en forma de arco en cada extremo, y otras más bajas y rectangulares en la pared exterior. Cuando llegó el buen tiempo, la habitación se llenó de la luz del sol primaveral, cálida y reluciente, pero ese día desprendía penumbra y tristeza. A Peter y a mí nos asignaron dos camas contiguas en un extremo del dormitorio. Me di cuenta, mientras pasábamos junto a las demás, de que a los pies de todas las camas perfectamente hechas había pequeñas bolsas de loneta, y cuando estuvimos frente a las nuestras vi dos bolsas vacías, dobladas sobre nuestra única maleta. No había armarios, cajones ni cómodas. No tardé en descubrir que se fomentaba la no acumulación de objetos personales. Y cualquier conexión con el pasado se veía con malos ojos.

El señor Anderson entró detrás de nosotros.

«Podéis vaciar la maleta y meter vuestras pertenencias en las bolsas», dijo. «Que estarán en todo momento a los pies de vuestras camas. ¿Entendido?»

«Sí, señor.»

Alguien había doblado con esmero cuanto había en la maleta. Separé cuidadosamente mi ropa de la de Peter y la guardé en nuestras respectivas bolsas. Él permaneció un rato sentado en el borde de su cama, hojeando lo único que nos quedaba de nuestro padre. Una colección de paquetes de cigarrillos que había empezado antes de la guerra. Como un álbum de sellos. Solo que, en lugar de sellos, él había cortado la parte delantera de multitud de paquetes de cigarrillos distintos y las había pegado en las hojas. Algunos tenían nombres exóticos como Joystick, Passing Cloud o Juleps. Todos ellos con ilustraciones coloridas, cabezas de hombres y mujeres jóvenes que daban caladas con gesto extasiado a los cilindros llenos de tabaco que más adelante los matarían.

Peter no se cansaba de mirarlas. Supongo que el álbum, en realidad, era mío. Pero no me importaba que lo tuviera él. Nuca se lo pregunté, pero era como si, de algún modo, esos paquetes de cigarrillos lo ayudaran a establecer una conexión directa con nuestro padre.

Yo sentía una conexión mucho más fuerte con nuestra madre. Y el anillo que me había dado era un recuerdo simbólico de ella que yo protegía con mi vida. Ni siquiera Peter sabía que lo tenía. No se le podía confiar un secreto. Era más que probable que abriera la bocaza y se lo soltara a cualquiera. De modo que lo guardaba escondido en un par de calcetines enrollados. Sospechaba que era la clase de objeto que podrían confiscarme o robarme fácilmente.

El comedor estaba en la planta baja, y allí fue donde vimos a la mayoría de los otros niños por primera vez, cuando regresaron de la escuela. En ese momento éramos cincuenta, o puede que más. Niños en el ala este, niñas en la oeste. Por supuesto, despertamos su curiosidad. Los recién llegados. Los otros estaban curtidos, chicos que ya tenían experiencia en El Valle. Nosotros éramos unos pardillos y, aún peor, católicos. No sé cómo, pero todos parecían saberlo, y eso nos separó de los demás. Nadie quería hablar con nosotros. Excepto Catherine.

En aquel entonces era una auténtica marimacho. El cabello castaño y corto, una blusa blanca debajo de un jersey verde oscuro, una falda gris plisada, calcetines del mismo color por los tobillos y pesados zapatos negros. Imagino que en aquel momento yo debía de tener unos quince años, y ella tal vez fuera un año menor, más o menos, pero recuerdo que me fijé en que ya poseía unos generosos pechos que le tensaban la blusa. Sin embargo, no era en absoluto femenina. Le gustaba maldecir, tenía la sonrisa más descarada que haya visto jamás y no soportaba insolencias de nadie, ni siquiera de los chicos mayores.

Se suponía que debíamos llevar corbata para ir a la escuela, pero esa primera noche me di cuenta de que ella ya se la había quitado, y en el espacio abierto que dejaba el cuello de su blusa vi una pequeña medalla de san Cristóbal colgada de una cadena de plata.

«Vosotros sois papistas, ¿verdad?», preguntó directamente.

«Católicos», la corregí.

«Pues lo que he dicho, papistas. Me llamo Catherine. Vamos, os enseñaré cómo va todo esto.»

La seguimos a una mesa donde cogimos bandejas de madera y después hicimos cola en la cocina para que nos sirvieran la cena.

Catherine bajó la voz.

«La comida es una mierda. Pero no os preocupéis. Tengo una tía que me manda paquetes con comida. Así se siente menos culpable, supongo. Muchos de los chicos no son huérfanos. Vienen de familias rotas. Bastantes reciben paquetes con comida. Pero hay que dar cuenta de todo rápidamente, antes de que los cabrones nos lo confisquen.» Esbozó una sonrisa cómplice y habló en un susurro. «Festines de medianoche arriba, en el tejado.»

Tenía razón sobre la comida. Catherine nos llevó a una mesa, a la que nos sentamos entre el barullo de voces que retumbaban contra el techo alto de aquella enorme sala, y sorbimos una sopa de verduras sosa y poco espesa, y picoteamos trozos de patata verde y de carne dura que nadaban en grasa. Yo me deprimí. Sin embargo, Catherine sonrió.

«No te preocupes. Yo también soy papista. Aquí no gustan los católicos, así que no nos quedaremos mucho tiempo.» El eco de las palabras pronunciadas anteriormente por el señor Anderson. «Los curas vendrán a buscarnos en cualquier momento.»

No sé cuánto tiempo se había estado engañando con esa idea, pero tendría que pasar un año entero para que el incidente en el puente finalmente propiciara la visita del cura.

En la escuela tampoco les gustaban los papistas. La escuela del pueblo era un edificio austero de granito gris y arenisca con altas ventanas en forma de arco coronadas por un saledizo de piedra. Tallado en la pared, debajo de la torre en la que se encontraba la campana que nos llamaba a clase, había un emblema en piedra sobre una amable señora con toga enseñando a una joven estudiante las maravillas del mundo. La estudiante tenía el pelo corto, llevaba falda y me recordaba a Catherine. Aunque imagino que pretendía representar a un chico de la época clásica. Mostraba la fecha de 1875.

Como éramos católicos, no se nos permitía asistir a la oración matinal, que era cosa de protestantes. Aunque a mí me importaba un comino perderme el rollo de Dios. No descubrí a Dios hasta mucho más adelante en la vida. Y, extrañamente, a un Dios protestante. Sin embargo, teníamos que quedarnos fuera, en el patio, hiciera el tiempo que hiciese, hasta que terminaba. Hubo muchas veces en que finalmente nos dejaban entrar, calados hasta los huesos y, temblorosos, nos sentábamos a nuestros pupitres en aulas frías como el hielo. Es un milagro que aquello no acabara con nosotros.

Para empeorar aún más las cosas, éramos niños de El Valle. Lo que también nos separaba de los demás. Al término de las clases, cuando los otros niños quedaban libres para correr a la calle y regresar a sus casas con sus parientes y hermanos, nosotros teníamos que hacer fila por parejas, mientras soportábamos los silbidos y los abucheos de los otros. Después nos conducían colina arriba hasta El Valle, donde debíamos permanecer en silencio durante las dos horas siguientes y hacer los deberes. La libertad llegaba tan solo a la hora de las comidas y durante los breves espacios de tiempo libre antes de que nos obligaran a acostarnos temprano en los oscuros y fríos dormitorios.

Durante los meses de invierno, ese tiempo «libre» se ocupaba con las clases de baile de las Highlands que impartía el señor Anderson. Por extraño que pudiera parecer, el baile era su pasión, y nos quería a todos perfectamente instruidos en el *pas de bas* y otros ritmos de giga antes de la fiesta de Navidad.

En los meses de verano había demasiada luz para dormir. Cuando llegaba junio no oscurecía hasta casi las once y, siendo como era yo un espíritu inquieto, no podía quedarme en la cama pensando en el mundo de aventuras que se abría ahí fuera.

Muy pronto descubrí una escalera trasera que bajaba del piso inferior del ala este al sótano. Una vez allí, descorría el cerrojo de la puerta de la parte posterior del edificio y huía a la penumbra del anochecer. Si corría, enseguida alcanzaba el cobijo de las sombras que me ofrecían los árboles que bordeaban el parque. Desde allí era libre de ir a donde quisiera. Aunque nunca me alejaba demasiado. Siempre iba solo. Peter nunca tuvo problemas para quedarse dormido, y si alguno de los otros chicos sabía de mis escapadas, jamás lo insinuó.

No obstante, mis aventuras solitarias tocaron a su fin de manera abrupta en la tercera o cuarta salida. Fue la noche en que descubrí el cementerio.

Debía de ser bastante tarde, pues la penumbra había dado paso a la oscuridad cuando me escapé del dormitorio. Me detuve en la puerta a escuchar la respiración de los chicos. Algunos roncaban suavemente, como gatos ronroneantes. Uno de los más jóvenes hablaba en sueños. Con una voz firme, expresando sus miedos ocultos.

Sentí el frío de los escalones de piedra mientras descendía a la oscuridad. El sótano desprendía un olor húmedo y agrio, era un lugar envuelto en sombras. Siempre me dio miedo entretenerme y nunca supe qué guardaban allí abajo. El cerrojo protestó ligeramente cuando tiré de él hacia un lado, pero enseguida salí al exterior. Un rápido vistazo a izquierda y derecha, y después los pasos apresurados sobre el asfalto en dirección a los árboles. Solía subir por la colina y luego bajaba de nuevo hacia el pueblo. Las luces de la calle se reflejaban en el agua, donde alguna vez habían girado las ruedas de diez o más molinos. Ahora en silencio. Abandonados. Luces que brillaban en algunas ventanas de las viviendas construidas para los trabajadores de los molinos, árboles y casas que se alzaban inclinadas a cada lado por debajo del puente que se extendía sobre el río, a unos treinta metros de altura.

Pero esa noche, en busca de algo distinto, fui en dirección contraria y no tardé en descubrir una verja de metal en el alto muro que encerraba la parte este del jardín. No tenía la menor idea de que allí hubiera un cementerio, pues desde El Valle quedaba oculto a la vista por los árboles altos. Al abrir la verja me sentí un poco como Alicia cruzando al otro lado del espejo, solo que yo estaba pasando del mundo de los vivos al de los muertos.

Avenidas de lápidas a izquierda y derecha, casi perdidas a la sombra de sauces que parecían llorar por quienes se habían marchado. Justo a mi izquierda yacía Frances Jeffrey, fallecida el 26 de enero de 1850, a la edad de setenta y siete años. No sé por qué, pero esos nombres permanecen grabados claramente en mi memoria, como en la losa bajo la que yacían. Daniel John Cumming, su esposa Elizabeth y su hijo Alan. Qué extrañamente reconfortante me resultaba que estuvieran juntos en la muerte, como lo habían estado en vida. Los envidiaba. Los huesos de mi padre descansaban en el fondo de un océano y no tenía la menor idea sobre dónde estaba enterrada mi madre.

Uno de los muros estaba ocupado en su totalidad por lápidas, con franjas alargadas de césped muy cuidado frente a ellas, y helechos que crecían a los pies de la pared.

Me sorprende que no tuviera miedo. Un cementerio de noche. Un joven en plena oscuridad. Y aun así, debí de sentir que tenía mucho más que temer de los vivos que de los muertos. Estoy seguro de que no me equivocaba.

Avancé por un camino de tierra caliza, con losas y cruces apiñados en la negrura a uno y otro lado. El cielo estaba despejado y la luna brillaba en lo alto, de modo que veía sin dificultad. Iba siguiendo la curva del camino hacia el sur cuando un ruido hizo que me detuviera en seco. Ahora me resultaría difícil decir qué fue lo que escuché. Más bien fue un ruido sordo lo que sentí. Y después, en algún lugar a mi izquierda, un susurro entre la hierba. Alguien tosió.

He oído decir que los zorros emiten un sonido muy similar a la tos humana, así que tal vez fuera eso lo que oyera. Sin embargo, otra tos seguida por un movimiento entre los árboles, mucho más llamativo del que un zorro sería capaz de provocar, me heló el corazón. Otro golpe seco y salí disparado. Corrí como el viento. Entrando y saliendo de las zonas veteadas de sombra bajo la luz de la luna. Casi deslumbrado por los tramos de brillante luz plateada.

Tal vez fuera fruto de mi imaginación, pero habría jurado que oí pasos que me perseguían. Un frío repentino en el ambiente. El sudor que me heló la cara.

No tenía idea de dónde estaba, ni de cómo regresar a la verja. Tropecé, me caí y me pelé las rodillas, y a continuación me levanté precipitadamente y salí del camino para avanzar entre las siluetas recortadas de inquietantes tumbas. Me agaché en la penumbra, protegido tras un sepulcro más alto que yo, coronado por una cruz de piedra.

Intenté contener la respiración para no hacer ningún ruido. Pero el latido de mi corazón me retumbaba en los oídos, y los pulmones, a punto de estallar, me obligaron a tomar oxígeno, que expulsé de inmediato para vaciarlos y llenarlos de nuevo. Mi cuerpo temblaba de arriba abajo.

Presté atención a los pasos pero no oí nada, y estaba empezando a relajarme y a maldecir mi imaginación hiperactiva cuando oí un crujido suave y cauteloso sobre la grava. Tuve que hacer un esfuerzo para contener un grito.

Con cuidado, eché un vistazo desde detrás de la cruz y distinguí, a menos de seis metros de distancia, la sombra de un hombre cojeando por el camino. Parecía arrastrar el pie izquierdo. Unos pasos más y abandonó la enorme haya que lo ocultaba y salió a la luz de la luna, y entonces le vi el rostro por primera vez. Lo tenía blanco, fantasmagórico, pálido como el de mi madre el día que nos dijo que nuestro padre había muerto. Los ojos perdidos en la oscuridad bajo unas cejas abundantes, casi como si tuviera las cuencas vacías. Llevaba los pantalones desgarrados, una chaqueta harapienta y una camisa gris abierta por el cuello. Un pequeño saco con sus pertenencias le colgaba de la mano izquierda. ¿Tal vez fuera un vagabundo que buscaba dónde dormir entre los muertos? No lo sabía. Y tampoco quería saberlo.

Esperé hasta que, arrastrando los pies, siguió avanzando y la noche volvió a engullirlo, y al salir de detrás de la tumba pude fijarme en el nombre que había grabado en la piedra. Y se me pusieron los pelos de punta.

Mary Elizabeth McBride.

El nombre de mi madre. Por supuesto, sabía que no era ella quien yacía bajo tierra. Esa Mary Elizabeth llevaba allí casi doscientos años. Pero no podía sacudirme de encima la sensación de que, de algún modo, era mi madre quien me había guiado hasta ese lugar alejado. Me había encargado que cuidara de mi hermano, pero ella se había ocupado de cuidar de mí.

Me volví y salí disparado, deshaciendo el camino, con el corazón desbocado, a punto de salírseme del pecho, hasta que vi entreabierta la verja metálica pintada de negro. La crucé como un fantasma y corrí sobre el asfalto hacia la puerta de la parte trasera de El Valle. Fue la única vez en mi vida, creo, en que me alegré de estar allí dentro.

De vuelta en mi cama, estuve temblando un rato largo hasta que me venció el sueño. No estoy seguro sobre cuándo me despertó Peter. Estaba inclinado sobre mí, iluminado por la luz de la luna que bañaba el dormitorio en rectángulos sesgados y alargados. Vi la preocupación en sus ojos, mientras me tocaba la cara.

«John», me susurró. «Johnny. ¿Por qué lloras?»

Alex Curry tuvo la culpa de que la aventura en el tejado terminara en desastre. Era un bruto, mayor que todos nosotros, y el que llevaba allí más tiempo. Era casi tan alto como el señor Anderson y probablemente más fuerte. Siempre había sido un rebelde, decían los demás chicos, y ningún otro culo había recibido más azotes que el suyo en El Valle. Sin embargo, en tres años se había desarrollado hasta el punto de que su fuerza física igualaba su naturaleza rebelde. Y eso debió de resultar bastante intimidatorio para el señor Anderson. En los últimos tiempos se había negado a cortarse el pelo, negro y grueso, y llevaba un tupé a lo Elvis, con la popular cola de pato por detrás. Creo que fue la primera vez que Peter y yo oímos hablar de Elvis Presley. Hasta entonces, apenas éramos conscientes de que había un mundo más allá del nuestro. Los azotes a Alex eran menos frecuentes y se rumoreaba que lo enviarían a un albergue. Era demasiado mayor para El Valle y el señor Anderson ya no podía controlarlo.

Catherine se había acercado a nosotros el día anterior, con un guiño, una sonrisa y tono de complicidad en la voz. Ella y varias chicas más habían recibido paquetes de comida esa semana, de modo que a la noche siguiente se celebraría un banquete en el tejado a medianoche.

«¿Cómo subimos al tejado?», pregunté.

Me miró con gesto de pena por mi inocencia y negó con la cabeza.

«En ambas alas hay escaleras que llevan al tejado», respondió. «Ve a echar un vistazo a las de tu lado. Hay una puerta al final del rellano, y detrás, una escalera estrecha. La puerta nunca está cerrada con llave. El tejado es llano y totalmente seguro siempre que no te acerques al borde. Es el único momento en que los chicos y las chicas nos juntamos sin que ningún maldito trabajador nos vigile.» Esbozó una sonrisa lasciva. «Puede ponerse interesante.»

De inmediato, sentí una especie de agitación en las entrañas. Como un gusano retorciéndose. Hacía tiempo que había aprendido a masturbarme, pero jamás había llegado a besar a una chica. Y la expresión en los ojos de Catherine no admitía confusión.

Durante el día siguiente, apenas pude contener el entusiasmo. Las clases transcurrieron con desesperante lentitud, y a última hora de la tarde no era capaz de recordar ni un solo dato de los que nos habían enseñado. Nadie cenó mucho esa noche, pues se reservaban para el festín de medianoche. Por supuesto, no iba a ir todo el mundo. Algunos chicos eran demasiado pequeños y otros tenían demasiado miedo. Sin embargo, yo no me lo habría perdido por nada del mundo. Y Peter no conocía el miedo.

Fuimos unos diez los que esa noche salimos sigilosamente del dormitorio al rellano. Alex Curry nos guiaba. No sé cómo lo había conseguido, pero había conseguido de algún sitio media docena de botellas de cerveza rubia que repartió para que las subiéramos al tejado.

Jamás olvidaré la sensación al salir de esa escalera oscura y estrecha al espacio abierto del tejado, con la luz de la luna derramándose libremente sobre su superficie alquitranada. Lo sentí como una huida. Ni siquiera en mis futuras escapadas en solitario experimenté tal sensación. Quise alzar la cara al cielo y gritar con todas mis fuerzas. Pero, por supuesto, no lo hice.

Nos reunimos todos en el centro, detrás del enorme reloj y a un lado de la amplia claraboya que iluminaba el piso superior. Las chicas trajeron la comida, los muchachos la cerveza, y nos sentamos en un círculo desordenado a comer queso, pastel y galletas, y a hundir los dedos en botes de mermelada. Al principio hablábamos en susurros apenas perceptibles, pero cuando las botellas de cerveza empezaron a correr de mano en mano, nos envalentonamos y despreocupamos. Era la primera vez que bebía alcohol y me encantó el deleite que me causó ese líquido suave y amargo cuya espuma me acariciaba la lengua, y que pasaba tan bien y me despojaba de las inhibiciones.

No sé cómo, pero de algún modo me descubrí sentado al lado de Catherine. Estábamos el uno junto al otro, los hombros y los brazos rozándose, con las piernas encogidas. Sentí su calor a través del jersey, y podría haberme quedado oliendo su aroma eternamente. No tengo ni idea sobre cuál era esa fragancia. Pero siempre la envolvía. Ligeramente aromática. Supongo que debía de ser algún perfume, o el jabón que utilizaba. Tal vez algo que le había enviado su tía. Siempre resultaba excitante.

La cerveza se me había subido a la cabeza y descubrí una valentía que no sabía que tenía. Le rodeé el hombro con un brazo y ella se inclinó hacia mí.

«¿Qué les pasó a tus viejos?», pregunté. Era una pregunta que casi nunca nos hacíamos. No nos animaban a hurgar en el pasado. Se tomó un rato antes de responder.

«Mi madre murió.»

«¿Y tu padre?»

«No tardó en encontrar a otra. Alguien que le diera hijos, como buen católico. Mi madre sufrió algunas complicaciones después de que naciera yo y no pudo tener más hijos.»

Me quedé perplejo.

«No lo entiendo. ¿Por qué no estás en tu casa?»

«Porque ella no me quería allí.»

Oí el dolor en su voz, y también lo sentí. Una cosa era perder a tus padres, y otra muy distinta que te apartaran de su vida, que no te quisieran. Sobre todo si lo hacía tu propio padre. Le dirigí una mirada rápida y me sorprendió ver lágrimas plateadas bajo la luz de la luna, rodándole por las mejillas. Pobrecita Catherine, ella que siempre se hacía la dura. La excitación que había sentido desapareció y lo único que me apetecía era abrazarla, consolarla, para que supiera que había alguien a quien le importaba.

Fue entonces cuando me fijé en el alboroto que se había formado al otro lado de la claraboya. Alguien le había quitado a Peter una botella de cerveza, sin abrir, y varios chicos se la estaban pasando, provocándolo, obligándolo a correr en círculos mareantes mientras intentaba atraparla. Daba la impresión de que Alex Curry era el líder del grupo, quien lo retaba, se burlaba y espoleaba al resto. Todos sabían que Peter era de pocos alcances, y si yo no lo defendía, era un blanco fácil.

Por supuesto, no podía compararme físicamente con Alex Curry, pero tenía la fuerza mental para enfrentarme con quien fuera cuando se trataba de Peter. Se lo había prometido a mi madre, y no estaba dispuesto a fallarle.

Me levanté de inmediato.

«¡Eh!», exclamé casi gritando, y enseguida todos se callaron. Cesaron los lanzamientos de botella, y una o dos voces me pidieron que guardara silencio. «Déjalo en paz de una puta vez», dije, y parecí mucho más valiente de lo que me sentía.

«¿Tú y cuántos más vais a obligarme a eso?»

«No necesito a nadie más para darte una paliza, Curry.»

Sé muy bien quién habría recibido una paliza esa noche si el destino no hubiera intervenido. Antes de que Curry tuviera tiempo de responder, Peter lo embistió para recuperar su cerveza y la botella salió volando por los aires, fuera del alcance de la mano del chico mayor.

El silencio de la noche se hizo añicos en el instante en que la botella atravesó el cristal de la claraboya, y siguió un momento de calma antes de la explosión de cristal y espuma cuando aterrizó en el suelo del vestíbulo. Después de eso, continuaron lloviendo cristales. Sonó como si hubiéramos soltado una bomba.

«Virgen santa», oí susurrar a Catherine, y luego todos se levantaron y echaron a correr, convertidos en sombras que cruzaban el tejado a toda velocidad, dominados por el pánico, dejando la comida y la cerveza abandonadas por las prisas y el miedo.

Cuerpos apiñados en la oscuridad de la escalera, empujándose y peleando por llegar al rellano. Como ratas, cruzamos la puerta del dormitorio y corrimos hasta nuestras camas.

Cuando la puerta se abrió de par en par y se encendieron las luces, todo el mundo estaba acurrucado bajo las sábanas, fingiendo estar dormido. Pero, por supuesto, el señor Anderson no se dejó engañar. Permaneció allí de pie, el rostro casi púrpura, los ojos negros encendidos. En comparación con su gesto, su tono de voz era casi tranquilo, controlado, y por ello aún más intimidatorio.

Sin embargo, se tomó un par de segundos antes de hablar. Esperó a que nos hubiéramos descubierto las caras de sueño fingido, a que levantáramos la cabeza de la almohada, a que algunos se incorporaran apoyando un codo en la cama.

«Por supuesto, sé que algunos de vosotros no habéis tenido nada que ver, y a esos os pido que habléis ahora, a menos que queráis compartir el castigo de los culpables.»

El portero apareció a su lado, con batín y zapatillas, y el pelo alborotado. De todos los empleados, él era quien trataba mejor a los niños. Pero esa noche estaba blanco como el papel y la inquietud se reflejaba en sus ojos castaños. El señor Anderson se inclinó hacia él y le susurró unas palabras rápidas y en voz tan baja que no logramos oírlas.

El señor Anderson asintió con la cabeza y, mientras el portero se retiraba, dijo:

«Comida y alcohol en el tejado. ¡Criaturas estúpidas! La receta infalible para el desastre. ¡Vamos! Levantad las manos los que no estabais ahí arriba.» Se cruzó de brazos y esperó. Al cabo de un momento, se alzaron algunas manos vacilantes, delatando, por descarte, a quienes éramos culpables. El señor Anderson meneó la cabeza con gravedad. «¿Y quién ha sido el responsable de proporcionaros el alcohol?»

Silencio absoluto esa vez.

«¡Vamos!» Su voz retumbó en la oscuridad. «Si no queréis sufrir todos el mismo castigo, será mejor que los inocentes señalen a los culpables.»

Un muchacho llamado Tommy Jack, que debía de ser uno de los más jóvenes en El Valle, respondió: «Por favor, señor, ha sido Alex Curry». Se podría haber oído caer un alfiler en cualquier parte del país.

El señor Anderson volvió la mirada hacia el desafiante Alex

Curry, que estaba sentado en su cama, con los antebrazos apoyados en las rodillas.

«¿Qué va a hacer, Anderson? ¿Azotarme? Ni se le pase por la puta mente intentarlo.»

Una sonrisita cruel se apoderó de los labios del señor Anderson.

«Espera y verás», fue cuanto respondió. Después se volvió hacia el pequeño Tommy con la amargura del desprecio en la voz. «No siento admiración alguna por los chicos que venden a sus amigos. Estoy seguro de que habrás aprendido la lección antes de que termine esta noche.»

Apagó las luces, cerró las puertas y se produjo un largo silencio antes de que la voz aterrada de Tommy sonara temblorosa en la penumbra.

«Yo no quería, en serio.»

Y la respuesta que gruñó Alex.

«¡Cabronzuelo de mierda!»

El señor Anderson tenía razón. El pequeño Tommy aprendió esa noche, de la peor manera posible, que delatar a sus compañeros no era una conducta aceptable. Y la mayoría de los que levantaron la mano, si no todos, aprendieron una lección similar.

En cuanto al resto, solo nos quedaba esperar con temor el castigo que el señor Anderson hubiera planeado descubrirnos por la mañana.

Para nuestra sorpresa, no sucedió nada. La tensión en El Valle se palpó durante el desayuno, en un comedor extrañamente silencioso con internos y empleados asustados por igual, o eso parecía. Cuando salimos hacia la escuela y descendimos de dos en dos por la colina en dirección al pueblo, la ansiedad había disminuido un poco. Al final del día, ya casi nos habíamos olvidado del asunto.

Regresamos a El Valle y no encontramos nada fuera de lo común, salvo que Alex Curry había desaparecido. Se había marchado de allí para siempre. Después nos dirigimos al dormitorio. Y fue entonces cuando observamos que las bolsas con nuestras pertenencias, que solían estar a los pies de las camas, también habían desaparecido. Todas. Me entró el pánico. El anillo de mi madre estaba en mi bolsa. Bajé las escaleras lleno de ira e indignación y me encontré de bruces con el portero en el pasillo del piso de abajo.

«¿Dónde están nuestras cosas?», le grité. «¿Qué ha hecho con ellas?»

Tenía el rostro ceniciento, casi verde alrededor de los ojos. Su mirada rebosaba inquietud y culpabilidad. «Nunca lo había visto así, Johnny», respondió. «Salió de su apartamento como un poseso después de que os fuerais a la escuela. Entró en los dormitorios, recogió todas las bolsas y nos obligó, a mí y a otros, a ayudarlo.» Las palabras le brotaban de la boca como manzanas que cayeran de un tonel. «Se las llevó todas al sótano y me hizo sujetar la puerta de la caldera de la calefacción central mientras él las echaba todas dentro. De una en una. Hasta la última.»

Sentí que la ira me cegaba. Lo único que me quedaba de mi madre se había esfumado. Su anillo con las serpientes enlazadas. Perdido para siempre. Y el álbum de paquetes de cigarrillos de Peter. Nuestros vínculos con el pasado rotos por siempre jamás. Quemados por el señor Anderson, a modo de mezquina venganza.

Si hubiera podido, habría matado a ese hombre, y no lo habría lamentado ni por un segundo.

12

Fin se sentía un poco incómodo. Resultaba extraño estar de nuevo en esa casa, que le traía tantos recuerdos de la infancia. La casa donde el señor Macinnes les había dado clases, a él y a Artair. La casa donde ambos, los mejores amigos desde que empezaron a andar, habían jugado de pequeños. Una casa llena de oscuros secretos que los dos habían guardado por acuerdo tácito.

Para Marsaili, esa era tan solo la casa donde había vivido. Donde había pasado veinte ingratos años casada con un hombre al que no amaba, cuidando a la madre inválida de él y criando a su hijo.

A su regreso de Stornoway había invitado a Fin a comer con ella y con Fionnlagh, y él había aceptado de buen grado, pues la alternativa era una lata de sopa que pensaba calentarse en su diminuto hornillo de gas.

Aunque fuera aún había luz, unas nubes negras y bajas habían traído el final prematuro del día. Un viento feroz silbaba a través de puertas y ventanas, arrojaba la lluvia contra los cristales en oleadas implacables, empujaba el humo por la chimenea del salón y llenaba la casa del olor acre y tostado de la turba.

Marsaili había preparado la comida en silencio, y Fin supuso que todo su ser consciente se sentía atenazado por algo cercano a la culpabilidad al haber dejado a su padre en una cama extraña de un lugar extraño en el que no conocía a nadie.

—Tienes buena mano con él —comentó de repente, sin volverse. Mantuvo la mirada en la olla que había sobre el fuego.

Fin estaba sentado a la mesa con un vaso de cerveza.

—¿Qué quieres decir?

—Con mi padre. Como si tuvieras experiencia con la demencia.

Fin tomó un sorbo de cerveza.

—La madre de Mona sufrió Alzheimer temprano, Marsaili. Fue un deterioro lento. Al principio no demasiado grave. Pero un día se cayó, se rompió la cadera y la ingresaron en el hospital Victoria de Glasgow, en la planta de geriatría.

Marsaili arrugó la nariz.

—Supongo que no debió de pasarlo demasiado bien.

—Era repugnante. —La gravedad en su tono de voz hizo que ella se volviera—. Como una escena sacada de Dickens. El lugar olía a mierda y a orín, la gente gritaba por la noche. El personal se sentaba en su cama, tapándole la tele por la que ella pagaba, y miraba las telenovelas mientras las bolsas de colostomía rebosaban.

—¡Oh, Dios mío! —El horror se reflejó en el rostro de Marsaili.

—No podíamos dejarla allí de ninguna de las maneras, así que nos presentamos una noche con una maleta, metimos en ella todas sus cosas y nos la llevamos de vuelta a casa. Contraté a una enfermera que se quedó con nosotros seis meses. —Tomó otro sorbo de cerveza, absorto en el recuerdo—. Aprendí a tratarla. A pasar por alto las contradicciones y a no discutir jamás. A entender que era la frustración lo que causaba su enojo, y la falta de memoria lo que la volvía difícil. —Meneó la cabeza—. Apenas tenía memoria a corto plazo. Sin embargo, recordaba cosas de su infancia con una claridad meridiana, y solíamos pasar horas hablando del pasado. Me gustaba la madre de Mona.

Marsaili permaneció pensativa y en silencio durante un rato. A continuación preguntó:

—¿Por qué os separasteis Mona y tú? —Y no bien lo hubo dicho, acotó la pregunta. Por si, tal vez, había resultado demasiado directa—. ¿Fue solo por el accidente?

Fin negó con la cabeza.

—Eso fue la gota que colmó el vaso… después de años de vivir una cómoda mentira. De no haber sido por Robbie, es probable que hubiéramos seguido nuestros caminos por separado mucho antes. Éramos amigos, y no puedo decir que fuera infeliz, pero nunca la amé de verdad.

—Entonces, ¿por qué te casaste con ella?

Fin la miró y pensó en ello, se obligó a afrontar la verdad, quizá por primera vez.

—Probablemente porque tú te casaste con Artair.

Ella le devolvió la mirada, y en los pocos metros que los separaban aparecieron los años perdidos que uno y otro habían dejado pasar. Se volvió de nuevo hacia la olla, incapaz de enfrentarse a esa idea.

—No puedes culparme de ello. Fuiste tú quien me alejó de ti.

La puerta de entrada se abrió de golpe y la lluvia y el viento se colaron fugazmente junto a Fionnlagh. El joven se apresuró a cerrarla tras de sí y se quedó allí de pie, con el rostro sonrosado, chorreando, con el anorak empapado, las botas de goma cubiertas de barro. Pareció sorprendido de ver a Fin sentado a la mesa.

—Quítate todo eso y siéntate—dijo Marsaili—. Estamos a punto de comer.

El chico se quitó las botas, colgó el impermeable y llevó una botella de cerveza de la nevera a la mesa.

—¿Qué ha pasado con el abuelo?

Marsaili se retiró el pelo del rostro y sirvió tres platos de chile con carne sobre una base de arroz.

—Tu abuela no lo aguanta más en casa. Así que se quedará en la residencia de Dun Eisdean hasta que se me ocurra qué hacer con él.

Fionnlagh se llenó la boca de comida.

—¿Por qué no lo has traído aquí?

Marsaili miró a Fin y luego desvió la mirada, y él vio culpa en sus ojos.

—Porque ahora necesita atención profesional, Fionnlagh —aclaró Fin—. Tanto física como mental.

Sin embargo, Fionnlagh volvió a dirigirse a su madre.

—Cuidaste a la madre de Artair durante mucho tiempo. Y ella ni siquiera era de tu sangre.

Marsaili descargó veinte años de resentimiento sobre su hijo.

—Sí, bueno, tal vez te gustaría cambiarle la ropa de cama cada vez que la ensucia y salir a buscarlo cada vez que se escapa. Quizá te gustaría darle todas las comidas y estar a su lado cada vez que pierde u olvida algo.

Fionnlagh no respondió, sino que se encogió levemente de hombros y siguió llevándose chile a la boca.

—Ha surgido una complicación, Fionnlagh —añadió Fin.

—¿Sí? —Fionnlagh apenas lo miró.

—Hace unos días desenterraron un cuerpo de la turbera cercana a Siader. Un hombre joven, de tu edad. Por lo que saben, llevaba allí desde finales de los cincuenta.

Fionnlagh detuvo el tenedor a medio camino entre el plato y la boca.

—¿Y?

—Lo asesinaron.

Devolvió el tenedor al plato.

—¿Y qué tiene eso que ver con nosotros?

—Al parecer, estaba emparentado de algún modo con tu abuelo. Lo que significa que también lo está contigo y con Marsaili.

Fionnlagh frunció el entrecejo.

—¿Cómo pueden saberlo?

—ADN —respondió Marsaili.

El joven la miró desconcertado durante unos segundos, pero enseguida cayó en la cuenta.

—Las muestras que dimos el año pasado.

Marsaili asintió con la cabeza.

—¡Lo sabía, joder! Tendrían que haberse destruido. Firmé un impreso por el que me negaba a que guardaran el mío en la base de datos.

—Como hizo todo el mundo —intervino Fin—. Salvo tu abuelo, según parece. Es probable que no lo entendiera.

—Entonces lo introdujeron en el ordenador, ¿como si fuera un delincuente?

—Si no tienes nada que esconder, ¿qué hay que temer? —respondió Marsaili.

—Es una invasión de su intimidad, mamá. ¿Cómo sabemos quién tendrá acceso a esa información, y para qué la utilizará?

—Es un argumento perfectamente razonable —dijo Fin—. Pero ahora mismo no es lo importante.

—Bueno, ¿y qué lo es?

—Averiguar quién es el hombre al que asesinaron y qué relación tenía con tu abuelo.

Fionnlagh miró a su madre.

—Debía de ser su primo o algo así.

Ella negó con la cabeza.

—No sabemos de nadie, Fionnlagh.

—Entonces se trataría de alguien de quien no sabéis nada.

Marsaili se encogió de hombros.

—Eso parece.

—Bueno, en cualquier caso, ese tipo está emparentado con el abuelo. ¿Y qué?

—Desde la perspectiva de la policía, eso convierte a Tormod en el probable asesino —aclaró Fin.

Se produjo un silencio tenso alrededor de la mesa. Marsaili miró a Fin. Era la primera vez que oía esas palabras.

—¿Ah, sí?

Fin asintió con lentitud.

—Cuando el jefe de la investigación llegue del continente para iniciar las averiguaciones, tu padre será el sospechoso principal en una lista con un único nombre. —Tomó un trago de cerveza—. Así que será mejor que intentemos descubrir quién es el muerto.

Fionnlagh rebañó el poco chile que le quedaba en el plato.

—Bueno, hazlo tú si quieres. Yo tengo otras cosas en las que pensar.

Cruzó la cocina para descolgar el anorak y se dispuso a calzarse las botas, que soltaron escamas de barro seco sobre las baldosas.

—¿Adónde vas? —Marsaili frunció el entrecejo con gesto de preocupación.

—He quedado con Donna en el club social de Crobost.

—Ah, ¿así que su padre la deja salir esta noche? —preguntó en un tono claramente irónico.

—No empieces, mamá.

—Si esa chica tuviera un pellizco de sentido común, le diría a su padre adónde se puede ir. Te he dicho miles de veces que podéis quedaros aquí. Tú, Donna y el bebé.

—No sabes cómo es su padre. —Fionnlagh casi escupió las palabras.

—Bueno, creo que sí lo sé, Fionnlagh. Crecimos juntos, ¿recuerdas? —Marsaili dirigió una fugaz mirada a Fin y la desvió de nuevo.

—Ya, pero en esa época no tenía con él a Dios, ¿verdad? Mamá, ya sabes cómo son cuando les da el *curam*, a esos conversos. No hay forma de razonar con ellos. ¿Por qué iban a escucharnos, a ti o a mí, cuando Dios ya ha hablado con ellos?

Fin sintió un extraño escalofrío que le recorrió el cuerpo. Era como si se hubiera oído hablar a sí mismo. Desde la muerte de sus padres, hacía ya tantos años, su vida había consistido en una batalla constante entre la fe y la ira. Si decidía creer, entonces solo podía sentir ira hacia el Dios responsable del accidente. De modo que era más sencillo no creer, y tenía poca paciencia con quienes lo hacían.

—Ya va siendo hora de que te enfrentes a él. —La voz de Marsaili sonó fatigada, con una falta de convicción que dio a entender a Fin que no pensaba que Fionnlagh fuera capaz de medirse con Donald Murray.

Fionnlagh también se percató de ello, por lo que respondió a la defensiva.

—¿Y qué le digo? ¿Las fantásticas perspectivas de futuro que tengo? ¿El maravilloso porvenir que puedo ofrecerle a su hija y a su nieta? —Se volvió hacia la puerta y sus últimas palabras casi se perdieron en el viento—. ¡Dame un puto respiro! —Cerró la puerta con un sonoro golpe.

Marsaili se sonrojó de vergüenza.

—Lo siento.

—No lo sientas. Es solo un chico haciendo frente a una responsabilidad que no debería tener que asumir. Tiene que terminar el instituto e ir a la universidad. Entonces tal vez pueda ofrecerles un futuro.

Marsaili negó con la cabeza.

—No lo hará. Teme perderlas. Quiere dejar el instituto a finales del semestre y buscar un trabajo. Demostrarle a Donald Murray que se toma en serio sus responsabilidades.

—¿Cómo? ¿Desperdiciando su única oportunidad en la vida? No me cabe duda de que no quiere acabar como Artair.

El fuego del rencor ardió fugazmente en los ojos de Marsaili, pero no respondió.

Fin agregó al punto:

—Y de una cosa podemos estar seguros. Donald Murray nunca lo respetaría si lo hiciera.

Marsaili recogió los platos de la mesa.

—Muy bonito por tu parte aparecer después de tanto tiempo y darnos lecciones sobre cómo deberíamos vivir nuestras vidas. —Los platos entrechocaron cuando los dejó sobre la encimera de la cocina, donde Marsaili apoyó las palmas de las manos, se inclinó hacia delante y bajó la cabeza—. Estoy harta, Fin. Harta de todo. Harta de Donald Murray y de su intimidación moralista. Harta de la falta de agallas de Fionnlagh. Estoy harta de engañarme estudiando en vistas de un futuro que, probablemente, no tendré jamás. —Soltó un suspiro tembloroso y se obligó a enderezarse de nuevo—. Y ahora esto. —Se volvió para mirar a Fin y él observó que su autocontrol pendía de un hilo—. ¿Qué voy a hacer con mi padre?

Habría sido fácil levantarse, tomarla entre sus brazos y decirle que todo saldría bien. Pero no sería así. Y no tenía sentido fingir lo contrario.

—Ven aquí, siéntate y cuéntame lo que sabes sobre él —dijo en cambio.

Agotada, se apartó de la encimera y se dejó caer en la silla. Tenía el rostro contraído por la tensión y la fatiga, pálido y demacrado bajo la severa luz eléctrica. Sin embargo, Fin vio en él a la niña que lo había atraído hacía ya tantos años. La niña de las coletas rubias que se había sentado a su lado el primer día en la escuela y que se había ofrecido a traducírselo todo, pues por alguna razón inexplicable para el pequeño Fin, sus padres lo habían inscrito en una escuela en la que solo se hablaba gaélico. Alargó un brazo por encima de la mesa y le retiró el pelo que ocultaba sus ojos azules, y durante un instante, ella levantó la mano y tocó la de él, en un momentáneo recuerdo de cómo habían sido las cosas tiempo atrás. Luego Marsaili volvió a dejar la mano sobre la mesa.

—Papá llegó de Harris cuando era aún un muchacho. Tendría dieciocho o diecinueve años, creo. Consiguió un trabajo de jornalero en la granja de Mealanais. —Se levantó para coger una botella de vino tinto medio vacía que había en la encimera y se sirvió un vaso. Tendió la botella a Fin, pero él negó con la cabeza—. Fue tiempo después de que conociera a mi madre. Entonces, el padre de ella era aún el farero, en el Butt, y era allí donde vivían. Al parecer, mi padre solía caminar hasta el faro todas las noches para verla, aunque solo fuera durante unos minutos, y después volvía a su casa. Hiciera el tiempo que hiciese. Algo más de siete kilómetros en cada trayecto. —Tomó un largo sorbo de vino—. Debía de ser amor.

—Debía de serlo. —Fin sonrió.

—Iban a todos los bailes del club social. Y a todas las reuniones de los campesinos. Llevarían unos cuatro años saliendo en serio cuando el granjero de Mealanais murió, y pusieron la granja en alquiler. Mi padre presentó una solicitud y se la aceptaron. A condición de que se casara.

—Vaya, la petición debió de ser de lo más romántica.

Marsaili sonrió, aun sin ganas.

—Creo que mi madre se alegró de que finalmente surgiera algo que lo empujara a pedírselo. Los casó el padre de Donald Murray en la iglesia de Crobost, y pasaron los años siguientes, Dios sabe cuántos, ganándose la vida con la tierra y criándonos a mí y a mi hermana. Hasta donde me alcanza la memoria, no recuerdo que mi padre saliera de esta isla. Y eso es todo lo que sé, en realidad.

Fin se terminó la cerveza.

—Mañana iremos a hablar con tu madre. Seguro que tiene mucha más información que tú.

Marsaili apuró el vaso de vino.

—No quiero distraerte de tu trabajo.

—¿Qué trabajo?

—Reconstruir la granja de tus padres.

La sonrisa de Fin apareció teñida de tristeza.

—Lleva treinta años en ruinas, Marsaili. Puede esperar un poco más.

13

Veo una delgada línea de luz amarilla por debajo de la puerta. De vez en cuando, alguien pasa por el pasillo y su sombra sigue la luz de un lado a otro. Me doy cuenta de que no oigo pasos. Tal vez lleven zapatos con la suela de goma para que no sepa cuándo vienen. No como el señor Anderson, con sus zapatos del cocodrilo Tic Tac. Él quiere que lo sepas. Quiere que tengas miedo. Y lo teníamos.

Sin embargo, ahora no tengo miedo. Llevo toda la vida esperando esto. La huida. De toda esa gente que quiere mantenerme en lugares en los que no quiero estar. Bueno, ¡pues que se jodan!

¡Ja! Me ha sentado bien decir eso. Bueno, pensarlo. «Que se jodan», suspiro en la oscuridad. Y lo oigo tan fuerte que me incorporo de repente.

Si ahora entra alguien, se habrá acabado el juego. Verá mi sombrero y mi abrigo, y la bolsa lista y colocada a los pies de la cama. Es probable que avise al señor Anderson, y entonces me llevaré una buena azotaina. Espero que se den prisa y apaguen las luces pronto. Tengo que marcharme bastante antes de que amanezca. Ojalá los otros no se hayan olvidado.

No sé cuánto tiempo ha pasado. ¿Me he quedado dormido? Debajo de la puerta ya no hay luz. Escucho atentamente durante un rato pero no oigo nada. Así que cojo mi bolsa de la cama y abro la puerta despacio. ¡Mierda! Tendría que haber meado antes. Ya es tarde. Da igual. No hay tiempo que perder.

La habitación del viejo Eachan está justo al lado. Lo he visto en el comedor hace un rato. Y lo he reconocido enseguida. Solía liderar el canto de los salmos gaélicos en la iglesia. Adoraba ese sonido. Tan distinto al de los coros católicos de mi infancia. Se parecía más a un cántico tribal. Primario. Abro la puerta, me cuelo dentro y de inmediato oigo sus ronquidos. Cierro la puerta tras de mí y enciendo la luz. Hay una bolsa de viaje marrón encima del tocador y Eachan está acurrucado bajo las mantas, roncando.

Quiero susurrar su nombre pero por algún motivo no lo recuerdo. Maldita sea, ¿cómo se llama? Aún puedo oírlo cantando esos salmos. Con una voz clara y fuerte, llena de seguridad y de fe. Lo zarandeo por el hombro y mientras se vuelve retiro la manta.

Bien. Está vestido, listo para partir. Es probable que se cansara de esperar.

—Eachan. —Me oigo decir. Sí, eso es. Se llama Eachan—. Vamos, hombre. Es hora de irnos.

Parece desconcertado.

—¿Qué pasa? —pregunta.

—Vamos a escaparnos.

—¿Ah, sí?

—Sí, claro. Hablamos de ello. ¿No te acuerdas? Estás vestido, amigo.

Eachan se sienta en la cama y se mira.

—Es verdad. —Desliza las piernas por el borde de la cama y los zapatos dejan un rastro de suciedad en las sábanas—. ¿Adónde vamos?

—Lejos de El Valle.

—¿Qué es eso?

—¡Chis! El señor Anderson puede oírnos. —Lo tomo del

brazo y lo guío hasta la puerta, la abro y echó un vistazo a la oscuridad.

—Espera. Mi bolsa. —Eachan coge la bolsa de viaje del tocador y apago la luz antes de que salgamos al pasillo.

En un extremo veo el resplandor de la cocina y sombras que se desplazan en la luz y se proyectan en el vestíbulo. Me pregunto si alguno de los muchachos se habrá chivado. De ser así, estamos perdidos. Atrapados. Siento al viejo Eachan a mi espalda, pegado a mi abrigo mientras nos acercamos arrastrando los pies, despacio, intentando no hacer ruido. Ahora oigo voces. Voces de hombres, y me asomo con decisión a la puerta para sorprenderlos. Alguien me dijo eso una vez. Que la sorpresa es la mejor arma cuando se está en inferioridad numérica.

Pero son solo dos. Dos chicos mayores paseando de un lado a otro, vestidos con abrigo y sombrero, sus bolsas apoyadas en la encimera.

Uno de ellos me resulta familiar. Parece muy nervioso y me dirige una mirada intensa.

—¡Llegas tarde!

¿Cómo sabe que llego tarde?

—Dijiste justo después de que se apagaran las luces. Llevamos esperando una eternidad.

—Vamos a escaparnos —respondo.

Ahora está muy irritado.

—Ya lo sé. Y llegas tarde.

El otro tan solo asiente con la cabeza, con los ojos muy abiertos, como un conejo ante los faros de un coche. No tengo ni idea de quién es.

Alguien me empuja por detrás. Es Eachan. ¿Qué quiere?

—Vamos, vamos —dice.

—¿Yo?

—Sí, tú —responde el otro—. Ha sido idea tuya. Hazlo tú.

Y el silencioso asiente sin parar.

Miro alrededor mientras me pregunto qué quieren que haga. ¿Qué estamos haciendo aquí? Entonces veo la ventana. ¡Huir! Ahora lo recuerdo. La ventana da a la parte trasera. Saltar el muro y cruzar el pantano. Nunca nos atraparán. Correr como el viento. Sobre el asfalto hasta los árboles.

—Venga, dame la mano —digo, y acerco una silla al fregadero—. Alguien tendrá que pasarme la bolsa cuando salga. El anillo de mi madre está ahí. Me lo dio para que se lo guardara.

Eachan y el que asiente me sujetan mientras me subo a la silla y meto los pies en el fregadero. Ahora llego al pestillo. Pero no se abre, ¡maldita sea! A pesar de que lo intento con todas mis fuerzas. Veo que los dedos se me ponen blancos por la presión.

De repente se enciende una luz en el pasillo. Oigo pasos y voces, y siento un pánico creciente en el pecho. Alguien nos ha delatado. ¡Oh, Dios!

Al otro lado de la ventana está oscuro cuando me vuelvo de nuevo hacia ella. Me fijo en la lluvia que sigue mojando el cristal. Tengo que salir. Libertad al otro lado. Empiezo a golpearla con los puños apretados. Veo que el cristal se comba con cada golpe.

—¡Detenedlo! ¡Por el amor de Dios, que alguien lo detenga! —grita una voz.

Finalmente el cristal se rompe. Se hace añicos. Por fin. Me duelen las manos y veo sangre deslizándose por mis brazos. La ráfaga de viento y lluvia contra el rostro casi me tira al suelo.

Una mujer está chillando.

Pero yo solo veo sangre. Sangre que mancha la arena. Espuma de agua efervescente que se tiñe de rojo bajo la luz de la luna.

14

Fin condujo dejando atrás el club social de Crobost y el campo de fútbol un poco más allá. Las casas escalaban la colina en grupos aislados en Five Penny y Eòropaidh, orientadas hacia el sudoeste para desafiar los vientos dominantes en primavera y verano, y apiñadas bordeando la colina y dando la espalda a las glaciales ráfagas del Ártico en invierno. A lo largo de toda la costa irregular, el mar se retiraba, regresaba cargado de espuma y rugía, legiones incansables de caballos blancos sin jinete que chocaban contra la terca piedra de los implacables acantilados negros.

La luz del sol aparecía de forma intermitente en un cielo rasgado por el viento, en manchas caóticas y azarosas que se perseguían sobre el *machair* donde las lápidas clavadas en la tierra blanda y arenosa marcaban el paso de las generaciones. Un poco más al norte, el tercio superior del faro del Butt se hacía claramente visible. Fin supuso que, al jubilarse, la madre de Marsaili siguió un instinto básico que la devolvió a la infancia. A recordar momentos de días inesperadamente soleados, de tormentas violentas, con el más embravecido de los mares rompiendo contra las rocas a los pies del faro que había sido su hogar.

Desde la ventana de la cocina, en la parte trasera del moderno chalet que los Macdonald habían elegido como su residencia tras la jubilación, la mujer veía sin dificultad el grupo de edificios blancos y amarillos en los que había vivido en el pasado, y el ladrillo marrón rojizo de la torre que había resistido incontables temporadas de acometidas incesantes para advertir a los marineros de los peligros ocultos.

Fin echó un vistazo por la ventana mientras la señora Macdonald preparaba té, y vio que se estaba formando un intenso arcoíris que contrastaba con un grupo de nubes negras sobre el cabo; el resplandor de la luz del sol bruñía la agitada superficie del océano, que desde allí parecía cobre. El montón de turba que almacenaba en el pequeño jardín de la parte trasera había disminuido mucho, y Fin se preguntó quién se ocuparía ahora de cortarles la turba.

Apenas prestaba atención al parloteo intrascendente de la anciana. La mujer estaba entusiasmada con su visita. Había pasado tanto tiempo desde la última vez, comentó. En cuanto entró en la casa, a Fin lo impresionó el aroma a rosas que siempre había acompañado a la madre de Marsaili. Le trajo una oleada de recuerdos. Limonada casera en la oscura cocina de la granja con el suelo de losas de piedra. Los juegos a los que él y Marsaili habían jugado entre balas de heno en el cobertizo. La suave cadencia inglesa de su madre, tan ajena a sus oídos por aquel entonces, y que aún conservaba, después de tantos años.

—Necesitamos cierta información sobre el pasado de papá —oyó decir a Marsaili—. Para los papeles de la residencia. —Habían acordado que sería mejor ocultarle la verdad por el momento—. Y me gustaría llevarme alguno de los álbumes de fotos familiares para repasarlos con él. Dicen que las fotografías ayudan a estimular la memoria.

La señora Macdonald se mostró encantada ante la oportunidad de desenterrar las fotos familiares y quiso sentarse a mirarlas con ellos. De un tiempo a esa parte casi nunca tenían compañía, comentó, hablando en plural, como si Tormod no hubiera desaparecido de su vida. Una forma de negación. O un mensaje codificado. Un tema que no admitía discusión.

Había casi una docena de álbumes. Los más recientes estaban encuadernados con cubiertas de llamativo estampado floral. Los antiguos tenían un diseño a cuadros verdes más apagado. Los más viejos eran herencia de sus padres y contenían una colección de instantáneas en blanco y negro desvaídas, en las que aparecía gente que llevaba mucho tiempo muerta, vestida con ropa de otra época.

—Ese es tu abuelo —dijo a Marsaili mientras señalaba la foto de un hombre alto con el pelo oscuro y rizado en una imagen cuarteada, descolorida y sobreexpuesta—. Y tu abuela. —Una mujer menuda con el pelo largo y rubio, y una sonrisa ligeramente irónica—. ¿Qué opinas, Fin? Es la doble de Marsaili, ¿a que sí? —Se parecía tanto a Marsaili que resultaba asombroso.

A continuación pasó a las fotografías de su boda, con los colores chillones de los sesenta, pantalones de campana, camisetas sin mangas, camisas de estampado floral y collares ridículamente largos. Pelo largo, flequillos y patillas. Fin casi sintió vergüenza ajena y se preguntó qué opinarían las generaciones futuras de las fotografías de su juventud. Lo que sea que esté de moda en un momento determinado, al volver la vista atrás siempre parece ridículo.

Tormod tendría unos veinticinco años por aquel entonces, y lucía una mata de pelo grueso y rizado. A Fin le habría costado reconocerlo como al hombre cuyas gafas había rescatado de un urinario el día anterior, de no haber sido por el claro recuerdo de su infancia que guardaba de ese hombre alto y fuerte con un mono azul oscuro y con una gorra de tela que siempre llevaba puesta hacia atrás.

—¿Tiene fotos más antiguas de Tormod? —preguntó.

La señora Macdonald negó con la cabeza.

—Ninguna de antes de la boda. No teníamos cámara cuando nos dábamos el lote.

—¿Y qué me dice de fotografías de su familia, de su infancia?

La mujer se encogió de hombros.

—No tenía ninguna. O, por lo menos, no trajo ninguna de Harris.

—¿Qué les pasó a sus padres?

La mujer rellenó su taza con una tetera que mantenía caliente con una coqueta funda de punto, y ofreció más té a Fin y a Marsaili.

—No, gracias, señora Macdonald —respondió Fin.

—Ibas a hablarnos de los padres de papá, mamá —apuntó Marsaili.

La mujer dejó escapar un suspiro a través de unos labios ligeramente fruncidos.

—No hay nada que contar, cariño. Murieron antes de que conociera a tu padre.

—¿No fue nadie de su familia a la boda? —preguntó Fin.

La señora Macdonald meneó la cabeza.

—Nadie. Era hijo único. Y creo que casi toda su familia, si no toda, había emigrado a Canadá durante los años cincuenta. No hablaba mucho de ellos. —Hizo una pausa y pareció perdida durante un momento, como si rebuscara entre recuerdos lejanos. Aguardaron con la esperanza de que consiguiera recuperar alguno de ellos. Por fin dijo—: Es raro… —Pero no aclaró más.

—¿Qué es raro, mamá?

—Era un hombre muy religioso, tu padre. Como ya sabes. Iba a la iglesia los domingos por la mañana. Leía la Biblia por la tarde. Bendecía la mesa antes de las comidas.

Marsaili miró a Fin y le dedicó una sonrisa compungida.

—¿Cómo iba a olvidarlo?

—Un hombre muy justo. Honesto, y sin prejuicios para casi nada, salvo…

—Lo sé. —Marsaili sonrió—. Odiaba a los católicos. Papistas y fenianos, los llamaba.

Su madre negó con la cabeza.

—Jamás me pareció bien. Mi padre pertenecía a la Iglesia

anglicana, que no era tan distinta al catolicismo. Sin el Papa, claro. Sin embargo, ese odio me parecía injustificado.

Marsaili se encogió de hombros.

—Nunca supe si hablaba realmente en serio.

—Oh, sí, hablaba en serio, créeme.

—Entonces, ¿qué es lo raro, señora Macdonald? —Fin trató de reconducir la conversación.

La mujer le dirigió una fugaz mirada inexpresiva antes de recuperar el recuerdo.

—Ah, sí. Anoche estuve revisando algunas de sus cosas. Ha acumulado un montón de basura a lo largo de los años. No sé por qué guarda ni la mitad de todo eso. En viejas cajas de zapatos, armarios y cajones de la habitación de invitados. Se pasaba horas allí, revolviendo entre ellas. No tengo idea de por qué. —Tomó un sorbo de té—. En cualquier caso, encontré algo en una de esas cajas de zapatos que me pareció... bueno, un tanto extraño.

—¿Qué es, mamá? —preguntó Marsaili intrigada.

—Espera, te lo enseñaré.

Se levantó, salió de la habitación, regresó al cabo de menos de medio minuto y volvió a sentarse entre ellos en el sofá. Abrió la mano derecha sobre la mesa de centro y una cadena de plata con una pequeña medalla deslustrada cayeron sobre las páginas abiertas del álbum de boda.

Fin y Marsaili se inclinaron para verla de cerca, y Marsaili la cogió y le dio la vuelta.

—San Cristóbal. Santo patrón de los viajeros.

Fin estiró el cuello y ladeó la cabeza para fijarse en la figura desgastada de san Cristóbal apoyado en su bastón, cargando con el niño Jesús a través de tormentas y aguas turbulentas. «San Cristóbal nos proteja», se leía alrededor de la imagen.

—Por supuesto —dijo la señora Macdonald—, que yo sepa la Iglesia católica le retiró la santidad hará unos cuarenta años, pero aun así pertenece a una tradición fuertemente católica. Se me escapa por qué le tenía tu padre.

Fin alargó un brazo y la cogió de las manos de Marsaili.

—¿Nos la deja, señora Macdonald? Sería interesante ver si despierta en él algún recuerdo.

La señora Macdonald agitó la mano en el aire con un gesto de indiferencia.

—Claro. Llévatela. Quédatela. Tírala, si quieres. No la quiero para nada.

Fin dejó a una Marsaili renuente en su chalet. La había convencido de que sería mejor que él hablara primero con Tormod a solas. El anciano debía de tener tantos recuerdos relacionados con Marsaili que tal vez su presencia enturbiara su memoria. No le dijo que tenía otros asuntos que atender de camino hasta allí.

Apenas había perdido de vista la casa cuando torció por la carretera, subió por el estrecho camino de asfalto y cruzó la reja de retención del ganado en dirección a la extensa zona de aparcamiento frente a la iglesia de Crobost. Era un edificio sombrío y severo. No había obras de piedra tallada ni frisos de temática religiosa, tampoco vidrieras de colores ni campana en el campanario. Aquello era Dios sin distracciones. Un Dios para el que la diversión era pecado y el arte, una efigie religiosa. En su interior no había órgano ni piano. Tan solo el canto quejumbroso de los fieles resonaba en el templo durante el sabbat.

Aparcó ante las escaleras que conducían a la casa del pastor y las subió hasta llegar a la puerta. La luz del sol seguía bañando el tapiz verde y marrón del *machair*, y el algodón de pantano crecía aquí y allá entre las cicatrices dejadas por los cortadores de turba. Allí arriba se estaba desprotegido, más cerca de Dios, supuso Fin, en una constante prueba de fe contra los elementos.

Transcurrió casi un minuto desde que llamara a la puerta y le abrieran, y el rostro pálido y sin vida de Donna asomara recortado contra la oscuridad. Su visión le sorprendió tanto como la primera vez. Entonces le había parecido demasiado joven para estar embarazada de tres meses. La maternidad no la hacía parecer mayor. Llevaba la gruesa cabellera rojiza heredada de su padre retirada del rostro, desprovisto de maquillaje. Parecía frágil y menuda, como una niña. Extremadamente delgada, vestida con unos vaqueros ajustados y una camiseta blanca. Sin embargo, lo miró con ojos de anciana. Como si, de algún modo, supiera más allá de sus años.

Durante un momento, no dijo nada. A continuación lo saludó:

—Hola, señor Macleod.

—Hola, Donna. ¿Está tu padre?

Un destello de momentánea decepción le cruzó el semblante.

—Oh, pensé que había venido a ver al bebé.

De inmediato, Fin se sintió culpable. Por supuesto, habría sido de esperar que lo hiciera. Sin embargo, de un modo extraño se sentía desconectado. Indiferente.

—En otra ocasión.

La resignación se asentó como el polvo en sus rasgos de niña.

—Mi padre está en la iglesia, arreglando un agujero en el tejado.

Fin había bajado un par de escalones cuando se volvió y la descubrió allí de pie, aún mirándolo.

—¿Lo saben? —preguntó.

Ella meneó la cabeza.

Al entrar en el vestíbulo oyó el martilleo, pero no fue hasta llegar a la iglesia en sí que descubrió de dónde procedía. Donald Murray se encontraba en lo alto de una escalera, en la galería, apoyado precariamente entre las vigas, clavando nuevos tablones a lo largo del ala este del tejado. Llevaba un mono de trabajo de color azul. Su cabello rojizo era algo más gris y más escaso, o eso parecía. Estaba tan concentrado en el trabajo que lo ocupaba que no se fijó en la presencia de Fin entre los bancos, observándolo desde abajo, y mientras este seguía allí mirándolo, toda una historia compartida le cruzó la mente. De aventuras la noche de las hogueras, de fiestas en la playa, de viajes por la costa oeste un bonito día de verano, en un coche rojo con la capota bajada.

Se produjo una pausa en el martilleo cuando Donald se detuvo para buscar más clavos.

—Parece que pasas más tiempo haciendo chapuzas en esta iglesia que predicando la palabra de Dios —gritó Fin.

Donald se sobresaltó de tal modo que estuvo a punto de caer de la escalera, y tuvo que sujetarse a la viga más cercana para mantener el equilibrio. Miró hacia abajo, pero no lo reconoció de inmediato.

—Dios toma muchas formas, Fin —respondió cuando se dio cuenta de quién era.

—He oído decir que la holgazanería es la madre de todos los vicios, Donald. Tal vez Dios haya hecho ese agujero en tu techo para que no te apartes del buen camino.

Donald no pudo contener una sonrisa.

—Creo que no he conocido a nadie tan cínico como tú, Fin Macleod.

—Y yo no he conocido a nadie tan terco como tú, Donald Murray.

—Gracias, me lo tomaré como un cumplido.

Fin se descubrió sonriendo.

—Deberías. Se me ocurren cosas mucho peores que llamarte.

—No me cabe duda. —Donald miró a su visitante con evidente interés—. ¿Se trata de una visita personal o profesional?

—Ya no tengo profesión. Así que supongo que es personal.

Donald frunció el entrecejo pero no hizo preguntas. Se colgó el martillo en una presilla del cinturón y empezó a bajar por la escalera con cuidado. Cuando llegó abajo, Fin notó que le faltaba el aliento. La figura de ese hombre, antaño atlético, deportista, rebelde, el preferido de las chicas, estaba empezando a marchitarse. Parecía mayor también alrededor de los ojos, donde la carne había perdido firmeza y estaba surcada de arrugas como delgadas cicatrices. Estrechó la mano que Fin le ofrecía.

—¿En qué puedo ayudarte?

—Tu padre casó a los padres de Marsaili. —Fin observó la sorpresa en su rostro. Sin duda, no era lo que esperaba oír.

—Confiaré en tu palabra. Es probable que casara a la mitad de la población de Ness.

—¿Qué clase de documento de identidad les habría pedido?

Donald lo miró fijamente durante unos largos segundos.

—Todo esto me suena más profesional que personal, Fin.

—Créeme, es personal. Ya no estoy en la policía.

Donald asintió con la cabeza.

—De acuerdo. Te lo enseñaré. —Avanzó por el pasillo central hasta el extremo de la iglesia y tiró de la puerta de la sacristía. Fin lo siguió y lo observó mientras abría con llave uno de los cajones del escritorio. Sacó un documento y lo agitó frente a Fin—. Un permiso matrimonial. Es el de la pareja que casaré el próximo sábado. Lo proporciona el funcionario del registro civil una vez le han entregado toda la documentación necesaria.

—¿Que consiste en…?

—Tú estás casado, ¿no?

—Lo estaba.

La pausa que Donald hizo para asimilar esa información fue casi imperceptible. Continuó hablando como si no lo hubiera oído.

—Entonces deberías saberlo.

—Fue una boda rapidita, en un juzgado, hace casi diecisiete años, Donald. A decir verdad, recuerdo muy poco de ese momento.

—Bueno, pues debiste entregar el certificado de nacimiento de ambos, la sentencia firme de divorcio si habías estado casado antes, o el certificado de defunción de tu cónyuge en caso de ser viudo. El funcionario del registro no proporciona el permiso matrimonial a menos que se haya presentado toda la documentación y se hayan rellenado todos los formularios. Lo único que hace el pastor es firmar en la línea de puntos una vez ha terminado la ceremonia. Igual que la pareja de recién casados y los testigos.

—Entonces tu padre no habría tenido motivos para dudar de la identidad de las personas a las que casaba.

Donald entrecerró los ojos en un gesto de perplejidad.

—¿De qué va todo esto, Fin?

Fin meneó la cabeza.

—No es nada, Donald. Una idea tonta. Olvídalo.

Donald volvió a guardar el permiso en el cajón, que cerró con llave. A continuación miró de nuevo a Fin.

—Entonces, ¿Marsaili y tú volvéis a estar juntos?

Fin sonrió.

—¿Estás celoso?

—No seas estúpido.

—No, no estamos juntos. He vuelto para reformar la casa de mis padres. He montado una tienda en la granja y dormiré en ella hasta que coloque un techo en la casa y haya hecho la instalación básica del agua.

—De modo que solo has venido a verme para hacerme preguntas sobre esa idea tonta que te ronda por la cabeza.

Fin le dirigió una mirada prolongada, intentando sofocar la llamarada que crecía en su interior. No había previsto sacar el tema. Pero no logró contenerse.

—¿Sabes, Donald? Creo que eres un maldito hipócrita.

Donald reaccionó como si lo hubiera abofeteado. Estuvo a punto de retroceder por la sorpresa.

—¿De qué estás hablando?

—¿Crees que no sé que Catriona estaba embarazada cuando te casaste?

Donald se sonrojó de inmediato.

—¿Quién te dijo eso?

—Es cierto, ¿no? El gran Donald Murray, el espíritu libre, amante de las mujeres, la cagó y dejó preñada a una chica.

—No estoy dispuesto a escuchar esa clase de lenguaje en la casa del Señor.

—¿Por qué no? No son más que palabras. Seguro que Jesús también soltaba algunas perlitas. Tú mismo solías utilizar un vocabulario bastante subido de tono.

Donald se cruzó de brazos.

—¿Adónde quieres ir a parar, Fin?

—Quiero ir a parar a que si tú cometes un error, no pasa nada. Pero que Dios asista a tu hija, o a Fionnlagh, si hacen lo mismo. Tú te diste una segunda oportunidad, porque en aquel momento no había nadie que te juzgara. Sin embargo, no estás dispuesto a dejarle pasar nada a tu hija. ¿Cuál es el problema? ¿Fionnlagh no es lo bastante bueno para ella? Me pregunto qué pensaban los padres de Catriona sobre ti.

Donald estaba casi blanco de ira. Tenía los labios fruncidos y apretados.

—No te cansas nunca de juzgar a los demás, ¿verdad?

—No, ese es tu trabajo. —Fin señaló el techo con un dedo—. El tuyo y el de ese otro de ahí arriba. Yo soy un mero observador.

Se volvió para salir de la sacristía, pero Donald lo sujetó. Una garra de dedos fuertes que le mordió la parte superior del brazo.

—¿Y a ti qué demonios te importa, Fin?

Fin se volvió y se liberó el brazo de un tirón.

—Ese lenguaje, Donald. Estamos en la casa del Señor, ¿recuerdas? Y deberías saber que a algunos de nosotros nos atormentan muchos demonios.

15

Allí hacía frío. Un lugar adecuado para los muertos. El ayudante con la bata blanca tiró del cajón de la cámara frigorífica y Fin descubrió el rostro manchado de turba y notablemente bien conservado de un joven con rasgos infantiles que no debía de ser mucho mayor que Fionnlagh.

Gunn asintió con la cabeza al ayudante, que, con discreción, se alejó. A continuación, dijo:

—Que quede entre usted y yo, señor Macleod. Si alguien se entera de esto, soy hombre muerto. —Se sonrojó levemente—. Disculpe el juego de palabras.

Fin lo miró.

—No creas que no valoro la importancia del favor, George.

—Sé que lo valora. Pero eso no le ha impedido pedírmelo.

—Podrías haberte negado.

Gunn ladeó la cabeza en un gesto de aceptación.

—Podría. —Una pausa—. Será mejor que se dé prisa, señor Macleod. Tengo la impresión de que la descomposición avanzará rápidamente.

Fin se sacó una pequeña cámara digital del bolsillo y se dispuso a tomar una fotografía del rostro del joven. El flash se reflejó en los azulejos que los rodeaban. Sacó tres o cuatro más, desde ángulos distintos, y después volvió a guardarse la cámara en el bolsillo.

—¿Hay algo más que debería saber?

—Estuvo envuelto en una especie de manta durante horas después de su muerte. La manta le dejó impreso su dibujo en la espalda, las nalgas, las pantorrillas y en la parte trasera de los muslos. Estoy esperando las fotografías del forense, y pediremos a un dibujante que nos haga un esbozo.

—Pero ¿tenéis algo con qué compararlo?

—No. No se encontró nada con el cuerpo. Ni manta, ni ropa…

Gunn golpeó la puerta y el ayudante regresó para cerrar el cajón de la cámara frigorífica, con lo que devolvió al joven desconocido que habían sacado de la turbera a una oscuridad eterna.

Fuera, el viento tironeaba de sus chaquetas y pantalones, escupiendo lluvia, pero sin excesiva severidad. El sol seguía ofreciendo fugaces instantes de luz, rápidamente extinguidos tras un cielo cambiante. En lo alto de la colina se estaba construyendo la ampliación del hospital, y el viento transportaba el sonido de taladros y martillos neumáticos al tiempo que los chalecos naranja fluorescentes y los cascos blancos atrapaban los breves destellos de luz solar.

Siempre se produce un momento de recogimiento interior después de haber estado en presencia de la muerte. Un recordatorio de la propia frágil mortalidad. Los dos hombres subieron al coche de Gunn sin decir palabra y permanecieron en silencio casi durante un minuto, hasta que Fin comentó:

—¿Hay alguna posibilidad de que me pases una copia del informe de la autopsia, George?

Gunn resopló.

—¡Por Dios, señor Macleod!

Fin se volvió hacia él.

—Si no puedes, solo tienes que decir que no.

Gunn lo miró muy serio, dejaba escapar el aire a través de los dientes apretados.

—Veré qué puedo hacer. —Hizo una pausa y, acto seguido,

con la voz cargada de ironía, añadió—: ¿Puedo hacer algo más por usted?

Fin sonrió y sostuvo la cámara en alto.

—Podrías decirme dónde sacar copias en papel.

La tienda de fotografía de Malcolm J. Macleod se encontraba en un edificio encalado y de revestimiento tosco en Point Street, conocido como The Narrows, donde generaciones de niños de la isla se habían reunido los viernes y los sábados por la noche para beber y pelearse, fumar hierba y dar rienda suelta a las hormonas adolescentes. Un olor a grasa y a pescado frito procedente del puesto de pescado con patatas, dos puertas más allá, impregnaba el aire.

Cuando las fotografías del cadáver, una vez descargadas de la cámara de Fin, aparecieron en la pantalla del ordenador, el dependiente les dirigió varias miradas de curiosidad. Sin embargo, George Gunn era una cara conocida en la ciudad, de modo que sus posibles preguntas se quedaron sin formular.

Fin observó con atención las imágenes. El flash de la cámara había difuminado un poco las facciones, pero el rostro seguía siendo perfectamente reconocible para cualquiera que lo hubiese conocido. Eligió la mejor y la señaló con el dedo.

—Esta, por favor.

—¿Cuántas copias?

—Solo una.

En cuanto Finn entró en la residencia Dun Eisdean alguien le cerró el paso. Una joven de cabello oscuro recogido en una coleta. Lo hizo pasar a su despacho.

—Usted estaba con la hija de Tormod Macdonald cuando lo trajo ayer, ¿verdad, señor...?

—Macleod. Sí, soy amigo de la familia.

La joven asintió con gesto nervioso.

—Llevo toda la mañana intentando ponerme en contacto con ella, pero no ha habido forma. Hemos tenido un problema.

Fin frunció el entrecejo.

—¿Qué clase de problema?

—El señor Macdonald… ¿cómo decirlo?… Ha intentado huir.

Fin arqueó las cejas sorprendido.

—¿Huir? Esto no es una cárcel, ¿verdad?

—No, claro que no. Los residentes tienen libertad para entrar y salir cuando quieran. Pero sucedió en plena noche. Y, como es natural, las puertas estaban cerradas por motivos de seguridad. Al parecer, el señor Macdonald se pasó toda la tarde de ayer sembrando el descontento entre el resto de los residentes, y cuatro de ellos intentaron escapar.

Fin no pudo reprimir una sonrisa.

—¿Una operación de huida dirigida por un cabecilla?

—No es para tomárselo a broma, señor Macleod. El señor Macdonald se encaramó al fregadero y rompió la ventana de la cocina con los puños. Se hizo algunos cortes de gravedad.

El gesto de diversión se esfumó de inmediato del rostro de Fin.

—¿Está bien?

—Tuvimos que llevarlo a urgencias. Le dieron puntos en una mano. Ya ha vuelto, con las manos vendadas, y está en su habitación. Pero se ha mostrado bastante agresivo, gritando al personal, negándose a quitarse el abrigo y el sombrero. Dice que está esperando a su hija para que lo lleve a casa. —Suspiró y se dirigió a su escritorio, donde abrió una carpeta beis—. Nos gustaría comentar con la señorita Macdonald la posibilidad de darle medicación.

—¿Qué clase de medicación?

—Me temo que solo puedo comentarlo con la familia.

—Quieren drogarlo.

—No se trata de drogarlo, señor Macleod. Está muy agitado. Tenemos que calmarlo para que no vuelva a hacerse daño. Ni a él ni a nadie, de hecho.

Fin consideró las consecuencias de tal medicación. Una memoria frágil y fragmentada, entorpecida por los tranquilizantes. Sin duda frustraría sus intentos de estimular su recuerdo de acontecimientos pasados y establecer así qué relación tuvo con el joven muerto. Sin embargo, no podían arriesgarse a que volviera a lastimarse.

—Será mejor que llame otra vez a Marsaili y que hable con ella sobre esto. Pero déjeme intentar tranquilizarlo. En cualquier caso, venía a buscarlo para dar una vuelta en coche, si le parece bien.

—Oh, me parece una muy buena idea, señor Macleod. Lo que sea para que se convenza de que no está en una cárcel y de que no es un prisionero.

16

¿Quién será ahora? No voy a cambiar de opinión. Que se vayan al infierno.

La puerta se abre y aparece un joven. Lo he visto antes, en algún lugar. ¿Trabaja aquí?

—Hola, señor Macdonald —dice, y noto algo tranquilizador en su voz. Familiar.

—¿Te conozco?

—Soy Fin.

Fin. Fin. Un nombre raro. El fin. Fin de semana. Fin del mundo.

—¿Qué clase de nombre es ese?

—El diminutivo de Finlay. Fui Fionnlagh hasta ir a la escuela, y allí me dieron el nombre inglés. Finlay. Fue Marsaili quien empezó a llamarme Fin.

Se sienta a mi lado en la cama. Me dejo llevar por la esperanza.

—¿Marsaili? ¿Está aquí?

—No, pero me ha pedido que lo lleve a dar un paseo en coche. Me ha dicho que le gustaría.

Me siento decepcionado. Pero estaría bien salir un rato. Llevo algún tiempo aquí metido.

—Es verdad.

—Y veo que ya está vestido y listo para salir.

—Siempre. —Noto que se me forma lentamente una sonrisa—. Eres un buen muchacho, Fin. Siempre lo has sido. Pero no deberías haber venido por la granja cuando tus padres te lo habían prohibido.

Fin también sonríe.

—Se acuerda de eso, ¿verdad?

—Sí. Tu madre estaba furiosa. Mary temía que pensara que nosotros te animábamos a venir. Por cierto, ¿cómo están tus padres?

No responde. Me mira las manos y me levanta el brazo derecho.

—Me han dicho que se cortó, señor Macdonald.

—¿Ah, sí? —Bajo la vista y veo que tengo las manos vendadas—. ¡Oh! ¿Qué demonios me ha pasado? —Siento una punzada de miedo—. Dios —digo, nervioso—. Tendría que doler. Pero no siento nada. ¿Es grave?

—Al parecer le dieron unos puntos. En el hospital. Trató de escapar.

—¿Escapar? —Esa sola palabra sirve para levantarme el ánimo.

—Sí. Pero, señor Macdonald, tiene que saber que no está encerrado aquí dentro. Puede entrar y salir cuando quiera. Como en un hotel. Siempre que avise a alguien.

—Quiero ir a casa —digo.

—Bueno, ya sabe lo que dicen, señor Macdonald. Nuestro hogar está allí donde dejamos el sombrero.

—¿Eso dicen? ¿Quién diablos dice eso?

—Sí, eso dicen.

—Bueno, ¿y dónde está mi sombrero?

Fin me sonríe.

—Lo lleva puesto.

Noto mi sorpresa, levanto una mano y descubro que sí, que lo llevo en la cabeza. Me lo quito y lo miro. Un sombrero estupendo. Lleva conmigo muchos años. Ahora me río.

—Es verdad. No me había dado cuenta.

Me ayuda a levantarme con cuidado.

—Espera, tengo que coger mi bolsa.

—No, será mejor que la deje aquí, señor Macdonald. Necesitará sus cosas cuando vuelva.

—¿Es que voy a volver?

—Claro. Tiene que volver para colgar su sombrero. ¿Se acuerda? El hogar está allí donde dejamos el sombrero.

Miro el sombrero, que aún sostengo entre las manos vendadas, y vuelvo a reírme. Me lo ajusto en la cabeza.

—Tienes razón. Se me había olvidado.

Me encanta ver el sol sobre el océano, como ahora. Sabes que allí dentro es profundo porque es de un azul muy oscuro. Solo en la parte poco honda y arenosa se ve verde o turquesa. Aunque aquí eso no funciona. La arena desaparece casi de inmediato. Es por culpa de la resaca. Siempre se oyen historias de gente que se ahoga aquí. Sobre todo visitantes, gente de fuera. La arena los engaña, porque es tan blanda, fina, tan amarilla y firme. A los lugareños no se les ocurriría meterse en el agua si no es en un barco. Además, la mayoría no saben nadar. Maldita sea, ¿cómo se llamaba esta playa?

—Dalmore —responde Fin.

No me he dado cuenta de que lo he preguntado en voz alta. Pero sí. La playa de Dalmore, eso es. La he reconocido en cuanto hemos torcido por la carretera de la costa, después de dejar atrás las casitas y los contenedores de basura de camino al cementerio. Las pobres almas descansan allí arriba en el *machair*, mientras el mar les va comiendo terreno.

Estos malditos guijarros son grandes. Es difícil andar sobre ellos. Pero por la arena es más fácil. Fin me ayuda a quitarme los zapatos y los calcetines, y noto la arena entre los dedos de los pies. Suave y caliente por el sol.

—Me recuerda a la playa de Charlie —digo.

Fin se detiene y me mira extrañado.

—¿Quién es Charlie?

—Oh, no lo conoces. Murió hace mucho tiempo. —Y me río, y sigo riéndome.

Extiende la manta de viaje que ha sacado del maletero del coche sobre la arena que hay bajo los refuerzos del muro del cementerio y nos sentamos. Ha traído algunas botellas de cerveza. Frías, no heladas. Pero no están mal. Abre dos y me pasa una, y disfruto la sensación de la espuma en la boca, igual que la primera vez en el tejado de El Valle.

El mar está un poco embravecido por culpa del viento, y rompe con fuerza y cubre de blanco los montones de rocas. Incluso unas pequeñas gotas me salpican el rostro. Ligeras, como la caricia de una pluma. Ahora, el viento se ha llevado ya todas las nubes. Hubo días, allí en la turbera, en los que habría matado por un pedazo de cielo azul como este.

Fin saca algo de la bolsa y me lo enseña. Una fotografía, dice. Es bastante grande. Entierro el culo de la botella de cerveza en la arena para que se mantenga en pie y cojo la foto. Me cuesta un poco, con las manos vendadas.

—Oh. —Me vuelvo hacia Fin—. ¿Es un hombre de color?

—No, señor Macdonald. Pensé que tal vez lo conocería.

—¿Está durmiendo?

—No. Está muerto.

Parece aguardar mientras yo la miro. Como si esperara que dijera algo.

—¿Es Charlie, señor Macdonald?

Lo miró y suelto una carcajada.

—No, no es Charlie. ¿Cómo iba a saber qué aspecto tiene Charlie? ¡*Balach* tontorrón!

Sonríe, pero parece desconcertado. No sé por qué.

—Fíjese bien en la cara, señor Macdonald.

La miro atentamente, como me pide que haga. Y ahora veo que, detrás de ese color de piel, hay algo en esos rasgos que me resulta familiar. Extraño. Esa ligera desviación de la nariz. Como la de Peter. Y la pequeña cicatriz en el labio superior, en la comisura derecha. Peter tenía una cicatriz como esa. Se cortó con un vaso desportillado cuando tenía unos cuatro años. Y, oh… la cicatriz en la sien izquierda. No me había fijado hasta ahora.

De repente caigo en la cuenta de quién es y suelto la foto en el regazo. No puedo soportar seguir mirándola. ¡Lo prometí! Me vuelvo hacia Fin.

—¿Está muerto?

Fin asiente con la cabeza y me observa de un modo muy extraño.

—¿Por qué llora, señor Macdonald?

Peter me preguntó lo mismo una vez, hace mucho tiempo.

Los sábados eran el mejor día. Sin escuela, sin Dios, sin el señor Anderson. Si teníamos dinero, podíamos ir a la ciudad a gastarlo. Y no lo teníamos muy a menudo, pero eso no nos impedía ir hasta allí. Tan solo quince minutos caminando y ya estábamos en otro mundo.

El castillo dominaba la ciudad desde lo alto de la gran roca negra y proyectaba su sombra sobre los jardines de debajo. Y había gente a lo largo de toda la calle, entrando y saliendo de tiendas y cafeterías, con los coches y autobuses escupiendo enormes nubes de humo al aire.

Teníamos organizado un pequeño chanchullo, Peter y yo. A veces íbamos a la ciudad un sábado por la mañana, vestidos con la ropa más vieja que teníamos y con los zapatos más gastados, los que tenían la suela despegada, y yo colgaba un pequeño letrero de cartón al cuello de Peter en el que se leía CIEGO. Por suerte recibíamos una educación medianamente decente y sabía escribirlo. Por supuesto, entonces no sospechábamos que el hecho de colgarnos un letrero de cartón al cuello nos perseguiría más adelante.

Peter cerraba los ojos y me apoyaba la mano izquierda en el brazo derecho, y avanzábamos despacio entre los compradores de fin de semana, Peter con la gorra en la mano, extendida frente a sí.

Las señoras bondadosas de la ciudad siempre se apiadaban de nosotros. «¡Oooh, pobre muchachito!», solían exclamar, y si teníamos suerte, nos metían un chelín en la gorra. Fue así como reunimos el dinero suficiente para el tatuaje de Peter. Y tardamos un mes o más en recaudar suciamente el dinero necesario para que pudiera hacérselo.

Peter estaba loco por Elvis. En esa época, todas las revistas y periódicos iban llenos de sus historias. Era difícil no estar al corriente de su vida o de su música. Por aquel entonces, en los años posteriores a la guerra, todo tenía que ser americano, y antes de que empezáramos a ahorrar para el tatuaje, ya íbamos a la cafetería Manhattan, al lado del Monseigneur News Theatre. Era un local largo y estrecho, con asientos en forma de banco, como en los restaurantes de Estados Unidos. Las paredes estaban cubiertas de espejos grabados con panorámicas de Nueva York. Teniendo en cuenta cómo pasábamos los otros seis días de la semana, era como escapar al paraíso. Una visión fugaz y tentadora de cómo podría haber sido la vida. En un café o una Coca-Cola se nos iba todo el dinero, pero los hacíamos durar y nos quedábamos allí sentados, escuchando a Elvis sonar a todo volumen en la máquina de discos.

«Heartbreak Hotel». Evocaba unas imágenes tan románticas... Calles de Nueva York, luces de neón resplandecientes, vapor saliendo de las bocas de alcantarilla. Ese lento bajo caminante, con el tintineo del piano de jazz de fondo. Y esa voz apesadumbrada y fanfarrona.

El estudio de tatuajes estaba en Rose Street, justo al lado de un pub frecuentado por obreros. Consistía en una única sala bastante sórdida, con un espacio en la parte trasera separado por una cortina de color verde vómito y con el dobladillo hecho jirones. Olía a tinta y a sangre reseca. Las paredes estaban cubiertas de esbozos y fotografías viejas y descoloridas, de diseños y de brazos y espaldas tatuadas. El tatuador llevaba tatuados los antebrazos. Un corazón partido por una flecha, un ancla, Popeye. El nombre de una chica, Angie, con una caligrafía repleta de florituras.

Su rostro era severo y desnutrido, con unas patillas como alambre de fusible. El poco pelo que tenía en la cabeza lo llevaba peinado hacia atrás desde las entradas, sobre una calva reluciente, hasta llegar a un grupo de rizos engominados que le cubrían la nuca. Me fijé en la suciedad de sus uñas, y me preocupó que Peter pudiera contraer un infección horrible. Aunque tal vez solo fuera tinta.

No sé si había mucha o poca regulación en aquella época, ni si era legal tatuar a un chico de la edad de Peter, pero al tatuador de Rose Street no pareció importarle en absoluto. Se quedó desconcertado cuando le dijimos que queríamos un tatuaje de Elvis Presley. Nunca lo había hecho, dijo, y creo que se lo tomó como una especie de reto. Nos dio un precio: dos libras, que en aquel entonces era una fortuna. Creo que pensó que no podríamos permitírnoslo, pero si se sorprendió cuando volvimos con el dinero casi seis semanas después, no lo demostró. Había preparado un esbozo a partir de la fotografía de una revista, y diseñó el texto que iría debajo, «Heartbreak Hotel», como una bandera agitada por la brisa.

Estuvo trabajando durante horas, y le hizo mucha sangre, pero Peter lo soportó sin rechistar. Observé en su rostro lo doloroso que era, pero sabía que él no lo admitiría. Era un estoico. Un mártir de su sueño.

Permanecí a su lado toda la tarde, escuchando el gemido de la pistola de tatuar, observando cómo las agujas grababan la carne, y admiré la fortaleza de mi hermano mientras el tipo le limpiaba la tinta y la sangre entre una y otra embestida.

Habría hecho cualquier cosa por Peter. Sabía lo frustrado

que se sentía a veces, consciente de sus limitaciones. Pero nunca se enfadaba, ni maldecía, ni tenía una mala palabra para nadie. Era un alma buena, mi hermano. Mejor que yo. Nunca me engañé al respecto. Y mereció que le fuera mejor en la vida.

Al término de esa tarde, su brazo estaba hecho un desastre. Era imposible ver el tatuaje, cubierto de sangre que empezaba a secarse en un diseño de costras. El tatuador se lo lavó con agua jabonosa y se lo enjugó con toallas de papel antes de envolvérselo en una venda de hilo que le sujetó con un imperdible.

«Quítatela dentro de un par de horas y lávate el tatuaje con frecuencia. Sécalo suavemente y no te lo rasques. Necesita aire para que la herida cicatrice bien, así que no te lo cubras», le dijo. Le dio un bote pequeño con la tapa amarilla. «Bálsamo para tatuajes. Aplícalo en la herida después de lavártela. Lo justo para que quede hidratada. Es importante que no se forme una costra. Pero si pasa, no te la arranques, o te llevarás la tinta. Mientras la piel se cure, formará una membrana que poco a poco se irá descamando. Si te la cuidas bien, estará curada en unas dos semanas.»

Aquel tipo sabía de qué hablaba. Tardó unos doce días en curársele, y fue entonces cuando descubrimos el buen trabajo que había realizado. No había duda de que el rostro tatuado en el antebrazo de Peter era el de Elvis Presley, y el diseño de la bandera en la que se leía «Heartbreak Hotel» parecía el cuello de la camisa. Muy ingenioso.

Por supuesto, tuvimos que tomar medidas para ocultarlo durante esa época. Peter siempre llevaba manga larga en El Valle y en la escuela, aunque fuera verano. La noche del baño se lo vendaba y lo mantenía fuera del agua. Yo decía a los chicos que padecía psoriasis, una enfermedad de la piel sobre la que había leído en una revista, de modo que el tatuaje siguió siendo nuestro secreto.

Hasta ese fatídico día de finales de octubre.

El problema de Peter era que, al igual que un cubo agujereado no puede contener el agua, él era incapaz de guardar un secreto. Era tan abierto, tan poco dado a la falsedad y la ocultación, que tarde o temprano tenía que comentar con alguien lo de su tatuaje. Aunque solo fuera por el placer que obtendría al enseñarlo.

A veces se quedaba contemplándolo. Con el brazo colocado en posiciones distintas, torciendo la cabeza de un lado a otro para verlo desde diferentes ángulos. Lo que mayor placer le proporcionaba era observarlo en el espejo. Verlo en su contexto global, como si fuera de otro, alguien digno de respeto y admiración. Había un pequeño corazón partido entre las palabras «Heartbreak» y «Hotel». Rojo. El único color en todo el tatuaje. Le encantaba esa diminuta mancha carmín, y a veces lo descubría tocándosela, casi acariciándola. Sin embargo, lo que más le gustaba era la sensación de que, de algún modo, Elvis le pertenecía y siempre estaría con él. Una compañía constante para el resto de la que sería su corta vida.

Ese año la nieve llegó temprano. No cayó demasiada, pero cubrió los tejados, los salientes de las fachadas, y manchó las ramas recién desnudas de los árboles, tras vientos otoñales inusualmente fuertes. Todo lo demás tenía un aspecto más oscuro, más negro, en comparación. Las rápidas aguas del río, las piedras de los molinos, sucias de hollín, y las viviendas de los trabajadores en la ciudad. El cielo tenía un aspecto plomizo, aunque desprendía un brillo particular. Como una caja de luz natural que difuminara los rayos de sol. Sin sombras. El ambiente era frío, vigorizante, y te helaba las fosas nasales. La nieve se había congelado y crujía bajo los pies.

Era la hora del recreo en la escuela y nuestras voces resonaban, agudas y crispadas, en el ambiente gélido, con el aliento flotando como nubes de humo de dragón sobres nuestras cabezas. Vi a Peter en el centro de un pequeño grupo de chicos cerca de la puerta. Sin embargo, cuando llegué allí ya era demasiado tarde. No podría haber elegido enseñar a su Elvis a una compañía más peligrosa. A tres de los hermanos Kelly y a un par de amigos suyos. Chicos igualmente desagradables. Solo nos relacionábamos con los Kelly porque también eran católicos, y siempre nos hacían esperar juntos fuera, pasando frío, a que los protestantes salieran del oficio matinal. Y eso creaba una suerte de camaradería, incluso entre enemigos.

Los Kelly eran de mala calaña. Cuatro chicos. Uno de ellos era mucho más pequeño, aún no iba a nuestra escuela. Los dos de en medio, Daniel y Thomas, serían de mi edad, con un año de diferencia entre ellos. Y Patrick era un año mayor. Se decía que su padre estaba relacionado con una famosa pandilla de Edimburgo, y que había estado en la cárcel. Se rumoreaba que tenía una cicatriz en forma de arco desde la comisura izquierda de la boca hasta el lóbulo de la oreja izquierda, como una extensión del labio inferior. Nunca llegué a verlo, pero la imagen contenida en esa descripción siempre me persiguió.

Catherine llegó allí antes que yo, porque por aquel entonces ya había adoptado una actitud protectora con Peter. Aunque era más joven que yo, y más o menos de la misma edad que Peter, se preocupaba por nosotros y nos mimaba a los dos. Sin embargo, no era en absoluto sentimental. Sus atenciones eran autoritarias, casi brutales, tal vez fruto de la experiencia. Nada de advertencias amables ni palmaditas cariñosas en la cabeza. Una patada en el culo y una sarta de insultos eran más el estilo de Catherine.

Llegué junto al grupo justo a tiempo de ver su expresión horrorizada al descubrir el tatuaje en el brazo de Peter. No se lo habíamos comentado, y la mirada que me lanzó contenía todo el dolor que sentía por sentirse excluida.

Peter se había quitado la chaqueta y se había remangado la camisa. Incluso los Kelly, que no se impresionaban fácilmente, lo observaron boquiabiertos y admirados. Pero fue Patrick quien se dio cuenta del alcance de la situación.

«Vas a tener un problema cuando lo descubran, pedazo de tonto. ¿Quién te lo ha hecho?», preguntó.

«Es un secreto», respondió Peter a la defensiva. Empezó a bajarse la manga. Pero Patrick lo agarró del brazo.

«Ha sido cosa de un profesional, ¿verdad? Ese tipo podría meterse en un buen lío por marcar a un chico de tu edad. ¿Cuántos años tienes? ¿Quince? Diría que hace falta un permiso de los padres para hacerte algo así.» A continuación se rió, y con un deje de crueldad en la voz añadió: «Y como no los tienes, seguro que se complica un poco la cosa».

«Es mejor no tener padres que tener un padre que ha estado en la puta cárcel.» La voz de Catherine cortó la risa de los chicos, y Patrick le dirigió una mirada amenazadora.

«Cierra el pico, pedazo de mierda.» Dio un paso hacia ella y yo me coloqué rápidamente entre los dos.

«Y tú ten cuidado con lo que dices, Kelly.»

Los ojos verde claro de Patrick Kelly se encontraron con los míos. Tenía el pelo rojo anaranjado y la cara del color de la avena, salpicada de pecas. Era un chico feo. Me fijé en su mirada calculadora. Era un muchacho grande, pero yo también.

«¿Y a ti qué te importa?»

«Me molesta un poco el lenguaje grosero.»

Hubo algunas risas, que al mayor de los Kelly no le gustaron. Lanzó una mirada a sus hermanos.

«Cerrad la puta boca.» A continuación se volvió hacia mí. «Conque los chicos de El Valle pueden hacerse tatuajes, ¿no?», preguntó. Como no respondí, sonrió. «¿Y por qué tengo la sensación de que el pedazo de tonto va a estar jodido si se enteran de lo que ha hecho?»

«¿Y por qué iban a enterarse?»

«Puede que alguien se lo cuente.» Patrick Kelly esbozó una sonrisa poco sincera.

«¿Como quién?»

La sonrisa se esfumó de su rostro mientras acercaba su cara a la mía.

«Como yo.»

No retrocedí ni un paso, y solo contraje el rostro ante la peste a dientes podridos de su aliento.

«Solo los cobardes se van de la lengua.»

«¿Me estás llamando un puto cobarde?»

«No te estoy llamando nada. Los cobardes se descubren solos, con sus acciones.»

El enfado y la humillación por el hecho de que alguien fuera más listo que él se combinaron para envalentonarlo. Me golpeó el pecho con el índice.

«Veremos quién es el puto cobarde». Señaló con la cabeza el puente de la carretera que se alzaba sobre los edificios y conectaba la ciudad con los barrios del oeste. El penúltimo que construyó Thomas Telford, como descubriría mucho más adelante. «Hay una cornisa que recorre la parte exterior del puente, justo por debajo del parapeto. Mide unos veinte centímetros de ancho. Allí arriba esta noche. A medianoche. Tú y yo. Veremos quién es capaz de recorrerla.»

Dirigí la vista al puente. Incluso desde allí veía la nieve que cubría la cornisa.

«Ni de coña.»

«Tienes miedo, ¿verdad?»

«Es un puto cobarde», dijo uno de los hermanos menores.

«No estoy loco», respondí.

«Pues qué pena lo de tu hermano, ¿no? Supongo que puede que lo echen. Que lo lleven a un centro de menores. Con toda esa mierda que se ha hecho en el brazo. Imagino que no te hará mucha ilusión separarte de él.»

Era una posibilidad y me sentí atrapado en la red de lo inevitable.

«¿Y si lo hago?»

«Elvis será nuestro secreto. A no ser, claro, que te rajes a medio camino. En ese caso, me chivaré.»

«¿Y tú también recorrerás la cornisa?»

«Claro.»

«¿Y yo qué gano con ello?»

«El placer de llamarme cobarde si me rajo.»

«¿Y si no?»

«Yo me llevo la satisfacción de demostrarte que te equivocabas.»

«No lo hagas», dijo la voz de Catherine a mis espaldas, grave y en tono de advertencia.

«¡Cállate, zorra!»

Noté la saliva de Kelly en la cara y miré a Peter. No estaba seguro de que entendiera la gravedad de la situación, o el lío en el que me había metido por culpa de su fanfarronería. «Iré contigo», dijo decidido.

«¿Lo ves? Incluso el pedazo de tonto tiene más huevos que tú.» Ahora Kelly se regodeaba. Sabía que me tenía acorralado.

Me encogí de hombros. Intenté sonar lo más despreocupado posible.

«Vale. Pero pongámoslo un poco más interesante. Yo lo haré primero. Lo cronometraremos. Y el más lento de los dos tendrá que repetirlo.»

Por primera vez, la confianza de Patrick Kelly se tambaleó. Ahora le tocaba a él sentirse atrapado.

«Me parece bien.»

¡Éramos tan estúpidos!, como Catherine se apresuró a señalar en cuanto empujé a Peter a un lado del patio para decirle cuatro cosas.

«Estás loco», dijo Catherine. «Está a unos treinta metros del suelo, el puto puente. Si te caes, estás muerto. No tengas duda.»

«No me caeré.»

«Bueno, espero que no, porque si lo haces no tendré ocasión de decirte que te lo había advertido.» A continuación hizo una pausa. «¿Cómo piensas salir de El Valle?»

Nunca había comentado con nadie mis escapadas nocturnas hasta la ciudad y el cementerio, y en ese momento no tenía demasiadas ganas de revelar mi secreto.

«Bueno, hay un modo», respondí con naturalidad.

«Pues será mejor que me lo digas de una puta vez. Porque yo iré contigo.»

«Y yo también», intervino Peter.

Me detuve y miré a uno y después a la otra.

«No, no vais a venir. Ninguno de los dos.»

«¿Y quién coño nos los va a impedir?», preguntó Catherine.

«Eso, ¿quién coño nos lo va a impedir?» Peter hinchó el pecho con actitud desafiante. Era casi vergonzoso oírlo utilizar ese lenguaje. Catherine era una mala influencia. Pero sabía que estaba vencido.

Me dirigí a Catherine.

«¿Por qué quieres venir?»

«Bueno, si se trata de ser el más rápido, necesitaréis a alguien que os cronometre.» Hizo una pausa y suspiró. «Además, si te caes, alguien tendrá que ocuparse de que Peter vuelva a El Valle sano y salvo.»

No podría haberme dormido cuando apagaron las luces, ni aun queriendo. Faltaban tres horas y empezaba a sentir náuseas. ¿Qué diablos me había llevado a meterme en ese estúpido desafío? Y lo que resultaba aún más molesto era que Peter se había quedado dormido de inmediato, con la absoluta seguridad de que lo despertaría cuando llegara la hora de marcharnos. Consideré la posibilidad de salir a hurtadillas sin él, pero sabía que si se despertara y no me encontrara allí, su imprevisible reacción podría ponernos a ambos en peligro.

Así pues, permanecí bajo las mantas, incapaz de entrar en calor, temblando de frío y de miedo. Por supuesto, la noticia se había corrido como la pólvora entre los chicos de la escuela, y todos los de El Valle sabían que los Kelly y los McBride habían hecho una apuesta. Nadie parecía saber la razón, pero yo estaba convencido de que el asunto del tatuaje no tardaría en descubrirse, y después sería solo cuestión de tiempo que llegara a oídos de los de arriba.

El futuro resultaba bastante aterrador, oscurecido por la sombra de lo imprevisible. Tenía la sensación de que mi vida, y la de Peter, se me escapaba de las manos. Y si bien no teníamos ningún control sobre nuestro encierro en El Valle, durante el último año, ese lugar nos había proporcionado cierto grado de comodidad, aunque solo fuera por la brutal regularidad de su rutina.

El tiempo transcurría rápida y lentamente al mismo tiempo. Cada vez que miraba el reloj habían pasado solo cinco minutos. Y entonces, de repente, se hicieron las doce menos cuarto. Me pregunté si al final me habría quedado dormido sin darme cuenta. El corazón me martilleaba en el pecho, me latía con fuerza en la garganta, a punto de asfixiarme. Había llegado la hora de salir.

Me deslicé entre las sábanas, totalmente vestido, y me puse los zapatos. Tenían suelas de goma gruesa que esperaba que me garantizaran algo de sujeción. Me até los cordones con dedos temblorosos y sacudí a Peter por el hombro. Tardó en despertarse, y eso me puso de los nervios. Cuando por fin se hubo librado del sopor y de un sueño inmerecidamente agradable, recuperó el recuerdo de lo que estábamos a punto de hacer esa noche y los ojos le brillaron con impaciencia.

«¿Es hora de irnos?», preguntó en voz alta.

Me llevé un dedo a los labios y le lancé una mirada furibunda.

Hasta que llegué a la puerta del dormitorio no me di cuenta de la cantidad de chicos que estaban despiertos. Voces que susurraban en la oscuridad.

«Suerte, Johnny.»

«Enséñale a ese capullo cómo las gastamos los chicos de El Valle.»

Sentí ganas de responder:

«¡Enseñádselo vosotros, joder!»

Catherine nos estaba esperando al pie de las escaleras del sótano. Llevaba una linterna, con la que nos apuntó a la cara mientras bajábamos. Estuvo a punto de cegarme.

«¡Aparta eso, hazme el favor!» Me protegí los ojos con una mano. Y después, cuando apagó la luz y volvimos a quedarnos a oscuras, estuve a punto de caerme. «¡Joder!»

«¡Llegáis tarde!», susurró. «He pasado un miedo de muerte aquí abajo. Hay algo que no para de dar golpes raros. Y cosas que se mueven por el suelo. Estoy segura de que son ratas.»

Descorrí el pestillo para empujar la puerta y al abrirla sentí el aire frío de la noche. Olía a invierno, y me fijé en las estrellas, como pinchazos de aguja en la sábana negra que era el cielo, revelando la luz imaginada que había tras ella. Una luz que se reflejaba en la escarcha que brillaba sobre el negro asfalto. El cielo reflejado a la perfección en la tierra. O el infierno reflejado a la perfección allí arriba.

Cuando llegamos al pueblo oímos un reloj que daba la medianoche. Resonó en el ambiente frío y despejado de la noche, como una campana que tocara a muertos; sonora, grave y cargada con una espantosa profecía. El camino hasta Bell's Brae a oscuras, frente a las silenciosas caballerizas, fue lento y peligroso. La nieve había caído, se había derretido allí donde el sol la había acariciado, y después se había congelado. Cuando llegamos a Kirkbrae House, en lo alto de la colina, los tres sudábamos por el esfuerzo. En la escuela nos habían contado que Kirkbrae House, con torrecillas y el tejado a dos aguas, y cuya mitad inferior desaparecía bajo el puente, había sido una taberna en el siglo XVII. En ese momento habría dado cualquier cosa por un vaso de la burbujeante cerveza que debían de haber bebido en aquel entonces. Algo que me despegara la lengua del paladar y me devolviera el valor que me abandonaba a medida que me acercaba al puente.

Los Kelly estaban esperándonos allí donde nacía el primer arco del puente, apiñados a la sombra de Kirkbrae House. La ciudad estaba desierta y silenciosa como el cementerio de El Valle. No había un solo coche por la calle, ni una luz encendida en las ventanas de las casas de piedra que recorrían Queensferry Street hacia el extremo oeste. Sin embargo, la luna se reflejaba en las superficies cubiertas de nieve de la aldea que quedaba abajo. Tan solo las aguas negras del río permanecían perdidas por completo en la oscuridad.

«¡Llegas tarde!», bufó Patrick Kelly entre las sombras. «Llevamos esperando una eternidad. ¡Y hace un frío del carajo!»

Lo oí entrechocar y frotarse las palmas de las manos enguantadas, intentando librarse del frío, y deseé llevar guantes.

«Bueno, ya estamos aquí. Y será mejor que empecemos de una vez. Yo primero.» Me dirigí al parapeto, pero entonces noté la mano abierta de Patrick en el pecho.

«No. Yo voy primero. Ya llevo esperando bastante tiempo. ¿Quién va a cronometrarnos?»

«Yo.» Catherine dio un paso al frente, se colocó bajo el pálido resplandor amarillo de una farola y abrió la mano para descubrir un cronómetro de plata grabada, adornado con un lazo rosa.

Uno de los Kelly la agarró de la muñeca para verlo de cerca y todos percibimos la envidia en su voz.

«¿A quién se lo has robado?»

Catherine apartó la mano de un tirón y lo encerró en un puño a modo de protección.

«No lo he robado. Me lo dio mi padre.»

«Vale, Danny, tú vigila que no haga trampas», dijo Patrick.

A continuación alargó los brazos para alcanzar las puntas de hierro forjado que recorrían la curva del parapeto, para elevarse y pasar por encima, con los pies resbalándole sobre el hielo, hasta que se hubo apoyado en la cornisa de debajo.

Yo había cruzado el puente en muchas ocasiones, pero era

la primera vez que me fijaba en el parapeto. Más tarde descubrí que lo habían levantado hacía unos cincuenta años para evitar que la gente se precipitara desde allí. ¿Qué tendrán los puentes para que tantas personas decidan quitarse la vida saltando de ellos? Sea lo que sea, a mí solo me preocupaba no caerme.

El puente se sostenía sobre cuatro arcos, desde Kirkbrae House en el sur hasta la imponente presencia gótica de la iglesia Holy Trinity en el otro extremo. Estaba a treinta y dos metros por encima del río en su punto más alto, y mediría unos ciento treinta y cinco metros de un lado a otro. La cornisa era lo bastante ancha para caminar por ella. Lo justo. Si no mirabas hacia abajo ni pensabas demasiado en ello. El problema llegaba cuando había que sortear cada uno de los soportes verticales de las tres columnas. Eran angulares y te obligaban a apartarte de la seguridad que ofrecía el parapeto, donde siempre era posible agarrarse a una de las puntas de hierro.

Sentí que se me revolvía el estómago. Era una locura. ¿Qué demonios estaba haciendo yo allí? Apenas podía respirar.

En la cara de Patrick vi que él también estaba asustado. Sin embargo, hacía todo lo posible por disimularlo.

«Venga, pon en marcha el reloj», gritó, y todos nos inclinamos mientras Catherine pulsaba el botón del cronómetro y Patrick Kelly empezaba a avanzar por el puente.

Me sorprendió lo rápido que se desplazaba, con las piernas bien separadas, de cara al parapeto y avanzando de lado a lo largo de la cornisa, inclinado para que sus manos lo guiaran. Se abrazaba a cada uno de los soportes de los arcos, casi tumbándose en lo alto, mientras arrastraba los pies sobre la cornisa. Danny estaba en el extremo de Kirkbrae, controlando el cronómetro junto a Catherine, mientras que Peter, yo y el otro hermano de Patrick, Tam, lo seguíamos caminando desde la seguridad del asfalto.

Oía la respiración de Patrick, fatigosa a causa del miedo y el esfuerzo. Las bocanadas de aliento lo envolvían bajo la luz de la luna. Yo solo le veía la parte superior de la cabeza, y la concentración en sus ojos. Peter caminaba apoyado en mi brazo, muy atento al avance de Patrick. Aunque se trataba del chico que amenazaba con descubrir el secreto sobre su tatuaje de Elvis, Peter estaba verdaderamente preocupado por su seguridad. Tal era su empatía. Tam no dejaba de gritar palabras de ánimo a su hermano, y cuando Patrick llegó al fin a la iglesia y saltó a la parte asfaltada con brazos temblorosos, el chico soltó alaridos de alegría para celebrar su éxito.

Catherine y Danny llegaron corriendo hasta nosotros.

«¿Y bien?», preguntó Patrick, con el rostro resplandeciente de júbilo.

«Dos minutos y veintitrés segundos», respondió Danny. «Bien hecho, Paddy.»

Patrick volvió su rostro de alegría hacia mí.

«Te toca.»

Miré a Catherine y vi el temor en sus oscuros ojos.

«¿Cómo está el hielo en ese lado?», pregunté a Patrick.

Sonrió.

«Resbaladizo de cojones.»

Sentí que se me caía el alma a los pies. Dos minutos y veintitrés segundos me parecían muy pocos. Y sabía que si no batía ese tiempo, tendría que volver a hacerlo. La actitud de Patrick rezumaba confianza. Ni siquiera se le pasaba por la cabeza que pudiera ser más rápido que él. Y, a decir verdad, a mí tampoco. Pero no tenía sentido que me recrease en ello y me dejara vencer por mi propio miedo.

Trepé al parapeto y, agarrándome a lo alto de las puntas de hierro, deslicé los pies al otro lado hasta alcanzar la cornisa. El hierro estaba frío como el hielo y me ardía en las manos ya congeladas. Pero seguí aferrado a los salientes mientras comprobaba la firmeza de la nieve helada bajo los pies. Para mi sorpresa, mis suelas de goma se agarraban a la perfección. Por fin me solté y me descubrí en equilibrio sobre la curva de la cornisa, con unos ciento veinte metros de recorrido por delante. Si avanzaba utilizando la misma técnica que Patrick, la posibilidad de mejorar su tiempo dependería solo del azar. Por otro lado, si extendía los brazos para mantener el equilibrio y caminaba de frente, como sobre el bordillo de la acera, estaba seguro de que podría ir más rápido. Siempre que no resbalara. Sin embargo, al llegar a los soportes de los arcos tendría que recurrir al sistema de Patrick para salvarlos.

Respiré hondo, resistí la tentación de mirar abajo y grité: «Venga, pon en marcha el cronómetro».

Acto seguido empecé a andar con la vista clavada en Kirkbrae House, en el otro extremo. Sentí la nieve congelada crujir bajo mis pies, el brazo izquierdo más alto que el derecho para evitar tocar el parapeto. El más mínimo error de cálculo, incluso el más pequeño roce contra el parapeto, provocarían, con toda probabilidad, que me precipitara al vacío.

Llegué al primer soporte del arco y lo abracé al tiempo que deslizaba los pies de lado sobre la cornisa, como había visto hacer a Patrick. A continuación, ya en el otro lado recobré el equilibrio y me dispuse a emprender el siguiente tramo. Me invadía una extraña sensación de euforia, como si casi fuera capaz de echar a correr. Por supuesto, habría sido imposible, pero en ese instante la seguridad se apoderó de mí y aceleré, un paso cauteloso tras otro. Desde el otro extremo del parapeto me llegó la voz de Tam.

«Caray, Paddy, ¡es rápido!»

Y la de Peter:

«¡Vamos, Johnny, vamos!»

Cuando llegué a Kirkbrae House y salté el parapeto para ponerme a salvo, supe que había hecho el recorrido en menos tiempo. Patrick también lo sabía y me fijé en su creciente preocupación mientras esperábamos a que Catherine y Danny se reunieran con nosotros.

El rostro de Danny era la viva imagen de la inquietud. El de Catherine estaba dividido por una sonrisa triunfal.

«Dos minutos y cinco segundos», anunció Danny, su voz convertida en apenas un susurro.

Ya nada me importaba. Había ganado el desafío. Y si Patrick Kelly era un chico de palabra, entonces el secreto de Peter estaba a salvo, al menos por el momento.

«Dejémoslo en empate.»

Patrick tensó los labios hasta convertirlos en una línea rígida. Negó con la cabeza.

«Ni de puta broma. El más lento tiene que repetirlo. Ese era el trato.»

«Da igual», respondí.

Me fijé en que el chico proyectaba la mandíbula hacia delante.

«A mí no me da igual.» Y se agarró a las puntas de hierro y volvió a bajar por el parapeto.

Tam dijo: «Vamos, Paddy, volvamos a casa».

Patrick se apoyó en la cornisa.

«Pon en marcha el puto cronómetro, ¿quieres?»

Danny me miró como si hubiera algo que yo pudiera hacer. Me encogí de hombros. Había hecho cuanto estaba en mis manos. Catherine apretó el botón del cronómetro.

«¡Ya!», gritó, y Patrick emprendió el camino, en esa ocasión siguiendo mi técnica. Sin embargo, desde el primer momento me di cuenta de que a él no le funcionaría. Daba la impresión de que sus zapatos no tenían tan buena adherencia como los míos. Se detuvo varias veces durante la vuelta al primer arco, haciendo grandes esfuerzos para mantener el equilibrio. Tam, Peter y yo corrimos junto a él, dando saltos de vez en cuando para verlo mejor.

Advertí el sudor que le cubría la frente y reflejaba la luz de la luna, las pecas convertidas en salpicaduras oscuras sobre la palidez de su rostro. El miedo era evidente en sus ojos, pero su desesperado amor propio era más fuerte. Tenía que demostrar que podía hacerlo, y no solo a nosotros, sino a sí mismo. Lo oí contener la respiración cuando le resbaló un pie, vi su mano agarrarse al aire frío, y por un espantoso momento creí que se había caído. Sin embargo, su mano encontró la curva del parapeto y logró recuperar el equilibrio.

Íbamos por la mitad del camino cuando oí la voz de Danny, gritando desde el extremo de Kirkbrae.

«¡La policía!» Y casi al mismo tiempo oí el ruido del motor de un coche que se acercaba desde Randolph Place. Él y Catherine se refugiaron bajo la sombra de Kirkbrae House, pero nosotros estábamos al descubierto, en mitad del puente, Peter, Tam y yo, y no teníamos donde escondernos.

«¡Al suelo!», grité, y me agaché contra la pared, tirando de Peter hacia abajo, junto a mí. Tam se agazapó a nuestro lado. Solo podíamos esperar que el coche patrulla negro pasara de largo sin vernos. Durante un instante nos creímos atrapados en las luces de los faros, pero entonces pareció que aceleraba y se marchaba. Me invadió una enorme oleada de alivio. Pero a continuación se oyó el chirrido de los frenos y el sonido de los neumáticos patinando sobre el asfalto congelado.

«¡Mierda!»

«¡Corre!», gritó Tam.

Oí el ruido del motor del coche dando marcha atrás y no necesité otra señal. Me puse de pie de inmediato y eché a correr hacia Kirkbrae House, en dirección a la vía de escape que ofrecía Bell's Brae. No habíamos recorrido ni diez metros cuando me di cuenta de que Peter no iba con nosotros. Entonces Danny gritó desde el otro extremo.

«¿Qué coño está haciendo?» Y Tam me agarró del brazo.

Nos volvimos y vimos a Peter de cuclillas sobre el parapeto, colgado de una punta de hierro con una mano y con la otra extendida hacia la figura aterrada de Patrick Kelly, casi como si lo hubiera empujado. Los brazos de Kelly se agitaban en el aire en un intento desesperado por mantener el equilibrio.

Sin embargo, era una causa perdida. Y sin hacer sonido alguno, se precipitó al vacío. El silencio de ese instante aún me acompaña. El chico no gritó. No lloró, no chilló. Tan solo cayó sin hacer ruido a la sombra del puente. Quise creer con todo mi ser que, de algún modo, había sobrevivido a la caída. Pero sabía, sin lugar a dudas, que no era posible.

«¡Joder!» Sentí el aliento de Tam en la cara. «¡Pero si lo ha empujado!»

«¡No!» Sabía lo que parecía. Pero al mismo tiempo sabía que era imposible que Peter hubiera hecho tal cosa.

Dos policías uniformados habían bajado del coche y corrían por el puente hacia nosotros. Yo también corrí hacia ellos, para coger a mi hermano y arrastrarlo conmigo hasta donde nos esperaban los otros, en el extremo sur. Peter lloriqueaba, desesperado. Tenía el rostro húmedo, reluciente por las lágrimas.

«Pidió ayuda», dijo mientras se llenaba los pulmones de aire para calmar su angustia. «He intentado agarrarlo, Johnny, en serio que lo he intentado.»

«¡Eh!», gritó la voz de un policía en la oscuridad. «¡Chicos! ¡Deteneos! ¿Qué estáis haciendo en el puente?»

Fue la señal para dispersarnos. No sé adónde fueron los Kelly, pero Peter, Catherine y yo bajamos en tropel por Bell's Brae, tropezando y resbalando peligrosamente sobre los adoquines, sin apenas atrevernos a mirar atrás. La oscuridad de esa noche, con las sombras de los edificios y los árboles, nos engulló en la negrura, y sin decir una sola palabra, subimos la colina por el otro lado, hacia las torres gemelas de El Valle.

No sé cómo, pero a primera hora de la mañana siguiente, todos en El Valle parecían estar al corriente de la caída de Patrick Kelly desde el puente. Y entonces, cuando alguien llamó desde el pueblo para comunicar que se cancelaban las clases del día, todo el mundo se enteró de lo peor. Un chico había muerto al caer del puente la noche anterior. Nadie había descubierto aún de quién se trataba. Pero no había un solo chico en El Valle que no lo supiera.

Extrañamente, nadie nos preguntó qué había pasado. Era como si estuviéramos infectados y nadie quisiera contagiarse. Los internos se juntaron en los grupos de siempre, pero nos rehuyeron abiertamente, a Peter, a Catherine y a mí.

Los tres nos sentamos a la mesa del comedor a la espera de lo inevitable. Y llegó justo antes del mediodía.

Un coche de la policía se detuvo en la entrada y aparcó frente a las escaleras. Dos agentes uniformados entraron en El Valle y enseguida los acompañaron a la oficina del señor Anderson. Solo habían transcurrido unos diez minutos cuando el conserje fue a buscarnos. Nos miró con preocupación.

«Pero ¿qué habéis hecho, chicos?», susurró.

Como yo era el mayor de los tres, los otros me miraron, pero yo me limité a encogerme de hombros.

«Ni idea», dije.

Nos acompañó por el pasillo hasta la oficina del señor Anderson y sentimos las miradas de todos nuestros compañeros sobre nosotros. Fue como si el tiempo se hubiera detenido, permanecían inmóviles, como si los muchachos se hubieran reunido en grupos para observar a los condenados a punto de encontrarse con su destino. Cada uno de ellos, sin duda alguna, dando las gracias al cielo por no estar en nuestra piel.

El señor Anderson nos esperaba detrás de su escritorio, el rostro tan ceniciento como el pelo. Llevaba la chaqueta del oscuro traje abotonada del todo, y tenía los brazos cruzados sobre el pecho. Los dos agentes, con los cascos en la mano, estaban de pie a un lado, y la supervisora al otro. Nosotros tres frente al escritorio. El señor Anderson nos miró fijamente.

«Quiero que uno de vosotros hable por todos.»

Catherine y Peter se volvieron hacia mí.

«De acuerdo. Tú, McBride.» Fue la primera y única vez que lo oí llamarme por mi nombre. Miró a los otros. «Si no estáis conformes con algo de lo que cuenta, lo decís. Vuestro silencio se interpretará como que estáis de acuerdo.» Respiró hondo y colocó las yemas de los dedos sobre el escritorio, apoyando ligeramente en ellas el peso de su cuerpo. «Estáis aquí porque un chico murió anoche al caer del puente Dean. Un tal Patrick Kelly. ¿Lo conocéis?»

Asentí con la cabeza.

«Sí, señor.»

«Parece que se organizó una travesura anoche, en el puente, sobre la medianoche, en la que se vieron implicados varios chicos y una chica.» Miró con decisión a Catherine. «Y nos han informado de que vieron a dos chicos y a una chica de El Valle en el pueblo poco antes de que sucediera.» Irguió del todo la espalda. «Supongo que tendréis idea de quiénes pudieron ser.»

«No, señor.» Sabía que no podrían demostrarlo a menos que algún testigo se prestara a identificarnos. Y si lo hubiera, sin duda estaría allí, en la oficina del señor Anderson, señalándonos con el dedo. Así pues, lo negué todo. No, no habíamos salido de El Valle. Habíamos pasado toda la noche en nuestras camas. No, no nos habíamos enterado de la caída de Patrick Kelly hasta esa mañana. Y no, no teníamos la menor idea sobre lo que él y los otros podían estar haciendo en el puente a esas horas de la noche.

Por supuesto, eran conscientes de que les estaba mintiendo. Alguien debió de decirles algo. Uno de los Kelly, tal vez. O alguno de sus amigos.

El señor Anderson volvió a inclinarse hacia delante, ahora apoyado en los nudillos, que se le volvieron blancos, igual que ese primer día de hacía casi un año. «Tenemos algunas dudas —dijo mirando a los dos agentes de policía—, sobre si el chico cayó o lo empujaron. Habrá una investigación, y quien sea culpable de haber precipitado al chico a su muerte será acusado de asesinato. O de homicidio involuntario, en el mejor de los casos. Se trata de un asunto muy grave, gravísimo. Y supondría un golpe muy duro a la reputación de El Valle si alguno de sus muchachos estuviera implicado. ¿Lo entendéis?»

«Sí, señor.»

Ni Peter ni Catherine habían abierto la boca durante el interrogatorio. El señor Anderson los miró.

«¿Alguno de vosotros tiene algo que añadir?»

«No, señor.»

Media hora después de que nos hicieran salir de la habitación, los agentes de policía por fin se marcharon y la voz del señor Anderson retronó por todo el pasillo.

«¡Malditos católicos! Los quiero fuera de aquí.»

Y finalmente, la predicción de Catherine se cumplió. A la mañana siguiente, el sacerdote llegó para sacarnos de allí.

17

Fin observó al anciano con atención. La luz del sol se refleјaba en la incipiente barba plateada que cubría su rostro y la carne flácida del cuello, una barba dura que contrastaba con la piel pálida y curtida. Los ojos, en comparación, eran casi opacos, oscurecidos por recuerdos que no podía o no quería compartir. Llevaba un buen rato en silencio y las lágrimas se le habían secado en un rastro salado sobre las mejillas. Tenía las rodillas dobladas hacia el pecho y se las abrazaba, mientras miraba el mar con ojos que veían cosas que Fin no era capaz de ver.

Fin levantó la fotografía de la manta, donde Tormod la había soltado, y volvió a guardársela en la bolsa. Tomó a Tormod del codo para ayudarlo a levantarse despacio.

—Vamos, señor Macdonald, demos un paseo por la orilla.

La voz pareció despertar al anciano de su ensoñación y Tormod dirigió a Fin una mirada sorprendida, como si lo viera por primera vez.

—Él no lo hizo —dijo, mientras se resistía a que Fin lo levantara.

—¿Quién no hizo qué, señor Macdonald?

Sin embargo, Tormod se limitó a negar con la cabeza.

—Puede que le faltara un hervor, pero aprendió gaélico mucho más rápido que yo…

Fin frunció el entrecejo, sus pensamientos perdidos en un mar de confusión. En las islas se crecía hablando gaélico. En la época de Tormod no se hablaba inglés hasta llegar a la escuela.

—¿Quiere decir que aprendió inglés más rápido? —preguntó, sin saber a quién se refería.

Tormod meneó la cabeza con rotundidad.

—No, el gaélico. Lo aprendió como si fuera nativo.

—¿Charlie?

Tormod sonrió y negó con la cabeza ante la estupidez de Fin.

—No, no. Será por el italiano que sabía. —Alargó un brazo para que Fin lo ayudara a ponerse de pie y se irguió contra el viento—. Mojémonos los pies, como siempre hacíamos en la playa de Charlie. —Miró las botas de Fin—. Vamos, muchacho, quítatelas. —Se inclinó hacia delante y comenzó a remangarse las perneras.

Fin se quitó las botas y los calcetines, se subió los pantalones hasta las rodillas y se levantó, y los dos hombres caminaron del brazo sobre la arena blanda y profunda, hasta allí donde el reflujo la había dejado compacta y húmeda. El viento agitaba el abrigo de Tormod contra sus piernas e hinchaba la chaqueta de Fin. Lo sentían fuerte en el rostro, y al mismo tiempo suave, cargado de salpicaduras de agua, mientras soplaba sin interrupción sobre tres mil millas de océano Atlántico.

El agua espumosa, sorprendentemente fría, chocó contra sus pies y ascendió veloz la cuesta de arena y el viejo Tormod se rió, lleno de júbilo, mientras levantaba los pies con agilidad para evitarla mientras esta se alejaba. Su sombrero salió volando, y de puro milagro Fin logró atraparlo, pues vio que se le separaba de la frente justo antes de que el viento se lo arrebatara. Tormod volvió a reírse, como un niño, como si fuera un juego. Quiso ponérselo de nuevo, pero Fin se lo metió en el bolsillo del abrigo para que no lo perdiera.

Fin también disfrutaba de la sensación del agua helada que le bañaba los pies, y los introdujo en el manso flujo de un océano antes embravecido para que le salpicara los tobillos y las pantorrillas. Ambos gritaron y se rieron por la impresión que les produjo.

Tormod parecía lleno de energía, libre, al menos durante ese rato, de las cadenas de la demencia que le aprisionaban la mente y apagaban su vida. Feliz, como en la infancia, por disfrutar del más sencillo de los placeres.

Recorrieron, entrando y saliendo del agua, cuatrocientos o quinientos metros, hacia el grupo de relucientes rocas negras del extremo de la playa donde el agua rompía con furia blanca y espumosa. El sonido del viento y el mar les llenaba los oídos y ahogaba todo lo demás. Dolor, recuerdo, tristeza. Hasta que Fin se detuvo y decidió emprender el camino de vuelta.

Habían desandado unos pocos metros cuando se metió la mano en el bolsillo y sacó la medalla de san Cristóbal con la cadena de plata que la madre de Marsaili le había dado unas horas antes. Se la mostró a Tormod.

—¿Se acuerda de esto, señor Macdonald? —Tuvo que gritar para hacerse oír por encima del rugido del mar.

Tormod pareció sorprendido al verla. Se detuvo, se la cogió de la mano y la observó en la palma antes de encerrarla en un puño. Fin se quedó impresionado al observar las repentinas lágrimas que se deslizaron por el camino de las vertidas con anterioridad.

—Me la dio ella —respondió, la voz apenas audible debido al estruendo que los rodeaba.

—¿Quién?

—Ceit.

Fin pensó durante un momento. ¿Sería Ceit la causa de su odio irracional hacia los católicos?

—¿Ella era católica?

Tormod lo miró como si estuviera loco.

—Pues claro. Todos lo éramos. —Empezó a andar con paso decidido sobre la línea del reflujo, avanzando por el agua cuando subía a la arena, sin importarle que le mojara las piernas y le empapara los pantalones remangados. Fin se quedó atrás, atónito, y tardó un momento en alcanzarlo. No tenía ningún sentido.

—¿Usted era católico?

Tormod le dedicó una mirada de desdén.

—Iba a misa todos los domingos, a la gran iglesia de la colina.

—¿En Seilebost?

—La que construyeron los pescadores. En la que había un barco dentro.

—¿Había un barco dentro de la iglesia?

—A los pies del altar.

Tormod se detuvo de manera tan repentina como había echado a andar, se quedó inmóvil, con el agua hasta los tobillos, y dirigió la vista al horizonte, donde la silueta oscura de un buque cisterna rompía la línea entre el mar y el cielo.

—Desde aquí se veía la playa de Charlie. Más allá del cementerio. Como una raya plateada pintada a lo largo de la orilla, entre el púrpura del *machair* y el turquesa del mar. —Se volvió para mirar a Fin—. Y todos los muertos de en medio deseando que alguien se detuviera de camino. Algo de compañía humana en el mundo oculto bajo las tumbas.

Se volvió de nuevo y, antes de que Fin pudiera detenerlo, arrojó la medalla de san Cristóbal a la corriente. Desapareció en el torbellino de arena y espuma, succionada por la resaca, donde descansaría en algún lugar de las profundidades. Perdida para siempre.

—No hay necesidad de ponerse papista ahora mismo —respondió—. El viaje ya casi ha terminado.

18

Fin respondió a la llamada de Gunn a su móvil mientras salía de la residencia Dun Eisdean. Tormod se había mostrado extrañamente apagado en el viaje de regreso de Dalmore y se dirigió con actitud dócil a su habitación, donde permitió sin protestar que los empleados le quitaran el abrigo y que después lo llevaran al comedor. El día anterior apenas había comido y daba la impresión de que hubiera redescubierto su apetito. Así pues, mientras engullía un plato de cordero lechal con patatas hervidas, Fin aprovechó para escabullirse de la residencia y salir al sol del mediodía.

Aparcó el coche en lo alto de Church Street y caminó hasta donde Gunn lo esperaba, en las escaleras de la comisaría de policía. Allí, en la costa este, el viento era borrascoso y más frío; rizaba el agua de la bahía y susurraba entre las primeras hojas de los árboles al otro de la misma, bajo el oscuro deterioro del castillo de Lews. Los hombres pasearon por el camino hasta Bayhead y vieron los barcos pesqueros en pleamar, sobresaliendo por encima de los muelles. Redes, nasas y cajas de pescado vacías esparcidas sobre los adoquines, mientras las buenas gentes de Stornoway avanzaban inclinadas contra el viento, de camino al centro de la ciudad.

Cuando pasaron frente a una cafetería cuyos ventanales daban al muelle, Gunn preguntó:

—¿Ese de ahí no es el joven Fionnlagh?

Fin se volvió y, a través de la sombra de su propio reflejo, vio a Fionnlagh y a Donna, sentados a una mesa al otro lado del cristal. Entre ellos, en el suelo, había un capazo, y Fionnlagh sostenía a su hija entre los brazos, observando con amor no disimulado los ojos azules y redondos de la pequeña. La niña devolvía la mirada de adoración a su padre mientras le agarraba el pulgar con sus diminutos dedos. Igual que Robbie había cogido alguna vez los suyos.

Fin dispuso tan solo de un instante para sentirse invadido por el remordimiento de toda una vida antes de que Donna se girara y lo viera. El rostro de la joven se tiñó de rojo, el primer signo de color que había visto jamás en él, y a continuación volvió la cabeza y habló apresuradamente con Fionnlagh. El chico alzó la mirada, sorprendido. Y Fin identificó algo extraño en sus ojos. ¿Culpabilidad? ¿Miedo? Era imposible saberlo, pues se desvaneció de inmediato, reemplazado por una sonrisa tímida. Saludó con la cabeza a Fin, que le devolvió el gesto. Un momento violento, un intercambio silencioso, el cristal del ventanal una barrera mucho más fácil de salvar que todo lo que quedaba por decir entre los dos.

—¿Quiere entrar? —preguntó Gunn.

Fin negó con la cabeza.

—No.

Dedicó un breve adiós con la mano a la joven pareja y se alejó por Bayhead, obligando a Gunn a correr tras él para alcanzarlo. Se preguntó, si bien solo fugazmente, por qué Fionnlagh no estaba en el instituto.

Encontraron sitio en un rincón oscuro de The Hebridean y Gunn pidió dos medias pintas de cerveza amarga. Cuando se sentó de nuevo con los vasos, se sacó un sobre de papel manila de tamaño DIN-A4 del bolsillo interior del anorak y lo deslizó sobre la mesa.

—Yo no se lo he dado.

Fin lo guardó en la bolsa.

—¿No me has dado el qué?

Gunn sonrió y, durante un rato, se tomaron las cervezas en silencio. Después, Gunn apoyó la suya con cuidado sobre el posavasos que tenía delante y dijo:

—Hará una media hora he recibido una llamada. La policía del norte nos envía a un inspector jefe de Inverness para iniciar la investigación del asesinato.

Fin inclinó la cabeza.

—Como era de esperar.

—Lo más probable es que no llegue hasta dentro de una semana, más o menos. Al parecer, las altas esferas no tienen mucha prisa por solucionar un asesinato ocurrido hace más de cincuenta años. —Levantó el vaso para dar otro sorbo y lo colocó en el círculo exacto que había dejado en el posavasos—. Cuando llegue, no podré seguir confiándole información, señor Macleod. Lo cual es una pena. Porque sé que era un buen policía. Pero el hecho de que ya no esté en el cuerpo puede traerle más problemas que beneficios. No me cabe duda de que le pedirán que no meta las narices en ningún asunto.

Fin sonrió.

—Sin duda. —Tomó un sorbo de cerveza—. ¿Adónde quieres ir a parar, George?

—Verá, señor Macleod, me da la impresión de que disponemos de algunos días en los que podremos respirar un poco. Y tal vez fuera buena idea aprovechar la ocasión.

—¿Qué tienes en mente?

—Bueno, señor, tengo en mente ir a Harris por la mañana, a Seilebost, para visitar a la familia del viejo Tormod Macdonald, y ver si saco algo en claro en cuanto a la identidad del cuerpo que sacaron de la turbera. Estaría bien demostrar a esos del continente que en las islas no todos los policías somos unos inútiles.

—¿Y?

—El motor de mi coche ha estado funcionando fatal estos

últimos días. Al menos esa es la versión oficial. Y me preguntaba si le importaría llevarme.

—¿En serio?

—Sí. —Esa vez, Gunn tomó un sorbo largo de cerveza—. ¿Qué le parece?

Fin se encogió de hombros.

—Me parece que Marsaili se muere de ganas de que llegue al fondo de este asunto.

—Bueno, pues tendría sentido. Teniendo en cuenta que usted era policía. —Volvió a llevarse el vaso a los labios, pero se detuvo—. ¿Vuelven a... tener una relación?

Fin negó con la cabeza, evitando la mirada de Gunn.

—Hay mucha historia entre nosotros, George. Pero no una relación. —Apuró el vaso—. ¿A qué hora quieres salir?

Mientras conducía de nuevo por la costa oeste, desde Barvas y a través de Siader y Dell, observó la oscura legión de otro frente que se formaba en el horizonte. Por el retrovisor aún alcanzaba a ver los rayos de sol inclinados sobre las montañas moradas de Harris en el sur. El cielo del norte permanecía despejado, y cada pueblo que dejaba atrás proyectaba su silueta contra la luz; las viejas casas blancas y las viviendas subvencionadas, de arquitectura cuestionada, que durante el siglo XX les proporcionó el antiguo Departamento de Agricultura y Pesca. Construcciones con paredes revestidas de mortero, tejados de pizarra inclinados y altas buhardillas. Totalmente inadecuadas, según los criterios modernos, para soportar las inclemencias del tiempo en la isla.

El sol incidía sesgada sobre la turbera del este proyectando reflejos dorados sobre la hierba reseca, y Fin se fijó en que varios grupos de lugareños, apiñados entre las zanjas, blandiendo las azadas de mango largo, aprovechaban la ausencia de lluvia para cortar y amontonar turba.

La sombra oscura de la iglesia sombría e imponente de Cross le indicó que ya casi había llegado a casa.

¿A casa? ¿Era esa realmente su casa ahora?, se preguntó. Ese rincón de tierra azotado por el viento donde facciones enfrentadas de un protestantismo inflexible dominaban la vida del lugar. Donde hombres y mujeres tenían dificultades para vivir de la tierra, o del mar, y en época de desempleo se pasaban a las industrias que llegaban y se marchaban de nuevo cuando se terminaban las subvenciones, dejando tras de sí los desechos oxidados del fracaso.

La región parecía incluso más deprimida que en su juventud, puesto que había entrado nuevamente en un período de decadencia después de un breve renacimiento estimulado por políticos en busca de votos a cambio de invertir millones en una lengua moribunda.

Pero, si no estaba en casa, ¿dónde estaba? ¿En qué otro lugar de Dios sentía tal afinidad con la tierra, la naturaleza y la gente? De repente lamentó no haber llevado a Robbie allí, a la tierra de sus antepasados.

No había nadie en el chalet de Marsaili cuando se detuvo delante, así que siguió más allá de la granja de sus padres, hacia el otro lado de la cresta de la colina, desde donde vio toda la costa norte extenderse ante sus ojos. Torció a la izquierda por la carretera que bajaba hasta el viejo puerto de Crobost, donde una empinada grada de cemento por debajo de la cabina del torno conducía a un muelle diminuto a la sombra de los acantilados. Cuerdas enrolladas y boyas color naranja cubrían montañas de cadenas herrumbrosas. Nasas para cangrejos y langostas se apilaban contra la pared. Pequeños botes de pesca ladeados en ángulos extraños, asegurados a anillas de hierro oxidado. Entre ellos, los restos desconchados del barco que su padre había restaurado y pintado de morado, como la casa, y al que había bautizado con el nombre de su madre. Tantos años después, los rastros de vidas perdidas todavía perduraban.

La suya entre ellas. Recuerdos tristes y agridulces flotaban inmóviles, atrapados entre los deteriorados muros de la vieja casa blanca que se alzaba en la colina que dominaba el puerto. La casa donde había pasado la mayor parte de su infancia, criado por una tía que, a su pesar, se había ocupado del huérfano que dejó su hermana al morir. Una casa vacía de calidez o amor.

Aún había cristales en las ventanas, y las puertas estaban cerradas. Sin embargo, las paredes, antaño blancas, se veían ennegrecidas por la humedad, y los marcos de las puertas y las ventanas estaban oxidados o podridos. Más abajo, en la extensión de hierba que cubría las cimas de los acantilados, la casa de piedra abandonada en la que de pequeño había jugado a las familias felices sin demasiado entusiasmo, se mantenía como entonces, con dos gabletes y dos paredes. Sin techo. Sin puertas ni ventanas. Quien fuera que en el pasado la hubiera llamado su hogar, la había construido por las vistas, pero la había abandonado hacía mucho tiempo a los crueles vendavales árticos que asolaban esa costa en invierno. Inviernos largos y duros que recordaba bien.

Un sendero de hierba conducía a una playa de guijarros. Las rocas negras que rodeaban los acantilados habían adquirido un color naranja, recubiertas por pequeñas conchas de especies marinas muertas hacía años, manchadas de las algas que se pudrían a lo largo de la orilla. En el lejano cabo había tres montículos solitarios de piedras que Fin recordaba allí desde que tenía memoria.

En realidad, nada cambiaba, salvo la gente que iba y venía, dejando sus rastros evanescentes.

Oyó el ruido sordo del motor de un coche por encima del rugido del viento y cuando se volvió vio a Marsaili aparcando el viejo Astra de Artair a un lado de la carretera. A continuación bajó del vehículo, cerró la puerta de golpe, hundió las manos en los bolsillos y avanzó lentamente por el sendero para reunirse con él. Permanecieron unos minutos sumidos en un silencio cómodo, mirando las hileras de casas que ocupaban los acantilados de la parte oeste de la bahía, hasta que por fin ella se volvió a mirar la casa abandonada que dominaba el puerto.

—¿Por qué no arreglas la casa de tu tía? Está en mucho mejor estado que la de tus padres.

—Porque no me pertenece. —Fin dirigió una mirada triste al edificio cerrado—. La legó a una protectora de animales. Típico de ella, en realidad. No pudieron venderla, así que dejaron que se pudriera. —Miró de nuevo hacia el océano—. En cualquier caso, no volvería a poner los pies en ella, aunque fuera mía.

—¿Por qué no?

—Porque está poseída, Marsaili. —Se volvió y la vio fruncir el entrecejo.

—¿Poseída?

—Por el joven Fin, y toda su infelicidad. La noche antes del entierro de mi tía fue la última que dormí en ese lugar. Y juré que no volvería a hacerlo.

Marsaili levantó una mano y le acarició la mejilla con los dedos, ligeros como plumas.

—El joven Fin —repitió—. Lo recuerdo. Lo quise desde el primer momento en que lo vi. Y nunca le perdoné que me rompiera el corazón.

Fin la miró a los ojos. La pregunta de Gunn aún le resonaba en los oídos. El viento le apartaba el cabello de la cara y los mechones largos y plateados se agitaban tras ella como una bandera de libertad. Le enrojecía la piel del rostro, las facciones un poco más severas por culpa del tiempo y el dolor, pero aún marcadas y atractivas. La niña de su infancia, la joven floreciente de su adolescencia, ambas seguían allí, en esa mujer cínica, divertida e inteligente a la que había hecho daño de un modo tan despreocupado. Pero no se podía volver atrás.

—Le enseñé a tu padre una foto del hombre que encontraron en la turbera —comentó—. Estoy casi seguro de que lo reconoció.

Marsaili apartó la mano como si hubiera notado una descarga eléctrica.

—Entonces es verdad.

—Eso parece.

—Esperaba que se hubieran equivocado. Que hubieran confundido las muestras de ADN o algo así. Tus padres son la roca sobre la que construyes tu vida. Es un poco impactante descubrir que esa roca no es más que una ilusión.

—Le enseñé la medalla de san Cristóbal y la arrojó al mar. —La consternación de Marsaili se hizo evidente en el modo en que entrecerró los ojos—. Me dijo que una tal Ceit se la había dado, y que todos eran católicos.

Ahora la incredulidad le hizo arquear las cejas.

—Es un demente, Fin. Literalmente. No sabe lo que dice.

Fin se encogió de hombros, poco convencido. Pero se reservó su recelo.

—George Gunn se marcha a Harris mañana para hablar con la familia de tu padre —prosiguió—. Me ha pedido que lo acompañe. ¿Quieres que vaya?

Marsaili asintió con la cabeza.

—Sí. —Acto seguido, agregó—: Pero solo si te apetece, Fin. Si crees que dispones de tiempo para ello. Yo me voy a Glasgow unos días. Tengo que presentarme a unos exámenes. Aunque Dios sabe que tengo la cabeza en otro lugar. —Vaciló—. Te agradecería que vigilaras a Fionnlagh.

Fin asintió y el viento llenó el silencio entre ellos. Sopló entre la hierba, empujó al mar contra las rocas de los acantilados del norte, transportó los gritos de las gaviotas lejanas que intentaban sortear las fuertes ráfagas y corrientes. Fin y Marsaili recibieron su implacable acometida, de pie en lo alto del acantilado, sintiendo que les tiraba de la ropa, que se les metía en la boca al hablar y les arrebataba las palabras. Marsaili apoyó un brazo en el de Fin para mantener el equilibrio y él levantó la otra mano para pasarle los dedos por el pelo y notó la suave y fría piel de su cuello. Marsaili dio un paso apenas perceptible hacia él. Fin casi sintió su calor. Qué fácil sería besarla.

El claxon de un coche sonó a lo lejos y, al volverse, vieron una mano que los saludaba desde la ventanilla del acompañante. Marsaili le devolvió el gesto.

—La señora Macritchie —dijo, y el momento pasó, arrastrado por el viento junto con sus palabras.

19

Aunque se las conoce como isla de Lewis e isla de Harris, ambas son en realidad una sola isla separada por una cadena montañosa y una estrecha lengua de tierra.

El camino en coche hacia el sur, a través de los humedales llanos de la mitad norte de la isla, pronto se convertía en una carretera tortuosa de sentido único que serpenteaba entre los lagos formados en las rocas cuando se fundieron las últimas placas de hielo.

Fin y Gunn condujeron a través de la penumbra provocada por las nubes de tormenta, mientras el viento y la lluvia barrían las recortadas pendientes de las montañas. Se desviaron hacia Harris justo antes de llegar a Ardvourlie, donde una casa se alzaba en solitario frente a la orilla irregular del lago Seaforth.

Desde allí, la carretera ascendía abruptamente, tallada en la ladera de la montaña, mientras a sus pies se abrían unas vistas espectaculares a las oscuras y extensas aguas del lago. Los postes para medir la altura de la nieve flanqueaban el camino, y las montañas se replegaban sobre ellos, con elevaciones y descensos escarpados en todas sus caras, sus cimas perdidas entre nubes que rodaban por los pedregales de las laderas como lava.

Los limpiaparabrisas del coche de Fin apenas lograban retirar la lluvia que golpeaba el cristal y oscurecía la carretera. Las ovejas se apiñaban en grupos silenciosos a un lado del camino, mordisqueando con desgana las ralas parcelas de hierba que, de algún modo, habían sobrevivido entre las rocas.

Y después, de súbito, mientras se adentraban por un estrecho paso montañoso, una línea de luz dorada procedente de algún punto por debajo de ellos horadó la parte inferior de las nubes moradas y negras que los rodeaban. Una desgarrada división entre un frente atmosférico y otro. La sombría concentración de nubes entre los picos se fue disipando a medida que la carretera descendía hacia el sur y las tierras altas meridionales de Harris aparecían en la distancia.

La carretera bordeaba el puerto de Tarbert, adonde llegaban los ferris de la isla de Skye y Lochmaddy, y ascendía de nuevo para coronar los acantilados desde los que se dominaba el lago Tarbert y el pequeño grupo de casas que se apiñaban alrededor del puerto. Resguardada de los vientos preponderantes del oeste, allí el agua era como el cristal, reflejando oscura los mástiles de los veleros anclados en la bahía. A lo lejos, la luz del sol centelleaba sobre las plateadas aguas del este y era imposible determinar dónde terminaba el cielo y empezaba el mar.

Cuando alcanzaron la cima de Uabhal Beag, el paisaje cambió de nuevo. Rocas de granito dividían las colinas tapizadas de verde que descendían en picado formando pliegues y barrancos, bañadas por la pálida luz primaveral, hasta la magnífica arena dorada y el mar turquesa de Luskentyre. Atrás quedaban las adustas cordilleras del norte, a menudo azotadas por las tormentas, perdidas de vista y olvidadas, y los hombres se pusieron de buen humor.

La carretera se extendía junto a la playa y se curvaba alrededor del paso elevado, hacia la colección de casas y granjas que constituían la pequeña comunidad de Seilebost. Fin torció a la derecha por el estrecho camino de la escuela, frente a los restos de un camión rojo que en su día perteneció a Wm Mackenzie, contratista de Laxay. Una desconchada señal de madera que se alzaba entre dos postes podridos advertía que no se permitían perros en la zona de pastoreo.

El sendero lleno de baches ascendía serpenteante sobre una

elevación cubierta de hierba, desde donde se disfrutaba de vistas panorámicas del *machair* y la playa. Las florecillas de primavera se inclinaban con el viento mientras las nubes empezaban a cernerse alrededor de las lejanas montañas que cercaban la arena. Por muchas veces que la hubiera visto en su vida, a Fin esa imagen siempre lo dejaba sin aliento.

La escuela se encontraba aparte, constituida por un pequeño grupo de edificios grises y amarillos y un campo de fútbol a un tiro de piedra de la playa. Costaría imaginar una ubicación más idílica para la educación de un niño.

Fin condujo hasta el pequeño aparcamiento que había frente al edificio principal mientras media docena de niños con casco aprendían a montar en bicicleta sorteando conos rojos de tráfico que su profesora había dispuesto a lo largo de la carretera.

Gunn se dirigió a ella en cuanto bajó del coche.

—Buscamos al director.

—A la directora —repuso la mujer—. En el edificio de la derecha.

El edificio de la derecha era amarillo, de revestimiento tosco, con el mural de un paisaje submarino pintado en el gablete. En el interior olía a polvo de tiza y a leche fermentada, lo que devolvió a Fin de inmediato a su infancia.

La directora dejó a sus alumnos intentando resolver un problema de aritmética y condujo a los hombres a la sala de profesores. Les explicó con entusiasmo que sus predecesores se enorgullecían de haber mantenido un archivo de la escuela, tradición que ella deseaba perpetuar, y que conservaban un registro que se remontaba a antes de la Segunda Guerra Mundial.

Era una mujer atractiva de poco más de treinta años que parecía preocupada por su aspecto y no dejaba de colocarse detrás de la oreja un mechón de pelo castaño que le quedaba suelto del moño. Llevaba vaqueros, zapatillas de deporte y un cárdigan encima de la camiseta. Contrastaba notablemente con las mujeres severas de mediana edad que habían educado a Fin en su época. Tras un rápido vistazo en los archivadores, no tardó en encontrar los registros de los años que Tormod debió de pasar allí.

Repasó de atrás hacia delante el período comprendido entre la segunda mitad de los años cuarenta y principios de los cincuenta.

—Sí —anunció al fin, mientras señalaba con el dedo las páginas amarillentas de los viejos archivos de la escuela—. Aquí está. Tormod Macdonald. Fue alumno de la escuela primaria de Seilebost de 1944 a 1951. —Recorrió con una uña pintada de rosa las entradas borrosas del registro de asistencia—. Y era uno de los asiduos, además.

—¿Es posible que algún hermano o primo suyo estudiara con él en esta escuela? —preguntó Gunn, y la mujer se rió.

—Claro que es posible, sargento, pero hemos tenido a tantos Macdonald a lo largo de los años que sería imposible averiguarlo.

—¿Y a qué escuela fue después de aquí? —preguntó Fin.

—Es muy probable que a la escuela de secundaria de Tarbert. —Sonrió mientras lo miraba con fijeza, y Fin recordó que una vez Marsaili le dijo que en la escuela todas las chicas estaban locas por él. Sin embargo, él nunca lo había notado.

—¿Le consta alguna dirección del señor Macdonald?

—Puedo buscarlo. —Le sonrió nuevamente y se dirigió a otra habitación.

Gunn se volvió hacia Fin, con una media sonrisa en los labios. De envidia tal vez, o de lamento.

—A mí nunca me salen así las cosas —comentó.

La granja de los Macdonald se encontraba a menos de un kilómetro de la orilla, en un terreno elevado con vistas sobre las playas de Luskentyre y Scarista. Una franja larga y estrecha de tierra se extendía desde la granja hasta el borde del camino, ahora flanqueado tan solo por los restos mutilados de postes podridos, y de la textura de la tierra, apenas discernible, alterada por años de cultivo y pastoreo.

Sin embargo, allí ya no se cultivaba ni se llevaba a pastar al ganado. La tierra se había estropeado tras años de abandono y la naturaleza se había apoderado de nuevo de ella. La granja no era más que un armazón. Hacía tiempo que el tejado se había hundido y que la chimenea del gablete norte no era más que un montón de escombros oscuros. Hierbajos y cardos crecían allí donde antes estaba el suelo. Un suelo de tierra batida, cubierto con arena que la madre de Tormod debió de reponer a diario.

Gunn hundió las manos en los bolsillos y echó un vistazo a la arena dorada que se extendía más allá, hacia los reflejos de color turquesa y esmeralda que marcaban las lejanas aguas poco profundas.

—Es un callejón sin salida.

Pero Fin estaba mirando hacia la ladera de la colina, a la silueta de un hombre que amontonaba turba junto a una casita recién encalada.

—Vamos. Veamos qué sabe el vecino —dijo, y empezó a andar hacia él, con pasos largos sobre la hierba alta, las briznas verdes y frescas pugnando entre la decrepitud del invierno; flores púrpura y amarillas erguidas, buscando el cielo para anunciar el inicio de la primavera. La hierba se agitaba como agua al viento, fluía y se arremolinaba en ondas y curvas, y Gunn tuvo que avanzar entre ella casi al trote para alcanzar a su compañero, más joven que él.

Daba la impresión de que hubieran renovado la granja vecina de arriba abajo. La pintura, el tejado, la valla. Los cristales de las puertas y las ventanas eran dobles. En la entrada había aparcado un vehículo rojo brillante, y un hombre que tenía una mata de pelo canoso abandonó su trabajo con la turba cuando los vio acercarse. Tenía el rostro curtido de alguien que pasara tiempo al aire libre, pero su acento no era el de un isleño. Respondió en inglés al saludo de Fin en gaélico.

—Lo siento, no hablo gaélico.

Fin alargó un brazo para estrecharle la mano.

—No se preocupe. Soy Fin Macleod —respondió mientras Gunn, sin aliento, por fin le daba alcance—. Y este es el sargento George Gunn.

El hombre pareció algo más precavido al estrechar la mano de uno y después del otro.

—¿Qué viene a hacer aquí la poli?

—Buscamos información sobre la familia que vivía en la casa de al lado.

—Ah. —El hombre se relajó un poco—. Los Macdonald.

—Sí. ¿Los conoció?

Se rió.

—Me temo que no. Nací y me crié en Glasgow. Esta es la casa de mis padres. Se marcharon de la isla a finales de los años cincuenta y yo vine al mundo poco después de que se mudaran. Puede que fuera concebido en esta casa, aunque no podría asegurárselo.

—Debieron de conocer a sus vecinos, claro —comentó Fin.

—Oh, sí, por supuesto. Conocían a todo el mundo. Cuando era pequeño oí muchas historias y solíamos venir a pasar las vacaciones de verano. Pero dejamos de hacerlo a finales de los sesenta, cuando murió mi padre. Mi madre falleció hace cinco años, y yo decidí regresar para intentar arreglar la casa el año pasado, cuando me despidieron por reducción de plantilla. Para ver si podía convertirla en una pequeña granja.

Fin miró alrededor y asintió con gesto de aprobación.

—De momento está haciendo un buen trabajo.

El hombre volvió a reírse.

—El poco dinero de la indemnización está dando para mucho.

—¿Sabe usted algo de los Macdonald? —preguntó Gunn.

El hombre respiró hondo a través de los dientes apretados.

—No, de primera mano, no. Aunque los dos primeros años que vinimos de vacaciones, seguían aquí. Se produjo una tragedia familiar, no sé exactamente de qué clase. Al año siguiente regresamos y ya habían hecho la maleta y se habían ido.

Gunn se rascó el mentón con gesto pensativo.

—¿No sabe adónde?

—¿Cómo iba a saberlo? Mucha gente siguió los pasos de sus antepasados durante la época de los desplazamientos forzados y se marchó a Canadá.

Fin sintió el mordisco helado del viento y se subió la cremallera de la chaqueta.

—Los Macdonald no serían católicos, ¿no?

En esa ocasión el hombre se carcajeó con regocijo por encima del aullido del viento.

—¿Católicos? ¿Aquí? Está de broma, ¿no? Esto es territorio presbiteriano.

Fin asintió con la cabeza. Le parecía bastante improbable.

—¿Dónde está la iglesia más cercana?

—Debe de ser la Iglesia de Escocia en Scarista. —Se volvió y señaló al sur—. A solo cinco minutos de aquí.

—¿Qué hacemos aquí, señor Macleod? —preguntó Gunn con gesto abatido en la zona de aparcamiento cubierta de grava en lo alto de la colina, arrebujándose en su chaqueta acolchada, la nariz roja por el frío. Si bien los rayos de sol galopaban formando parches de luz aquí y allí, como caballos indómitos sobre la colina y la playa que discurría a sus pies, apenas se notaba su calor. El viento había cambiado y soplaba del norte, vertiendo su aliento ártico e implacable contra el rostro congelado de los hombres.

La iglesia de Scarista se alzaba orgullosa en la colina, sobre una franja de césped cuidado y salpicado de lápidas que indicaban el lugar de descanso de generaciones de fieles. Unas vistas fantásticas que llevarse a la otra vida, se dijo Fin; el azul umbrío y borroso de las lejanas montañas, más allá de las arenas doradas de Scarista; la luz cambiante de un cielo nunca en reposo; el constante murmullo del viento, como las voces de los fieles alzadas en alabanza al Señor.

Fin observó el edificio de la iglesia. Tan sencillo y austero como el de la iglesia de Crobost.

—Quiero ver si hay un barco ahí dentro —respondió.

Gunn frunció el entrecejo.

—¿Un barco? ¿En la iglesia?

—Eso es, un barco. —Fin empujó la puerta y la abrió. Avanzó por el vestíbulo hasta la nave del templo, con Gunn pegado a sus talones, y descubrió que, por supuesto, no había ningún barco. Tan solo un sencillo altar de madera de haya cubierto con una tela púrpura, y un púlpito en alto, donde el pastor, desde su elevada y privilegiada posición, más cercana al cielo que la de las masas a quienes predicaba, pronunciaba la palabra de Dios.

—¿Qué demonios le ha hecho pensar que podría haber un barco aquí dentro, señor Macleod?

—Tormod Macdonald me dijo que había un barco en esta iglesia, George. Una iglesia que fue construida por pescadores.

—Debió de inventárselo.

Fin negó con la cabeza.

—No lo creo. Me parece que el padre de Marsaili se siente confuso y frustrado. Tiene problemas con las palabras, los recuerdos y cómo comunicarlos. Y tal vez oculte algo, de manera consciente o inconsciente. Pero no creo que mienta.

Fuera, el viento se había vuelto aún más severo e implacable. Sintieron toda su furia al salir de la iglesia.

—George, la isla de Harris es en su mayoría protestante, ¿verdad?

—Desde luego, señor Macleod. Supongo que habrá uno o dos católicos, como ovejas apartadas del rebaño, pero por lo general viven en las islas del sur. —Sonrió—. Mejor tiempo y más diversión. —Bajó la voz—. He oído que en los supermercados venden alcohol incluso en domingo.

Fin esbozó una sonrisa.

—Creo que las ranas criarán pelo antes de que veamos algo así en Lewis, George. —Abrió la puerta del coche—. ¿Adónde vamos ahora?

—De vuelta a Tarbert. Quiero una copia del certificado de nacimiento de Tormod.

La oficina del registro ocupaba uno de los despachos del ayuntamiento, que se encontraba en la antigua residencia estudiantil de West Tarbert; una construcción desangelada de tejado plano edificada a finales de la década de los cuarenta a fin de ofrecer alojamiento a los estudiantes llegados de los rincones más remotos de la isla para asistir al instituto de la localidad. La casa de enfrente se escondía tras abundantes árboles y arbustos, con toda probabilidad plantados allí para ocultar la fealdad del edificio del otro lado de la calle.

Una anciana levantó la vista del escritorio mientras Fin y Gunn llevaban el frío al interior del edificio.

—¡Cierren la puerta! —gritó—. ¡Ya tenemos bastante con que el viento se cuele por todas las ventanas que cierran mal, como para que las visitas vayan dejando las puertas abiertas!

Ante la reprimenda, George Gunn se apresuró a cerrar la puerta tras ellos y después hurgó en las profundidades de su anorak en busca de su identificación. La anciana la estudió a través de sus gafas de media luna y acto seguido alzó la mirada por encima de las lentes para someter a un minucioso examen a los dos hombres al otro lado de la mesa.

—¿Qué puedo hacer por ustedes, caballeros?

—Querría un certificado del registro de nacimientos —respondió Gunn.

—Bueno, no crea que le saldrá gratis solo por ser policía. Cuesta catorce libras.

Gunn y Fin intercambiaron un atisbo de sonrisa.

Fin ladeó la cabeza para leer el nombre en la placa que había sobre el escritorio.

—¿Lleva aquí mucho tiempo, señora Macaulay?

—La tira de años —respondió—. Pero me jubilé hace cinco. Solo hago algunas suplencias en época de vacaciones. ¿De quién quiere el certificado de nacimiento?

—Tormod Macdonald —respondió Gunn—. De Seilebost. Nació alrededor de 1939, diría.

—Ah, sí… —La anciana señora Macaulay asintió con gesto convencido y miró la pantalla del ordenador mientras empezaba a golpear el teclado con los dedos castigados por la edad—. Aquí está: el 2 de agosto de 1939. —Alzó la vista—. ¿Quieren también una copia del certificado de defunción?

En el silencio que siguió, el viento pareció crecer en fuerza y volumen, gimiendo mientras se colaba por la menor rendija, como un canto fúnebre.

La señora Macaulay no prestó atención al efecto de sus palabras.

—Fue un asunto terrible, señor Gunn. Lo recuerdo bien. No era más que un adolescente cuando sucedió. Una auténtica tragedia. —Sus dedos volvieron a arañar el teclado—. Aquí lo tienen. Murió el 18 de marzo de 1958. ¿Quieren una copia? Serán otras catorce libras.

Fin tardó quince minutos en llegar de nuevo a la iglesia de Scarista, y menos de diez en caminar entre las tumbas de la pendiente inferior hasta encontrar la lápida de Tormod. «Tormod Macdonald, nacido el 2 de agosto de 1939, hijo querido de Donald y Margaret, murió ahogado en un accidente en Bagh Steinigidh el 18 de marzo de 1958.»

Gunn se sentó en la hierba junto a la losa de granito cubierta de liquen y se inclinó hacia delante de rodillas. Fin se quedó observando la lápida, como si, mirándola lo suficiente, tal vez fuera capaz de cambiar ese nombre. Tormod Macdonald llevaba cincuenta y cuatro años bajo tierra y solo tenía dieciocho cuando murió.

En el trayecto en coche desde la oficina del registro, los dos hombres no habían intercambiado una sola palabra. Sin embargo, en un momento dado Gunn alzó la vista y expresó en palabras el pensamiento que los había asaltado a ambos desde que la señora Macaulay les preguntó si deseaban una copia del certificado de defunción.

—Si el padre de Marsaili no es Tormod Macdonald, señor Macleod, ¿quién diablos es?

20

Me quedaré aquí sentado un rato. Las mujeres están en la sala de actividades, haciendo punto. Y eso no es labor para un hombre. El viejo en la silla de delante se parece un poco a una vieja, en mi opinión. ¡Debería estar con ellas, haciendo punto!

Al otro lado de las puertas de cristal hay un cuadrado de jardín en el que sería agradable sentarse. Veo un banco. Mejor que tener que aguantar a ese viejo cabrón que no deja de mirarme. Voy a salir.

¡Oh! Hace más frío del que creía. Y el banco está húmedo. ¡Maldita sea! Demasiado tarde. Pero todo terminará por secarse. Veo un trozo de cielo ahí arriba. Nubes que avanzan por él a bastante buena marcha. Aquí se está protegido, aunque haga frío.

—Hola, papá.

Su voz me sobresalta. No la he oído llegar. ¿Estaba dormido? Hace muchísimo frío.

—¿Qué haces aquí fuera? Está lloviendo…

—No es lluvia —respondo—. Son salpicaduras de mar.

—Vamos, será mejor que entremos y te pongamos ropa seca.

Quiere apartarme de cubierta. Pero yo no quiero volver al salón de recreo. Es aún peor que la tercera clase, con todos esos hombres fumando y la peste a cerveza rancia. Vomitaré de nuevo si me obligan a sentarme allí, en esos bancos de cuero desgastado, sin aire que respirar.

Oh, aquí hay una cama. No me había dado cuenta de que había camarotes. Quiere quitarme los pantalones mojados, pero no pienso consentírselo. La aparto.

—¡Ya basta! —Eso no se hace. Un hombre tiene derecho a su dignidad.

—Vamos, papá, no puedes quedarte así, mojado. Pillarás un resfriado de muerte.

Niego con la cabeza y siento el vaivén del barco bajo los pies.

—¿Cuánto tiempo llevamos en el mar, Catherine?

Me dirige una mirada muy extraña.

—¿En qué barco estamos, papá?

—En el buque de vapor del Correo Real *Claymore*. No es un nombre que vaya a olvidar. Es el primer barco al que me subí.

—¿Y adónde vamos?

¿Quién sabe? Ya casi ha oscurecido y zarpamos del continente hace mucho tiempo. No sabía que Escocia fuera tan grande. Llevamos días de viaje.

—En el salón he oído a alguien hablar del gran Kenneth.

—¿Es un conocido tuyo?

—No. Nunca he oído hablar de él.

Se sienta a mi lado y me toma la mano. No sé por qué llora. Cuidaré de ella. Cuidaré de los dos. Soy el mayor, así que es mi responsabilidad.

—Oh, papá… —dice.

El sacerdote llegó dos días después de la caída de Patrick. La supervisora nos ordenó que cogiéramos nuestras cosas, que no eran demasiadas. Estábamos esperándolo en lo alto de las escaleras cuando el enorme coche negro aparcó en la entrada.

Peter, Catherine y yo. El lugar estaba desierto, porque los demás chicos se encontraban en la escuela. No había rastro del señor Anderson y jamás volvimos a verlo. Lo que no me rompió el corazón.

El sacerdote era un hombre menudo, tres o cuatro centímetros más bajo que yo, y casi calvo del todo por la coronilla. Sin embargo, se había dejado crecer el pelo a un lado de la cabeza y se lo peinaba hacia el otro lado, y después se lo aplastaba con aceite, brillantina o algo por el estilo. Supongo que él creía que así disimulaba su calvicie, pero en realidad solo le daba un aspecto ridículo. Desde entonces he aprendido a no confiar en los hombres que se peinan de esa manera. No tienen el más mínimo criterio.

Su presencia no imponía demasiado y parecía un poco nervioso. Mucho más inquietantes eran las dos monjas que lo acompañaban. Ambas más altas que él, con la mirada escrutadora, no sonreían y llevaban falda negra y austera toca blanca. Una iba sentada delante junto al sacerdote, que conducía, y la otra se situó entre nosotros en el asiento trasero, justo a mi lado. Me sentí tan intimidado por ella, tan preocupado por no apretarme contra su cuerpo huesudo, que apenas me fijé en El Valle desvaneciéndose a nuestra espalda. Me volví en el último momento y vi sus torres sin campanas por última vez antes de que desapareciera por completo detrás de los árboles.

El coche del sacerdote se sacudió y traqueteó sobre los adoquines, alrededor de glorietas con árboles y anchas avenidas flanqueadas por edificios de apartamentos manchados de humo. La nieve seguía amontonada, sucia por el tráfico donde se acumulaba a ambos lados de la carretera. Ninguno de nosotros se atrevió a hablar, de modo que guardamos silencio junto a los representantes de Dios en la tierra, mientras observábamos un mundo extraño que pasaba junto a nosotros convertido en un borroso paisaje invernal.

No tengo idea de adónde nos llevaron. A alguna parte del

sur de la ciudad, diría. Llegamos a una enorme casa que se alzaba tras árboles desnudos y una zona de césped en la que las hojas se arremolinaban entre la nieve. Su interior era más cálido y acogedor que El Valle. No había estado en una casa como esa en toda mi vida. Paneles de madera pulida y lámparas de araña, papel pintado con relieve de terciopelo y relucientes baldosas en el suelo. Nos hicieron subir por una escalera enmoquetada y a Peter y a mí nos asignaron una habitación, y a Catherine, otra. Sábanas de seda y olor de agua de rosas.

«¿Adónde vamos, Johnny?», Peter me había preguntado en varias ocasiones, pero no tenía respuesta para él. Al parecer, no teníamos derechos, humanos ni de cualquier otra clase. Éramos bienes, pertenencias. Nada más que niños sin padres y sin un lugar al que llamar nuestro hogar. Cabría pensar que ya nos habíamos acostumbrado a ello. Pero nunca terminas de hacerlo. Basta con que mires alrededor para que la vida te recuerde que no eres como los demás. En ese momento habría dado cualquier cosa por notar los dedos de mi madre en la cara, sus labios cálidos y delicados en la frente, su suave voz acariciándome el oído, diciéndome que todo iba a salir bien. Sin embargo, hacía tiempo que se había marchado, y yo, en lo más profundo de mi corazón, sabía que todo no iba a salir bien. Aunque no pensaba decírselo a Peter.

«Ya lo veremos», respondí cuando me lo preguntó por enésima vez. «No te preocupes, yo cuidaré de los dos.»

Nos encerraron en esas habitaciones durante el resto del día y solo nos dejaron salir para ir al baño. Esa noche nos condujeron al piso inferior, a un amplio salón con las paredes cubiertas con multitud de libros coloridos, donde una larga mesa brillante ocupaba el espacio desde el mirador a la puerta de dos hojas al fondo de la sala.

En uno de sus extremos, la mesa estaba puesta para tres, y la monja que nos acompañaba nos dijo: «Los dedos fuera de la mesa. Si encuentro una sola marca, recibiréis una paliza».

Casi tuve miedo de tomarme la sopa por si salpicaba o se me caía una gota sobre la mesa. Comimos un pedazo de pan con mantequilla cada uno con la sopa, y después una loncha de jamón con patatas hervidas frías. Nos sirvieron el agua en vasos de culo grueso y en cuanto hubimos terminado nos llevaron de vuelta al piso de arriba.

Fue una noche larga y agitada en la que Peter y yo nos acurrucamos en la misma cama. Él se durmió minutos después de cubrirse con la manta. Pero yo seguí despierto durante mucho tiempo. Vi luz por debajo de nuestra puerta, y de vez en cuando me llegaba el sonido de voces lejanas, en un susurro, como si tramaran algo, procedentes de algún lugar recóndito de aquella casa, hasta que por fin me dejé vencer por un sueño poco profundo.

A la mañana siguiente nos levantaron al amanecer y nos metieron de nuevo en el coche negro. Sin desayunar, sin tiempo para asearnos. Esa vez tomamos una ruta distinta por la ciudad y no supe dónde estábamos hasta que vi el castillo recortado en la distancia, a nuestra derecha, y las casas que se apiñaban en lo alto de El Montículo. Bajamos por una rampa pronunciada hacia un amplio vestíbulo iluminado por un techo de cristal sostenido sobre una elaborada estructura de puntales metálicos. Trenes de vapor silbaban impacientes junto a los andenes situados en uno de los extremos del vestíbulo de la estación mientras las monjas nos guiaban a toda prisa, casi corriendo, entre la multitud. Mostraron nuestros billetes al vigilante de la puerta y subimos apresuradamente al tren, donde ocupamos nuestros asientos en un compartimento de seis personas a un lado del largo pasillo. Se unió a nosotros un hombre que llevaba un traje negro y bombín, a quien la presencia de las monjas parecía disgustarle y que se sentó claramente incómodo con el sombrero sobre las rodillas.

Era la primera vez que yo viajaba en tren y, pese a todo, estaba bastante entusiasmado. Observé que Peter también lo estaba. Permanecimos todo el viaje pegados a la ventanilla, mirando cómo la ciudad daba paso al campo de un verde ondeante, al tiempo que nos deteníamos en estaciones de nombres tan exóticos como Linlithgow y Falkirk, antes de que otra ciudad creciera de la tierra ante nuestros ojos. Una ciudad del todo distinta. Ennegrecida por la contaminación industrial. Chimeneas de fábricas que escupían bilis a un cielo de sulfuro. Un túnel largo y oscuro y después el rugido del motor de vapor en el reducido espacio de la estación cuando nos detuvimos en el andén de Queen Street, en Glasgow, seguido del chirrido del metal resonándonos en los oídos.

Miré a Catherine varias veces en el intento de que nuestras miradas se encontraran, pero ella me rehuyó tenazmente y mantuvo la vista fija en el regazo, sin apartarla ni una sola vez. No tenía forma de saber qué le pasaba por la cabeza, pero intuí su miedo. Ya a esa edad sabía que las chicas tenían mucho más que temer en esta vida que los chicos.

Esperamos casi dos horas en Queen Street antes de subir a otro tren. Un tren que, en esa ocasión, nos llevó al norte y más al oeste, a través del paisaje campestre más espectacular que haya visto jamás. Montañas coronadas de nieve, puentes que se extendían sobre agitadas aguas cristalinas, bosques inmensos y viaductos sobre desfiladeros y lagos. Recuerdo ver una pequeña casita de paredes blanqueadas en medio de la nada, las montañas alzándose a su alrededor. Y me pregunté quién demonios viviría en un lugar así. Debía de ser como vivir en la luna.

Estaba anocheciendo cuando llegamos al puerto de Oban, en la costa oeste. Era una localidad bonita, con las casas pintadas de distintos colores y una enorme flota pesquera atracada en el muelle. Era la primera vez que veía el mar. La bahía estaba rodeada de colinas, y una imponente catedral de piedra se levantaba cerca de la orilla, vigilando las aguas teñidas de rojo sangre por el sol poniente.

Pasamos la noche en una casa que no quedaba lejos de la

catedral. Allí había otro sacerdote, pero no habló con nosotros. Un ama de llaves nos acompañó hasta dos habitaciones situadas en la buhardilla. Habitaciones minúsculas, con ventanas verticales en la inclinación del tejado. Ese día solo habíamos comido unos sándwiches en el tren y un plato de sopa cuando llegamos. Al tumbarme en la cama, oí que me rugían las tripas, lo que no me dejaba dormir. Si Peter también lo oyó, no le molestó. Él durmió como un bebé, como siempre. Sin embargo, yo no era capaz de quitarme a Catherine de la cabeza.

Esperé hasta después de la medianoche, cuando se apagaron todas las luces de la casa, para salir despacio de la cama. Durante varios minutos, permanecí junto a la puerta, aguzando el oído para captar el más mínimo sonido, antes de abrirla y salir sigilosamente al pasillo. La habitación de Catherine estaba solo a unos pasos de distancia. Vacilé frente a su puerta al escuchar lo que parecía un llanto ahogado procedente del interior y, previendo algo grave, sentí que se me revolvía el estómago. Catherine era una muchachita dura. Si algo la había hecho llorar, tenía que ser malo. No la había visto llorar en el año que hacía que la conocía, salvo esa vez, bajo la luz de la luna, en el tejado de El Valle. Pero estoy seguro de que ella nunca supo que la había visto.

Abrí la puerta y entré con rapidez. Casi de inmediato, se encendió la lámpara de la mesilla de noche. Catherine estaba sentada en la cama, con la espalda apoyada en la cabecera, las rodillas contra el pecho y sosteniendo un espejo en la mano derecha como si fuera un arma. Tenía los ojos invadidos por el miedo y el rostro del color de las sábanas.

«Por el amor de Dios, Catherine, ¿qué haces?»

Fue tal el alivio que sintió al verme, que se quedó abrumada. Bajó la mano hasta la cama y soltó el espejo. Me fijé en que le temblaba el labio inferior, la luz de la lámpara reflejada en las lágrimas que le empapaban las mejillas. Crucé la habitación y me senté en la cama junto a ella, y entonces Catherine hundió la cara en mi hombro para contener los sollozos, con el brazo sobre mi pecho, agarrada a mí como una niña pequeña. Deslicé un brazo por encima de su hombro.

«Eh, niña. No pasa nada. Estoy aquí. ¿Qué puede ser tan malo?»

Catherine tardó en recuperar la voz y decidirse a hablar.

«¡Ese puto sacerdote asqueroso!»

Fruncí el entrecejo, aún sin entender. Era tan inocente…

«¿El que se peina de un lado a otro?»

Asintió con la cabeza, con el rostro aún escondido en mi hombro.

«Vino a mi habitación ayer por la noche. Dijo que tal vez necesitara un poco de consuelo… teniendo en cuenta las circunstancias.»

«¿Y?»

«Y ¿qué?»

«¿Qué pasó?»

Levantó la cabeza y me miró con incredulidad.

«¿Tú qué coño crees que pasó?»

Entonces caí en la cuenta.

Al principio me asombró que un sacerdote pudiera hacer algo así. Después me indignó que lo hubiera hecho. Y a continuación me invadió la imperiosa necesidad, física y mental, de darle una paliza de muerte. Y creo que, si hubiera estado allí, podría haberlo matado. Y lo habría hecho.

«Qué mierda, Cathy», fue cuanto fui capaz de decir.

Volvió a enterrar la cara en mi hombro.

«Creí que el otro venía por lo mismo. Tengo miedo, Johnny. No quiero que nadie vuelva a tocarme, nunca, jamás.»

«Nadie lo hará», respondí. Solo sentía odio e indignación.

Me quedé con ella toda la noche. No hablamos más. Al cabo de aproximadamente una hora, noté que Catherine por fin se dormía y su cuerpo se volvió un peso muerto contra el mío.

Jamás volvimos a hablar del tema.

El *Claymore* zarpó del muelle principal a la mañana siguiente. Las monjas nos condujeron por la ciudad hasta la sala de espera de la terminal de ferris. Peter y yo compartíamos una pequeña maleta de cartón, que cargaba yo. Catherine tenía una bolsa de lona sucia que se colgaba al hombro con actitud despreocupada, como si viajara en tren y en ferry todos los días.

No fue hasta llegar al muelle que me di cuenta de que íbamos a subir al barco, y de que las monjas no venían con nosotros. Eso fue un descubrimiento bastante sorprendente. La presencia de las monjas durante los dos últimos días, si bien habían sido dos sombras frías y lúgubres, nos había proporcionado cierta sensación de seguridad y confianza. La idea de viajar en ese barco que olía a combustible y a agua de mar, solos, sin saber adónde nos dirigíamos, me llenaba de un miedo inexplicable.

Mientras que una de ellas permanecía distante y callada, la otra nos colocó en fila india en la terminal y se arrodilló delante de nosotros. Su expresión parecía más suave que en ningún otro momento desde que nos recogiera en El Valle. Casi sonrió, y en sus ojos vi algo similar a la compasión. De algún lugar oculto bajo la falda sacó tres tarjetas de cartulina, de unos veinte centímetros por quince. Cada una de ellas llevaba un cordel en la parte superior, como el cartel que se nos ocurrió colgar al cuello de Peter cuando fingíamos que era ciego. Las que nos dio a Peter y a mí llevaban el nombre GILLIES escrito en letra negra y mayúscula. En la de Catherine se leía O'HENLEY.

«Cuando bajéis del barco, colgaos las tarjetas al cuello y esperad en el muelle. Alguien irá a recogeros», dijo.

Por fin reuní el valor suficiente para formular la pregunta que Peter había estado haciéndome durante los dos últimos días.

«¿Adónde vamos?»

Su rostro se oscureció, como si una nube hubiera pasado por el cielo y lo hubiera ensombrecido.

«Eso no importa. Pero no os quedéis en cubierta. El mar puede ponerse muy agitado ahí fuera.»

Nos dio nuestros billetes, se irguió, y a continuación nos sentimos arrastrados por la multitud, hasta el embarcadero y sobre una empinada pasarela que conducía a cubierta. El *Claymore* tenía una gran chimenea roja con una raya negra en lo alto y botes salvavidas izados en tornos a cada lado de la popa. La gente se aglomeraba en la barandilla, empujando y abriéndose paso para despedirse de sus amigos y familiares mientras sonaba la sirena y el rugido de los motores atravesaba la cubierta y vibraba en nuestros cuerpos. Pero las monjas no esperaron para decirnos adiós. Vi sus faldas negras y tocas blancas mientras se dirigían al edificio de la terminal. A menudo me he preguntado si volvieron la espalda porque no soportaban mirarnos a la cara, temerosas de que, en lo más profundo de su ser, hubiera enterrada una pizca de humanidad que les habría podido remorder la conciencia.

«Desolado» es la palabra que mejor describe cómo me sentí durante esa primera hora en la que el barco se deslizó por las grises aguas de la bahía, dejando atrás una estela de color esmeralda pálido, mientras las gaviotas graznaban y revoloteaban alrededor de los mástiles como pedazos de papel blanco lanzados al viento. Por vez primera, fuimos conscientes del oleaje del océano, y observamos la tierra que empequeñecía detrás de nosotros. Hasta que, al cabo de un rato, el verde de las colinas se volvió borroso y distante, antes de desvanecerse por completo. Y lo único que vimos a nuestro alrededor fue el mar, que se alzaba y volvía a caer, sin saber adónde nos dirigíamos ni cuándo llegaríamos a ese lugar. Ni lo que nos esperaría a nuestra llegada.

En los años siguientes oí hablar de «la expulsión de los gaélicos». De cómo, en los siglos XVIII y XIX, los propietarios absentistas, alentados por el gobierno de Londres, expulsaron a la gente de sus tierras para dejar espacio a las ovejas. Decenas de miles de granjeros obligados a abandonar sus hogares y a subir a barcos que los llevaron al nuevo mundo, donde muchos habían sido vendidos de antemano, casi como esclavos. Ahora sé cómo debieron de sentirse cuando vieron sus casas y su tierra desaparecer entre la bruma, sin otra cosa frente a ellos que mares embravecidos y una inevitable incertidumbre.

Entonces observé a mi hermano pequeño, agarrado a la barandilla y mirando atrás, mientras el viento cargado de sal le tiraba de la ropa y le alborotaba el pelo, y casi envidié su inocencia, su falta de conciencia. En su rostro se adivinaba una suerte de euforia. No tenía nada que temer porque sabía, sin duda alguna, que su hermano mayor cuidaría de él. Por primera vez me sentí casi aplastado bajo el peso de tal responsabilidad.

Es posible que Catherine también se diera cuenta. La descubrí mirándome, y una leve sonrisa tensó sus labios antes de que su mano se deslizara sobre la mía, y no soy capaz de describir la ternura y la calidez que me proporcionó el contacto de su pequeña mano.

Las monjas nos habían dado una caja de sándwiches que devoramos con bastante rapidez, y que al cabo de una hora ya habíamos vomitado. Cuando por fin perdimos de vista todo rastro de la costa, el viento se había convertido en una fuerza furiosa, igual que el mar. La enorme chalana pintada de blanco y negro que era el *Claymore* surcaba olas de cresta blanca al tiempo que la espuma alcanzaba la proa arrastrada por el viento y empapaba a quienes se habían aventurado a quedarse en cubierta.

Así pues, vomitábamos por turnos en el baño que había en la sala de no fumadores, donde habíamos conseguido asientos junto a una ventana veteada de lluvia, y donde la gente fumaba de todos modos, bebía cerveza y, en un idioma que no entendíamos, gritaba para hacerse oír por encima del estruendo de los motores.

A veces, a lo lejos, distinguíamos el contorno borroso de alguna isla, definido brevemente antes de desaparecer de nuevo tras las olas. Y cada vez nos preguntábamos si era allí adonde nos dirigíamos. Con la vana esperanza de que esa pesadilla estuviera a punto de terminar. Pero no lo haría nunca. O eso nos parecía. Se prolongó durante horas y horas. Viento, lluvia y mar, los estómagos revueltos y, con cada arcada, nada más que bilis verde. Creo que no me he sentido más abatido en toda mi vida.

Habíamos salido por la mañana temprano. Y llegado ese momento, a última hora de la tarde, empezaba a oscurecer. Por fortuna, el mar se había calmado un poco y la cercanía de la noche ofrecía la promesa de una travesía más tranquila. Fue entonces cuando oí a alguien gritar, en esa ocasión en inglés, que ya se veía Ben Kenneth, y todo el mundo corrió a cubierta con gran entusiasmo.

Nosotros también fuimos, esperando ver a alguien llamado Kenneth, pero si se encontraba entre la multitud fue imposible distinguirlo. Fue mucho tiempo después cuando descubrí que Kenneth, o Coinneach en gaélico, era el nombre de un monte que resguardaba el puerto, cuyas luces centelleantes vimos por primera vez en la penumbra.

La tierra se alzaba oscura alrededor de la ciudad, y a lo largo del horizonte se extendía una única línea de brillante luz plateada. Los restos del día. Dondequiera que estuviéramos, ese era el lugar al que nos dirigíamos, y entre los pasajeros se respiraba una intensa expectación.

Una voz anunció por megafonía: «Rogamos a los pasajeros que vayan a desembarcar y aún no hayan comprado su billete pasen por la oficina del sobrecargo». A continuación se oyó un repicar de campanas y el quejido profundo y sonoro de la sirena del barco en el momento de entrar en el muelle del embarcadero. Marineros con fregonas y cubos arrojaban agua sobre las tablas cubiertas de sal mientras las familias se reunían junto a sus maletas a la espera de que colocaran la pasarela en su lugar.

La mezcla de hambre, alivio y temor hizo que me temblaran las piernas mientras bajaba por la pronunciada pendiente, con Peter por delante de mí y Catherine detrás, en dirección a un suelo extrañamente firme que pisar. Mi cuerpo seguía moviéndose al ritmo del barco.

Cuando la multitud comenzó a dispersarse en busca de coches y autobuses, y la noche cayó sobre las colinas, sacamos nuestros pequeños rectángulos de cartulina y nos los colgamos al cuello, tal y como nos habían indicado las monjas. Y esperamos. Y esperamos. Las luces empezaron a apagarse en el ferry a nuestras espaldas, y las largas sombras que hasta entonces proyectábamos en el muelle desaparecieron. Una o dos personas nos dirigieron miradas de curiosidad, pero continuaron caminando a toda prisa. No quedaba casi nadie en el muelle, y solo oíamos las voces de los marineros del ferry, que se preparaban para pasar la noche en el puerto.

Una sensación de terrible desaliento se apoderó de mí mientras esperábamos solos, en la oscuridad, con las aguas negras contenidas entre los brazos protectores del puerto, chocando contra los noráis del muelle. Las luces de un hotel al otro lado del muro del puerto resultaban cálidas y acogedoras, pero no para nosotros.

Me fijé en el rostro pálido de Catherine observándome en la oscuridad.

«¿Qué crees que deberíamos hacer?»

«Esperar», respondí. «Como dijeron las monjas. Alguien vendrá.»

Era lo único a lo que podíamos aferrarnos. ¿Por qué nos habrían hecho cruzar el mar y nos habrían dicho que habría alguien esperándonos si no fuera así?

Entonces, de repente distinguimos una silueta que avanzaba a paso veloz hacia nosotros, y no supe si sentir miedo o alivio.

Era una mujer, y cuando se acercó observé que debía de tener unos cincuenta años. Llevaba el pelo recogido bajo un sombrero verde oscuro sujeto con horquillas, y un abrigo largo de lana abotonado hasta el cuello. Llevaba también guantes oscuros, botas de agua y un bolso reluciente.

Redujo el paso al acercarse a nosotros y, con semblante de consternación, se agachó para echar un vistazo a las tarjetas que nos colgaban del cuello. Su gesto preocupado se desvaneció al leer el nombre «O'Henley» en la de Catherine, y a continuación la miró de arriba abajo. Alzó una mano con la que le sujetó la mandíbula y le volvió la cara hacia un lado y después hacia el otro. Luego le examinó las manos. A nosotros dos apenas nos miró.

«Sí, servirás», dijo, y la tomó de la mano para llevársela.

Catherine no quería seguirla, por lo que se echó hacia atrás.

«Vamos», gruñó la tal O'Henley. «Ahora eres mía. Y harás lo que te diga o sufrirás las consecuencias.»

Tiró con fuerza del brazo de Catherine y jamás olvidaré la expresión desesperada en el rostro de la pequeña Cathy cuando nos miró a Peter y a mí. Entonces creí que no volvería a verla, y supongo que en ese momento me di cuenta de que estaba enamorado de ella.

«¿Adónde va Catherine?», preguntó Peter. Pero yo tan solo negué con la cabeza, sin atreverme a hablar.

No sé cuánto tiempo permanecimos allí de pie, esperando, pasando tanto frío que los dientes no paraban de castañetear. Vi siluetas que se desplazaban por la sala del bar del hotel, sombras en la luz, gente de otro mundo. Un mundo que nosotros no habitábamos. Y entonces, de repente, los faros de un vehículo barrieron el muelle y una furgoneta se detuvo a tan solo unos metros de nosotros, atrapándonos en la luz como si fuéramos conejos.

Una puerta se cerró de golpe y un hombre ocupó el espacio de luz, con lo que proyectó una sombra gigantesca hacia nosotros. Apenas si podía verlo, con la luz a sus espaldas. Pero me di cuenta de que era un hombre fornido. Llevaba un mono azul y botas, y una gorra de tela calada hasta la frente. Dio dos pasos en nuestra dirección, echó un vistazo a las tarjetas que nos colgaban del cuello y gruñó. Noté el olor a alcohol y a tabaco rancio en su aliento.

«A la furgoneta», fue cuanto dijo, y lo seguimos hasta el lado del vehículo por el que abrió la puerta para que subiéramos. «Rápido, ya llevo suficiente retraso.» En el interior había cuerdas, redes de pesca y boyas color naranja; viejos cajones de madera que apestaban a pescado podrido, nasas, un juego de herramientas y el cuerpo de una oveja muerta. Tardé unos segundos en descubrir qué era, antes de retroceder horrorizado. Por alguna razón, a Peter no pareció molestarle en absoluto.

«Está muerta», anunció al tiempo que le apoyaba una mano en el vientre. «Y aún está caliente.»

Así pues, nos sentamos en el suelo de la parte trasera de la furgoneta, junto a la oveja muerta y los aparejos de pesca, y avanzamos entre sacudidas, respirando el humo del tubo de escape, sobre carreteras oscuras de dirección única, terrenos cenagosos plateados por la luz de la luna que iluminaba la negra lejanía.

Hasta que vimos y olimos de nuevo el mar, casi reluciente bajo el resplandor de la luna, y observamos destellos ocasionales en la ladera, titilando en las ventanas de casas invisibles.

El largo brazo de un espigón de piedra se adentraba en aguas tranquilas, y un pequeño barco se alzaba suavemente con el oleaje. Un hombre al que más adelante conoceríamos como Neil Campbell estaba fumando en la timonera, y salió a saludarnos mientras el tipo fornido de la gorra aparcaba la furgoneta. Cuando hubo terminado, nos ordenó que bajáramos.

Los hombres hablaron e intercambiaron risas. Pero yo no tenía la menor idea sobre qué se habían dicho. Después nos hicieron montar en el barco, que se balanceaba en aquel estrecho bañado por la luna hacia el contorno irregular de una isla que emergía del mar, salpicada por algunas luces en sus imponentes laderas. Tardamos solo unos diez minutos en llegar allí y saltamos a un inestable espigón de piedra junto a una estrecha lengua de agua que conducía a una pequeña bahía. Me fijé en las casas que había a ambos lados. Viviendas de piedra, extrañas y achaparradas, con los tejados cubiertos con una especie de hierba que más adelante aprendí que se llamaba «paja».

La marea estaba baja y la bahía se veía cercada de algas negras y doradas.

El barco partió, de nuevo hacia el otro lado del estrecho.

«Seguidme», ordenó el hombre fornido, y trotamos tras él sobre un sendero marcado que rodeaba la bahía, y después colina arriba por un camino de piedras lleno de surcos hasta una de esas casitas con el tejado de paja que habíamos visto desde el puerto. Allí noté por primera vez el olor a humo de turba cuando la puerta de madera chirrió al abrirse y descubrió una sala lúgubre, medio llena de esa materia. Una tenue luz amarillenta emanaba de una lámpara de petróleo que colgaba baja de las vigas, y un montón de pedazos de turba resplandecían incandescentes en la puerta abierta de un fogón negro de hierro que había en la pared del fondo de la sala. El suelo de tierra estaba cubierto de arena. El espacio era la cocina, la sala y el comedor, todo en uno, con una mesa amplia ocupando el centro, un aparador situado en la pared opuesta y dos pequeñas ventanas salientes a cada lado de la puerta. Un pasillo forrado de madera machihembrada en el que colgaban abrigos y herramientas conducía a lo que después descubriría que eran tres habitaciones. No había baño, agua corriente ni electricidad. Parecía que hubiera viajado en el tiempo desde el siglo XX a un pasado medieval. Pequeños y tristes huérfanos viajeros en el tiempo.

Una mujer con un vestido estampado de color azul oscuro y un delantal blanco, frente al fogón, se volvió cuando entramos en la sala. Era difícil determinar su edad. Tenía el pelo como el acero pulido, retirado del rostro y recogido con peinetas. Pero no era una anciana. Desde luego, no tenía arrugas. Aunque tampoco era joven. Nos dirigió una larga mirada escrutadora y dijo: «Sentaos a la mesa. Tendréis hambre». Y no se equivocaba.

El hombre también se sentó y se quitó la gorra, de manera que vi su rostro por primera vez. Era enjuto y severo, con una nariz grande y torcida. Tenía las manos como palas, con pelo en los nudillos y más pelo que le asomaba por debajo de las mangas. El poco cabello que le quedaba en la cabeza le formaba remolinos aplastados por culpa del sudor.

La mujer llevó cuatro platos humeantes a la mesa. Carne de alguna clase en su jugo, nadando en grasa, y patatas hervidas hasta el punto de desintegración. El hombre cerró los ojos y murmuró algo en un idioma que no entendí; después, cuando empezó a comer, nos dijo en inglés:

«Me llamo Donald Seamus. Ella es mi hermana, Mary-Anne. Para vosotros somos el señor y la señorita Gillies. Esta es nuestra casa, y a partir de ahora vuestro nuevo hogar. Olvidaos del lugar del que venís. Ya es historia. De ahora en adelante, seréis Donald John y Donald Peter Gillies, y si no hacéis lo que se os dice, sé que lamentaréis haber nacido». Se llevó un tenedor lleno de comida a la boca y miró a su hermana mientras masticaba. La mujer permaneció en silencio y pasiva todo ese tiempo. Después él volvió a mirarnos. «En esta casa se habla gaélico, así que ya podéis espabilar para aprenderlo. Igual que los pobres desgraciados que hablan gaélico en los tribunales ingleses, si pronunciáis una sola palabra en inglés delante de mí os arrepentiréis de haber hablado. ¿Entendido?»

Asentí con la cabeza y Peter me miró en busca de mi aprobación antes de asentir también. No tenía la menor idea sobre lo que era el gaélico, o cómo sería posible que llegara a hablarlo. Pero no dije nada.

Cuando terminamos de comer, el hombre me dio una pala y dijo: «Tendréis que aliviaros antes de ir a la cama. Podéis regar el brezo. Pero si queréis hacer algo más, tendréis que cavar un agujero. No demasiado cerca de la casa, por supuesto».

Y dicho esto, con discretos empujones, nos sacaron a la noche a hacer nuestras necesidades. Se había levantado viento y las nubes correteaban por la vasta extensión de cielo sobre nuestras cabezas, mientras los rayos de luna destellaban fugaces sobre la ladera. Alejé a Peter de la casa, desde la que teníamos una vista ininterrumpida de las aguas, y empecé a cavar, preguntándome qué diablos haríamos el día que lloviera.

«¡Eh, hola!» La vocecita, traída por el viento, nos sobresaltó a ambos, y cuando me volví me sorprendió ver a Catherine junto a nosotros, sonriendo en la oscuridad.

Apenas fui capaz de formular la pregunta.

«¿Cómo...?»

«Vi que veníais en un barquito, una media hora detrás de mí.» Se volvió y señaló la ladera. «Estoy ahí mismo, con la señora O'Henley. Dice que ahora tengo que llamarme Ceit. Se escribe raro. C-E-I-T. Pero se pronuncia Kate. Es gaélico.

«Ceit», repetí. Y me gustó cómo sonaba.

«Al parecer somos lo que llaman "niños de casa". Niños procedentes del continente que la puta Iglesia ha soltado aquí. Somos un montón en esta islita.» Su rostro se ensombreció durante un momento. «Creí que os había perdido.»

Sonreí. «No podrás librarte de mí tan fácilmente.» No podía estar más contento de haberme reencontrado con ella.

—Papá, tienes que quitarte los pantalones. Aún están húmedos.

¡Es verdad! Se me habrán empapado en el barco. Me levanto pero parece que no puedo bajarme la cremallera. Ella me ayuda a desabrochármelos y salgo de ellos en cuanto caen al suelo. Ahora tira del jersey por encima de mi cabeza. Es más fácil si se lo dejo hacer a ella. Pero puedo desabrocharme los botones de la camisa yo solo. No sé por qué, pero hace días que noto los dedos rígidos y torpes.

La miro mientras se dirige al armario a buscar pantalones limpios y una camisa blanca bien planchada. Es una chica preciosa.

—Toma, papá. —Me ofrece la camisa—. ¿Quieres ponértela tú?

Alargo un brazo, le acaricio el rostro y siento una gran ternura hacia ella.

—No sé qué habría hecho si no te hubieran llevado a ti también a la isla, Ceit. Estaba convencido de que te había perdido para siempre.

Veo la confusión en sus ojos. ¿Es que no se da cuenta de lo que siento por ella?

—Bueno, ahora estoy aquí —responde, y yo le sonrío. Tantos recuerdos, tantas emociones.

—¿Te acuerdas de cuando recogíamos las algas de la orilla? —pregunto—. En esas alforjas grandes que llevaban los caballos pequeños. Para abonar los *feannagan*. Y yo te ayudaba a cavar la tuya.

¿Por qué frunce el entrecejo? Tal vez no se acuerde.

—*Feannagan?* —pregunta—. ¿Cuervos? —insiste, cambiando de lengua—. ¿Cómo se abonan los cuervos, papá?

¡Tontaina! Oigo mi propia risa.

—Así las llamaban, claro. Y nos daban deliciosas galletitas de canela.

Vuelve a menear la cabeza. Y suspira.

—Ay, papá…

¡Quiero zarandearla, maldita sea! ¿Por qué no se acuerda?

—Papá, he venido a decirte que tengo que ir a Glasgow para presentarme a unos exámenes. Así que estaré fuera un par de días. Pero Fionnlagh vendrá a verte. Y también Fin.

No sé de quiénes me habla. Pero no quiero visitas. Y no quiero que se vaya. Ahora me está abotonando la camisa, con la cara muy cerca de la mía. Así que me inclino hacia delante y la beso suavemente en los labios. Parece asustada y da un respingo. Espero no haberla molestado.

—Me alegro tanto de volver a verte, Ceit —digo para tranquilizarla—. Nunca olvidaré esos días en El Valle. Y las torrecillas de la casa de Danny que veíamos desde el tejado. —Me río al recordarlo—. Solo para que no olvidáramos nuestro lugar en el mundo. —Bajo la voz, orgulloso de en lo que nos hemos convertido—. A pesar de todo, no nos fue mal, para ser un par de pobres huerfanitos.

21

Había oscurecido cuando Fin dejó a George Gunn en Stornoway y cruzó el páramo de Barvas en dirección a la costa oeste. Era una noche negra y húmeda, con el Atlántico soplando con furia de frente mientras conducía hacia el oeste. Igual que la noche que sus padres se mataron en esa misma carretera. Conocía la hondonada como la palma de su mano. Había pasado por allí todas las semanas en el autobús que lo llevaba a la residencia de estudiantes de Stornoway los lunes y lo traía de vuelta los viernes. Aunque ahora no alcanzaba a verla, sabía que la choza de tejado verde quedaba a su derecha, y que fue justo allí donde una oveja saltó de repente de una zanja, obligando a su padre a dar un volantazo.

Ahora aún había ovejas en la carretera. Hacía tiempo que los granjeros habían desistido de intentar cercar la tierra de pastoreo. Solo resistían algunos postes podridos para atestiguar que alguna vez lo habían intentado. Por la noche se veían los ojos de las ovejas, resplandecientes en la oscuridad. Dos puntos luminosos, como los ojos del diablo, que reflejaban la luz de los faros. Eran animales estúpidos. Nunca sabías cuándo se asustarían y se abalanzarían hacia ti. Los días de calma, solían unirse en la carretera y abandonaban el pantano para escapar las picaduras de los diminutos mosquitos que eran la maldi- de las Highlands occidentales. Y se sabía que, si molesta- as ovejas, entonces la situación debía de ser grave.

Sobre el terreno elevado, vio las luces de Barvas titilando en la lluvia, una larga cadena de ellas que perfilaba la línea de la costa hasta desvanecerse en la oscuridad. Fin siguió los eslabones intermitentes hacia el norte, hasta que las dispersas luces de Ness se extendían con mayor densidad sobre el cabo, y torció hacia la pendiente en dirección a Crobost. El océano estaba oculto en la negrura, ahogado por la noche, pero lo oyó respirar con furia a lo largo de los acantilados mientras aparcaba junto al chalet de Marsaili.

El coche de ella no estaba, y Fin cayó en la cuenta de que debía de haberse marchado a Glasgow. Sin embargo, se veía una luz en la ventana de la cocina, y corrió a la puerta bajo la lluvia. En la cocina no encontró a nadie, de modo que se dirigió a la sala, donde el televisor, en una esquina, emitía las noticias de la noche. Sin embargo, allí tampoco había un alma. Salió al vestíbulo, y desde el pie de la escalera gritó hacia el piso de arriba, donde estaba la habitación de Fionnlagh.

—¿Hay alguien en casa?

Vio una rendija de luz en la parte inferior de la puerta y empezó a subir por la escalera. Había llegado a la mitad cuando la puerta se abrió, Fionnlagh apareció en el rellano y la cerró apresuradamente tras de sí.

—¡Fin! —Pareció sobresaltado, sorprendido, extrañamente vacilante, antes de bajar a toda prisa por la escalera y escurrirse junto a Fin de camino al piso inferior—. Creí que estabas en Harris.

Fin se volvió y lo siguió a la sala, donde, bajo la luz, se fijó en que Fionnlagh estaba un poco sonrojado, afectado, casi avergonzado.

—Bueno, pues ya he vuelto.

—Ya lo veo.

—Tu madre me dijo que podía utilizar el baño cuando l
necesitara. Hasta que arregle la granja.

—Claro. Estás en tu casa. —Era evidente que se sentí

cómodo, y acto seguido se dirigió a la cocina. Fin lo siguió y lo vio abriendo la nevera—. ¿Una cerveza? —ofreció Fionnlagh, que se volvió con una botella en la mano.

—Gracias. —Fin la aceptó, giró el tapón y se sentó a la mesa. Fionnlagh vaciló antes de servirse una. Permaneció apoyado contra la nevera y lanzó el tapón al fregadero desde el otro lado de la cocina antes de tomar un trago largo de la botella.

—Dime, ¿qué has averiguado sobre mi abuelo?

—Nada —respondió Fin—. Solo que no es Tormod Macdonald.

Fionnlagh lo miró fijamente, sin comprender.

—¿Qué quieres decir?

—Tormod Macdonald murió a los dieciocho años en un accidente de barco. He visto su certificado de defunción y su tumba.

—Debe de ser otro Tormod Macdonald.

Fin negó con la cabeza.

—Es el Tormod Macdonald que tu abuelo dice ser.

Fionnlagh tomó varios sorbos de cerveza mientras intentaba digerir la información.

—Vale, y si no es Tormod Macdonald, ¿quién es?

—Buena pregunta. Pero es poco probable que tu abuelo decida darnos la respuesta a ella.

Fionnlagh permaneció en silencio durante un rato largo, mirando su botella medio vacía.

—¿Crees que mató al hombre que encontraron en la turbera?

—No tengo la menor idea. Pero estaba emparentado con eso seguro. Y si podemos averiguar la identidad de uno, en- ces es probable que sepamos quién es el otro, y tal vez lo icedió.

uenas como un poli.

nrió.

—Es lo que fui durante la mayor parte de mi vida. La mentalidad no cambia de un día para otro solo porque dejes tu trabajo.

—¿Por qué lo dejaste?

Fin suspiró.

—La mayoría de la gente se pasa la vida sin saber lo que hay debajo del suelo que pisa. Los polis se pasan la vida levantando ese suelo y teniendo que afrontar lo que descubren. —Apuró la botella—. Estaba harto de pasar la vida entre sombras, Fionnlagh. Cuando solo conoces el lado oscuro de la naturaleza humana, empiezas a encontrar oscuridad en ti mismo. Y eso asusta.

Fionnlagh soltó su botella vacía en una caja que había junto a la puerta, y el ruido apagado del cristal llenó el silencio de la cocina. Seguía pareciendo incómodo.

—Espero no haber interrumpido nada —comentó Fin.

El joven le dirigió una mirada fugaz y la apartó de nuevo rápidamente.

—No lo has hecho. —A continuación agregó—: Mi madre ha ido a ver a mi abuelo esta tarde.

—¿Y ha ido bien?

Fionnlagh negó con la cabeza.

—No. Al parecer estaba sentado bajo la lluvia, pero creía estar en un barco. Después ha empezado a parlotear sobre que recogía algas para abonar cuervos.

Fin frunció el entrecejo.

—¿Cuervos?

—Pues sí. Ha utilizado la palabra en gaélico, *feannagan*. Cuervos.

—No tiene ningún sentido.

—No, no lo tiene.

Fin vaciló.

—Fionnlagh... —El muchacho lo miró con expectación—. Será mejor que me dejes contarle a mí lo de tu abuelo.

Y Fionnlagh asintió, feliz, en apariencia, por verse eximido de la responsabilidad.

El viento azotaba y tiraba del forro exterior de su tienda, desafiando las cuerdas tensoras, mientras que su interior inspiraba y espiraba de manera parcial y errática, como un pulmón enfermo. El sonido de la lluvia que repiqueteaba sobre la fina cubierta de plástico era casi ensordecedor. El resplandor del fluorescente a pilas llenaba la tienda de una extraña luz azul, junto a la que Fin se había sentado arropado en su saco de dormir para leer el informe que Gunn le había facilitado de manera ilícita sobre la autopsia del cuerpo de la turbera.

Se quedó fascinado por la descripción del tatuaje de Elvis en el antebrazo izquierdo de la víctima y de la leyenda «Heartbreak Hotel», aunque había sido la placa metálica hallada en su cabeza lo que había establecido de forma definitiva que su muerte se produjo a finales de los años cincuenta. Se trataba de un hombre joven que sentía pasión por la mayor estrella de rock del momento y cuya capacidad intelectual se había visto mermada por algún accidente que le había producido daños cerebrales. Relacionado, de algún modo, con el padre de Marsaili, cuya identidad aparecía ahora envuelta en un velo de misterio.

Había sido un asesinato brutal. Atado, apuñalado, degollado. Fin trató de imaginar al padre de Marsaili como al asesino, pero le fue imposible. Tormod, o quienquiera que fuese, siempre había sido un hombre de carácter amable. Un hombre corpulento, sí. Fuerte en su día. Pero un hombre con un temperamento tan tranquilo que Fin no era capaz de recordar una sola ocasión en la que lo hubiera oído alzar la voz.

Dejó el informe a un lado y cogió la carpeta abierta que contenía los detalles del atropello con fuga de Robbie. Llevaba casi una hora repasándolo tras su regreso a la tienda desde casa de Marsaili. En vano, por supuesto. Había perdido la cuenta sobre el número de veces que lo había leído. Cada una de las declaraciones, la más mínima medición de las marcas de neumático sobre la carretera. La descripción del coche, la del conductor. Las fotografías de la policía que había fotocopiado en Edimburgo. Conocía todos los detalles de memoria y, aun así, cada vez que lo leía tenía la esperanza de dar con el dato crucial que hasta ese momento se le había escapado.

Era una obsesión, y lo sabía. Una obsesión irracional, ilógica e inviable. Y, sin embargo, igual que el fumador compulsivo, no era capaz de abandonarla. No podía ponerle fin hasta que el conductor del vehículo rindiera cuentas. Hasta ese día, no conseguiría salir del atolladero en el que estaba su vida, no podría reconducirla.

Maldijo entre dientes y arrojó el informe al otro extremo de la tienda antes de apagar el fluorescente y tumbarse en el suelo, con la cabeza hundida en la almohada y tan ansioso por quedarse dormido que supo que no lo conseguiría.

Cerró los ojos, se quedó escuchando el viento y la lluvia, y los abrió de nuevo. No había diferencia. Ni rastro de luz. Solo una oscuridad absoluta. Se preguntó si se había sentido tan solo en toda su vida.

Le resultaba imposible calcular cuánto tiempo había transcurrido. ¿Media hora? ¿Una hora? Sin embargo, no se encontraba más cerca del sueño que cuando se había tumbado. Se incorporó y encendió la luz, que lo obligó a parpadear por la intensidad de su resplandor. Tenía algunos libros en el coche. Necesitaba algo que lo alejara de allí, de quien era, de quien había sido, de a donde se dirigía. Algo que detuviera las cuestiones sin resolver que se repetían sin cesar en su cabeza.

Se puso el impermeable sobre la camiseta y los calzoncillos, las botas sin calcetines, y cogió el gorro de pescador antes de bajar la cremallera de la tienda y enfrentarse al viento y a la lluvia. Una carrera de veinte segundos hasta el coche y en menos de un minuto estaría de vuelta, dejaría el impermeable empapado entre el forro exterior e interior de la tienda, y estaría listo para entrar nuevamente en calor en su saco de dormir. Con un libro en la mano y la huida en el corazón.

Aun así, vaciló antes de dar ese paso. Fuera, el tiempo era inclemente. Y ese era el motivo por el que sus antepasados habían construido casas con paredes de casi un metro de grosor. ¡Qué ingenuo había sido al pensar que podría sobrevivir semanas, incluso meses, en una endeble tienda de campaña! Exhaló un suspiro entre dientes, apretó los ojos durante un segundo y a continuación salió a la carrera. Bajo una lluvia que le ardía en la cara, la fuerza del viento estuvo a punto de arrancarle las piernas.

Llegó al coche y mientras buscaba las llaves torpemente con los dedos mojados, una luz apareció en su campo de visión. Se detuvo y miró colina abajo a través de la lluvia, y descubrió que se trataba de la luz que había sobre la puerta de la cocina de Marsaili. Emitía un tenue resplandor amarillo que iluminaba el camino donde el coche de Fionnlagh estaba aparcado al ralentí. No llegaba a oír el motor, pero sí vio el humo del tubo de escape del viejo Mini desvaneciéndose en la noche.

Y, a continuación, una figura con una maleta que corría de la cocina al vehículo. Era tan solo una silueta, pero en ella reconoció a Fionnlagh. Fin gritó su nombre, pero el chalet estaba a un par de cientos de metros de distancia y su voz se perdió en la tormenta.

Fin permaneció allí de pie, azotado por la cortina de agua que le corría por el impermeable y le empapaba el cuello, con el viento de cara, y observó a Fionnlagh mientras abría el maletero y metía en él la maleta. El joven corrió de vuelta a la casa para apagar la luz y, convertido en una mera sombra, regresó al coche a toda velocidad. Fin distinguió su rostro por un momento bajo la luz interior del vehículo cuando abrió la puerta. A continuación, vio que el Mini arrancaba y enfilaba el camino colina abajo.

Fin se volvió hacia su coche, abrió la puerta y se deslizó en el asiento del conductor. Encendió el motor, metió la primera marcha y soltó el freno de mano. Mientras no perdiera de vista las luces de Fionnlagh, podría mantener las suyas apagadas. Empezó a bajar por la colina tras el Mini.

Guardó una distancia de unos doscientos metros entre los dos vehículos y disminuyó velocidad hasta detenerse cuando el Mini aparcó frente a los comercios de Crobost al pie de la colina. Gracias a los faros de Fionnlagh, distinguió la figura menuda de Donna Murray que salía a toda prisa de su refugio en la entrada de una tienda, cargada con un capazo. Fionnlagh bajó para echar hacia delante el asiento del conductor y la joven dejó el capazo en el interior antes de salir corriendo para recoger una pequeña maleta.

Fue entonces cuando los faros de un tercer coche inundaron la escena de luz. Fin vio la fuerte lluvia a través de ellos, y después la silueta de un hombre que se interpuso en el haz de luz. Fin levantó el pie del embrague y aceleró hacia ellos al tiempo que encendía los faros para dar mayor relieve a ese drama de medianoche. Tres rostros sobresaltados se volvieron hacia él mientras frenaba con un patinazo sobre la grava. Abrió la puerta de golpe y salió a la lluvia.

—¿Qué diablos estás haciendo aquí? —Donald Murray tuvo que gritar para hacerse oír por encima del estruendo de la tormenta. Tenía el rostro de un tono pálido enfermizo a la luz de los coches y los ojos hundidos en la sombra.

—Podría preguntarte lo mismo —respondió Fin también a gritos.

Donald dirigió un puño cargado de ira al aire, hacia su hija y su amante, con un dedo extendido en solitario que señalaba con gesto acusatorio.

—Intentan escapar con el bebé.

—Es suyo.

Un gesto de desdén curvó la comisura de los labios de Donald.

—¿Estás metido en esto?

—¡Eh! —chilló Fionnlagh con el rostro encendido—. No es asunto vuestro. De ninguno de los dos. Es nuestra hija y nuestra decisión. Así que os podéis ir todos al infierno.

—Eso es Dios quien lo decidirá —respondió Donald Murray—. Pero tú no irás a ninguna parte, hijo. No con mi nieta, olvídalo.

—¡Intenta detenerme si tienes cojones! —Fionnlagh levantó la bolsa de Donna y la arrojó al coche—. Vamos —dijo a la joven, y se sentó en el asiento del conductor.

Donald llegó al coche en dos zancadas, metió la mano, sacó la llave de contacto y se volvió para arrojarla a las fauces del vendaval. Rodeó con rapidez el vehículo con la intención de sacar el capazo.

Fionnlagh salió disparado para impedírselo, pero Fin llegó primero. El gorro que llevaba salió volando y desapareció en la oscuridad mientras agarraba al reverendo Murray por los hombros y lo alejaba del coche. Donald seguía siendo un hombre de constitución robusta y opuso gran resistencia para intentar zafarse de Fin. Ambos trastabillaron hacia atrás, cayeron al suelo y rodaron sobre la grava.

La caída dejó sin respiración a Fin, que permaneció jadeante mientras Donald se levantaba. Consiguió ponerse de rodillas, aún esforzándose por recuperar el aliento, y cuando alzó la mirada vio a Donald tendiéndole una mano para ayudarlo a ponerse en pie. Se fijó en un reflejo blanco en el cuello de Donald. Su alzacuello. Y, por un momento, pensó en lo absurdo de la situación. ¡Estaba peleándose con el pastor de la iglesia de Crobost, por el amor de Dios! Su amigo de la infancia. Le agarró la mano y se impulsó hacia arriba. Los dos hombres se miraron fijamente, ambos respirando con dificultad, sus rostros mojados por la lluvia y brillantes a la luz de los faros.

—¡Ya basta! —gritó Donna—. ¡Dejadlo ya, los dos!

Sin embargo, Donald mantuvo la mirada clavada en Fin.

—Encontré los billetes de ferry en su habitación. Para el primero que sale mañana hacia Ullapool. Sabía que intentarían escapar esta noche.

—Donald, son adultos. Tienen una niña. Pueden ir allí donde quieran.

—Debería haber imaginado que te pondrías de su parte.

—No me pongo de parte de nadie. Tú eres quien los está alejando. Negándote a que Fionnlagh vaya a tu casa a ver a su propia hija. ¡Ni que estuviéramos en la Edad Media!

—No tiene recursos para mantenerlas. ¡Aún va al instituto, por Dios santo!

—Bueno, y no conseguirá demasiado si deja los estudios y se larga, ¿no crees? Y eso es lo que les estás obligando a hacer. A los dos.

Donald escupió su desprecio a la noche.

—Esto es una pérdida de tiempo. —Se volvió de nuevo e intentó sacar el capazo del coche. Fin lo agarró del brazo y, en ese instante, Donald giró sobre sus talones y su puño voló a través de la luz y alcanzó a Fin de refilón en la mejilla. La fuerza del golpe lo desequilibró y lo hizo caer de espaldas sobre el asfalto.

Durante un momento prolongado, la escena se quedó congelada, como si alguien hubiera pulsado un botón y hubiera detenido la película. Ninguno era capaz de creerse lo que Donald acababa de hacer. El viento aullaba su desaprobación alrededor de todos ellos. A continuación, Fin se incorporó con dificultad y se limpió un hilo de sangre de los labios. Miró fijamente al pastor.

—Por el amor de Dios, hombre. ¿Es que te has vuelto loco? —Su voz estuvo a punto de perderse en el rugido de la noche.

Donald permaneció allí de pie, frotándose los nudillos y mirando a Fin, los ojos rebosantes de incredulidad, pesar, ira.

Como si, de algún modo, Fin tuviera la culpa de que Donald lo hubiera golpeado.

—Pero ¿tú por qué demonios te metes?

Fin cerró los ojos y meneó la cabeza.

—Porque Fionnlagh es hijo mío.

22

La preocupación de Catriona Murray se convirtió en confusión cuando abrió la puerta de la casa del pastor y vio a su marido y a Fin Macleod en lo alto de las escaleras como dos ratas ahogadas, magullados y manchados de sangre. No era lo que esperaba encontrar.

—¿Dónde están Donna y el bebé?

—Me alegro de verte, Catriona —dijo Fin.

—Están en casa de Marsaili —respondió Donald.

Los ojos oscuros de Catriona miraron fugazmente a uno y después al otro.

—¿Y qué les impedirá ir a Stornoway a primera hora de la mañana y tomar el ferry?

—No lo harán —respondió Fin.

—¿Por qué no?

—Porque tienen miedo de lo que Donald y yo podamos hacernos el uno al otro. ¿Nos dejas pasar o prefieres que nos quedemos bajo la lluvia?

La mujer meneó la cabeza en un gesto de confusión y frustración y abrió la puerta de par en par para dejarlos entrar, chorreando, al vestíbulo.

—Será mejor que os quitéis los chubasqueros empapados.

Fin sonrió.

—Prefiero dejármelo puesto, Catriona. No querría herir tu delicada sensibilidad. —Se abrió el impermeable para que viera que iba en camiseta y calzoncillos—. Había salido un momento a coger un libro del coche.

—Te prestaré una bata. —Ladeó la cabeza para fijarse en su rostro—. ¿Qué te ha pasado en la cara?

—Tu marido me ha pegado.

Catriona lanzó una mirada a Donald con expresión de disgusto que le formó una leve arruga en el entrecejo. La culpabilidad en los ojos de su marido y el hecho de que no lo negara, la volvió más profunda.

Un cuarto de hora después, los dos hombres se hallaban sentados alrededor de un fuego de turba en el salón, bebiendo una taza de chocolate junto a la luz de una lámpara de mesa y el resplandor de las llamas. Donald llevaba un batín negro de seda con dragones chinos bordados. Fin se había puesto un grueso albornoz blanco. Ambos estaban descalzos y hasta ese momento no empezaron a recuperar la sensación de que les circulaba sangre por las venas. Tras un gesto de la cabeza de Donald, Catriona se había retirado a la cocina, y los dos hombres siguieron sorbiendo de sus tazas en silencio durante unos minutos.

—Un chorrito de whisky no le vendría mal a esto —comentó Fin en tono esperanzado, aunque sin hacerse ilusiones.

—Buena idea. —Y para su sorpresa, Donald se levantó y sacó una botella de Balvenie Doublewood del aparador. Faltaban más de dos tercios de su contenido. Donald la abrió, vertió un chorro generoso en cada taza y volvió a sentarse.

Bebieron un poco y Fin asintió con la cabeza.

—Mejor —dijo, y oyó a Donald soltar un largo suspiro.

—Se me atraganta, Fin, pero te debo una disculpa.

Fin estuvo de acuerdo.

—Ya lo creo que me la debes.

—Por grave que fuera la provocación, no debería haberte golpeado. Ha estado mal.

Fin se volvió para mirar al que fuera su amigo y vio arrepentimiento auténtico en su rostro.

—¿Por qué? ¿Por qué ha estado mal?

—Porque Jesús nos enseñó que la violencia está mal. «A cualquiera que te hiera en la mejilla derecha, vuélvele también la otra.»

—En realidad, creo que he sido yo quien ha puesto la otra mejilla.

Donald le lanzó una mirada sombría.

—Además, ¿qué ha sido del ojo por ojo?

Donald tomó un sorbo de chocolate con whisky.

—Como dijo Gandhi: «Ojo por ojo y el mundo acabará ciego».

—Tú de verdad crees en todo eso, ¿no?

—Sí, claro. Y lo menos que podrías hacer es respetarlo.

—Jamás respetaré tus creencias, Donald. Tan solo tu derecho a creer. Igual que tú deberías respetar mi derecho a no hacerlo.

Donald le dirigió una mirada prolongada y penetrante, con el resplandor de la turba iluminando la mitad de su pálido rostro mientras la otra mitad permanecía en la sombra.

—Tú eliges no creer, Fin, por lo que les pasó a tus padres. Y eso es distinto a no creer de verdad.

—Te diré lo que creo, Donald. Creo que el Dios del Antiguo Testamento no es el mismo que el del Nuevo. ¿Cómo conciliar la crueldad y violencia de uno con la paz y el amor que predica el otro? Buscando y eligiendo los trozos que te gustan y pasando por alto los que no. Así. Por eso hay tantas facciones del cristianismo. Hay, ¿cuántas? ¿Cinco sectas protestantes solo en esta isla?

Donald meneó la cabeza enérgicamente.

—Es la debilidad de los hombres la que hace que estén en desacuerdo y que luchen por sus diferencias, Fin. La fe es la clave.

—La fe es el bastón del débil. La utilizáis para disimular las contradicciones. Y recurrís a ella para proporcionar respuestas sencillas a preguntas imposibles. —Fin se inclinó hacia delante—. Antes, cuando me golpeaste, te salió del corazón, no fue cosa de tu fe. Ese es tu yo verdadero, Donald. Seguías tu instinto. Y aunque de manera equivocada, obedecía a un deseo verdadero de proteger a tu hija. Y a tu nieta.

Donald soltó una risotada cargada de ironía.

—Esto sí que es una inversión de papeles. El creyente golpeando y el no creyente poniendo la otra mejilla. Debes de estar encantado. —No se molestó en disimular el rencor en su voz—. Ha estado mal, Fin, y no debería haberlo hecho. No volverá a suceder.

—Puedes estar seguro. Porque la próxima vez te devolveré el golpe. Y te aviso: juego sucio.

Donald no pudo contener una sonrisa. Apuró su taza y se la quedó mirando durante unos segundos, como si contuviera la respuesta a todas las preguntas del universo.

—¿Quieres un poco más?

—¿De chocolate o de whisky?

—De whisky, claro. Tengo otra botella.

Fin le alargó su taza.

—Puedes echar tanto como quieras.

Donald dividió lo que quedaba en la botella entre las dos tazas y Fin disfrutó del delicado sabor de la malta, teñida y suavizada por el jerez en cuyas barricas había envejecido, deslizándosele cálido por la garganta.

—¿Qué nos ha pasado, Donald? Éramos amigos. Todos nos fijábamos en ti cuando éramos pequeños. Eras casi un héroe, un modelo de conducta para el resto.

—Un modelo de conducta bastante jodido, entonces.

Fin negó con la cabeza.

—No. Cometiste errores, claro. Como todo el mundo. Pero había algo distinto en ti. Tú eras un espíritu libre, Donald, le hacías cortes de mangas al mundo, pero Dios te cambió. Y no para mejor.

—¡No empieces!

—Sigo esperando que un día te vuelvas con esa sonrisa contagiosa tuya y grites: «¡Era broma!».

Donald se rió.

—Dios me cambió, Fin. Pero fue para bien. Me enseñó a controlar mis instintos más básicos, a ser mejor persona. A hacer a los otros solo lo que desearía para mí.

—Entonces, ¿por qué tratas tan mal a Fionnlagh y a Donna? No está bien intentar separarlos. Sé que crees que estás protegiendo a tu hija, pero esa niña es la hija de Fionnlagh. ¿Cómo te sentirías si fueras él?

—Para empezar, yo no la habría dejado embarazada.

—¡Oh, venga ya! Me juego lo que quieras a que ni siquiera recuerdas con cuántas chicas te acostaste a su edad. Tuviste suerte de que ninguna se quedara embarazada. —Hizo una pausa—. Hasta Catriona.

Donald lo fulminó con la mirada bajo el entrecejo fruncido.

—¡Que te den por el culo, Fin!

Y Fin rompió a reír.

—Ese es el Donald que yo conozco.

Donald meneó la cabeza, intentando contener una sonrisa.

—Siempre fuiste una mala influencia para mí. —Se levantó, se dirigió al aparador y abrió una botella sin entrenar. Se acercó a Fin para rellenar las tazas y se dejó caer nuevamente en la silla.

—Así que, a fin de cuentas, tú y yo compartimos nieta, Fin Macleod. ¡Abuelos! —Soltó un resoplido de incredulidad con los labios fruncidos—. ¿Cuándo te enteraste de que Fionnlagh era hijo tuyo?

—El año pasado. Durante la investigación del asesinato de Angel Macritchie.

Donald arqueó una ceja.

—No lo sabe todo el mundo, ¿verdad?

—No.

Donald le dirigió una mirada cargada de curiosidad.

—¿Qué pasó en An Sgeir el agosto pasado, Fin?

Pero Fin se limitó a negar con la cabeza.

—Eso queda entre mi creador y yo.

Donald asintió lentamente con la cabeza.

—Y la razón de tu visita a la iglesia el otro día... ¿también es un secreto?

Fin pensó en ello mientras observaba las ascuas de la turba y decidió que no tenía por qué ocultarle la verdad.

—Puede que hayas oído hablar del cuerpo que encontraron en la turbera de Siader hace un par de semanas.

Donald inclinó la cabeza en un gesto de asentimiento.

—Se trata del cadáver de un joven de diecisiete o dieciocho años, que fue asesinado a finales de la década de los cincuenta.

—¿Asesinado? —El reverendo Murray se mostró horrorizado.

—Sí. Y al parecer está emparentado de algún modo con Tormod Macdonald. Quien resulta que no es el tal Tormod Macdonald.

La taza de Donald se quedó detenida en el aire.

—¿Qué?

Fin le relató su viaje a Harris con el sargento Gunn y lo que allí habían descubierto. Donald sorbía su whisky con gesto pensativo mientras lo escuchaba.

—El problema —continuó Fin—, es que es probable que jamás descubramos la verdad. La demencia de Tormod está en un estadio avanzado y cada vez va a peor. Es difícil que diga algo con cierto sentido. Marsaili ha ido a verlo hoy y le ha dicho que utilizaban algas para abonar cuervos.

Donald se encogió de hombros.

—Bueno, no me parece tan descabellado.

Fin parpadeó sorprendido.

—¿Ah, no?

—Claro que *feannagan* significa «cuervos» aquí en Lewis, o en Harris. Pero en las islas del sur es lo que llaman «camas perezosas».

—No tengo ni idea de lo que me hablas, Donald.

Donald se rió.

—Probablemente nunca hayas estado en el sur católico, ¿verdad, Fin? Y es probable que yo tampoco hubiera ido si no fuera porque tuve que hacer algunas visitas ecuménicas. —Le dirigió una fugaz mirada—. Tal vez no sea tan estrecho de miras como crees.

—¿Qué son «camas perezosas»?

—Es el sistema que los isleños desarrollaron para plantar hortalizas, sobre todo patatas, cuando la tierra era demasiado fina o de mala calidad. Como en los caballones de South Uist o Eriskay. Utilizan algas de la orilla como abono. La colocan en franjas de unos treinta centímetros de ancho, y dejan otros treinta centímetros entre una y otra, y allí cavan la tierra y la vierten sobre las algas. Así crean canales de drenaje entre las franjas de tierra y las algas donde plantan las patatas. Y los llaman «camas perezosas». O *feannagan*.

Fin tomó un sorbo de whisky.

—Entonces no es ninguna tontería hablar de abonar los cuervos.

—En absoluto. —Donald se inclinó hacia delante, apoyado en las rodillas con la taza entre las manos y contemplando el fuego mortecino—. Puede que el padre de Marsaili no sea de Harris, Fin. Tal vez viniera del sur. South Uist, Eriskay, Barra... ¿Quién sabe? —Hizo una pausa para tomar otro sorbo—. Pero se me ocurre algo... —Se volvió para mirar a Fin—. No habría conseguido un permiso matrimonial de la oficina del registro civil para que mi padre lo casara sin haber presentado antes su certificado de nacimiento. ¿Cómo pudo conseguirlo?

—Desde luego no se lo dieron en la oficina de Harris —respondió Fin—. Porque el muchacho muerto que llevaba su nombre estaba registrado allí y era popular.

—Exacto. De modo que conocía o estaba emparentado con su familia. O alguien cercano a él lo estaba. Y o bien robó el certificado de nacimiento, o bien se lo dieron. Lo que tienes que hacer es descubrir esa conexión.

Fin esbozó una sonrisa renuente y arqueó una ceja mientras miraba al pastor.

—¿Sabes, Donald? Siempre fuiste más listo que el resto de nosotros. Pero establecer una relación así… Eso es como buscar una aguja en un pajar.

23

Catriona le había dejado unos pantalones de Donald y un jersey de lana que en esos momentos llevaba puestos debajo del impermeable mientras desafiaba a los vientos que barrían implacables el *machair*.

A los dos hombres les llevó hasta el amanecer tomarse la mitad de la segunda botella. Fin se había despertado en el sofá poco después de las siete con el aroma a beicon procedente de la cocina flotando en el ambiente.

No vio ni rastro de Donald mientras Catriona le servía un plato de beicon, huevo, salchichas y pan frito en la mesa de la cocina. La mujer se había acostado mucho antes de que terminaran de beber, y no había hecho ningún comentario sobre la cantidad de alcohol consumido. Ni Fin ni ella se habían sentido demasiado dispuestos a iniciar una conversación. Que no aprobaba su actitud, ni lo que había sucedido la víspera, se hizo evidente en su silencio.

La lluvia había cesado en algún momento de la noche y los suaves vientos del sur ya habían secado la hierba; otro cambio en el tiempo. El sol había redescubierto su calor y luchaba por imponerse a la crudeza del viento.

Fin necesitaba aire fresco para despejarse la cabeza, aún confusa y afectada por las palabras que habían vertido y el whisky que habían consumido entre los dos. Aún no había regresado a su tienda, temeroso de cómo la encontraría tras haberla dejado abierta y expuesta a los elementos toda la noche. Cabía la posibilidad de que hubiera desaparecido, y no estaba seguro de estar listo para enfrentarse a tal posibilidad.

Ya fuera guiado por su subconsciente o por pura casualidad, se descubrió siguiendo el camino que conducía al cementerio de Crobost, en el que las lápidas se alzaban sobre la ladera de la colina como las púas de un puerco espín. Todos los Macleod y Macdonald, Macritchie, Morrison y Macrae que habían vivido y muerto en esa estrecha franja de tierra estaban enterrados allí. Duros como rocas, tallados de la masa de la humanidad por los vientos, el mar y la lluvia. Entre ellos sus padres. En ese momento deseó haber llevado allí a Robbie y haberlo enterrado junto a sus antepasados. Pero Mona jamás se lo habría permitido.

Se paró en la puerta. Era allí donde Artair le había dicho años atrás que él y Marsaili se habían casado. Una parte de él murió ese día cuando perdió, finalmente, a la única mujer a la que había amado. La mujer a la que había alejado de su vida con crueldad y falta de consideración. Una pérdida autoinfligida.

Pensó en ella y fue como si estuviera viéndola. La piel sonrojada por el viento, el pelo alborotado tras ella. Recordó esos ojos de color azul aciano atravesando su coraza protectora, desarmándolo con su ingenio, rompiéndole el corazón con la sonrisa. Y se preguntó si había forma de volver atrás. ¿O sería verdad lo que le había dicho a Fionnlagh? Que si no habían sido capaces de hacer funcionar su relación años atrás, ¿por qué iba a ser diferente ahora? El pesimista que llevaba dentro sabía que probablemente no lo fuera. Y, consumido por su pesimismo, tan solo una insignificante parte de él creía que tenían alguna posibilidad. ¿Por eso había regresado? ¿Persiguiendo la más mínima de las posibilidades?

No cruzó la puerta. Había visitado el pasado en demasiadas ocasiones y solo había encontrado dolor.

Con la cabeza todavía nublada por el alcohol, dirigió sus

pasos cansados hacia el sendero que lo conducía a su casa y pasó frente a la escuela hasta la que había caminado tantas veces con Artair y Marsaili. No había cambiado demasiado. Como tampoco lo había hecho la larga carretera recta que conducía a las tiendas de Crobost, con la silueta de la iglesia en la colina y las edificaciones que se alzaban firmes contra el viento que soplaba en la cresta. Allí solo crecían los arbustos más resistentes. Solo el hombre, y las casas que construía, podían hacer frente a la furia del clima que barría el Atlántico. Aunque solo durante un tiempo. Como atestiguaban el cementerio del acantilado y las ruinas de tantas casas negras de piedra.

El coche de Fionnlagh seguía aparcado frente a la tienda, donde lo habían abandonado la noche anterior, con la llave de contacto perdida en algún lugar del pantano. Sin duda, Fionnlagh regresaría en algún momento para hacerle un puente y llevárselo a casa. El coche de Fin se encontraba cerca de la cima de la colina, sacudido por la brisa de lo alto del camino que conducía al chalet de Marsaili. Le había dado las llaves al chico y le había pedido que volviera a casa con Donna y el bebé, y después había ido en el coche de Donald a casa de este.

Llamó a la puerta de la cocina antes de entrar. Donna se volvió desde la mesa en la que había dejado un cuenco de cereales, su rostro convertido en una máscara del temor. Solo se relajó un poco cuando reconoció a Fin. Sus facciones estaban faltas de color. Extremadamente pálidas. Sombras bajo unos ojos asustados. La joven miró detrás de Fin, como si sospechara que no estaba solo.

—¿Dónde está mi padre?

—Durmiendo la mona.

Donna frunció el ceño en un gesto de incredulidad.

—Estás de broma.

Y Fin se dio cuenta de que Donna solo conocía al bravucón con pretensiones de superioridad moral que citaba la Biblia y temía a Dios en el que se había convertido Donald. No sospechaba la existencia del hombre auténtico que se escondía bajo el caparazón de la religión, que él mismo había construido para ocultar su vulnerabilidad. El Donald Murray que Fin había conocido de pequeño. El hombre al que había llegado a atisbar brevemente durante las primeras horas de ese día, después de que el whisky le hiciera bajar la guardia.

—¿Dónde está Fionnlagh?

Donna señaló el salón con la cabeza.

—Está dando de comer a Eilidh.

Fin frunció el entrecejo.

—¿Eilidh?

—La niña.

Y cayó en la cuenta de que era la primera vez que escuchaba su nombre. Hasta ese momento solo había oído referirse a ella como «el bebé» o «la niña». No se le había ocurrido preguntar su nombre. Descubrió a Donna mirándolo con ojos que parecían capaces de leerle el pensamiento con facilidad, y notó cómo se sonrojaba. Asintió con la cabeza y se dirigió al salón, donde encontró a Fionnlagh sentado en una butaca, acunando a la niña en el brazo izquierdo mientras le daba el biberón con la mano derecha. Unos ojos como platos en un rostro minúsculo observaban fijamente a su padre con una confianza absoluta.

Fionnlagh pareció incómodo porque su padre lo viera de ese modo, pero no tenía posibilidad de moverse. Fin se sentó en la butaca de enfrente y un silencio tenso se instaló entre los dos. Al cabo, Fin dijo:

—Mi madre se llamaba Eilidh.

Fionnlagh asintió con la cabeza.

—Lo sé. Se llama así por ella.

Fin tuvo que parpadear con fuerza para reprimir la humedad que se le formó de repente en los ojos.

—Le habría encantado.

Una débil sonrisa despuntó en el rostro del chico.

—Gracias, por cierto.

—¿Por qué?

—Por aparecer ayer por la noche. No sé qué habría pasado si no nos hubieras seguido.

—Huir no es la solución, Fionnlagh.

La llama repentina de la indignación encendió el rostro del joven.

—Entonces, ¿cuál es? No podemos seguir así.

—No, no podéis. Pero tampoco podéis echar vuestras vidas por la borda. Solo haréis lo mejor para vuestra hija si buscáis lo mejor para vosotros mismos.

—¿Y cómo se hace eso?

—Para empezar, tendréis que hacer las paces con Donald.

Fionnlagh resopló y volvió la cabeza hacia un lado.

—No es el monstruo que tú te imaginas, Fionnlagh. Es solo un hombre equivocado que cree estar haciendo lo mejor para su hija y su nieta.

Fionnlagh intentó protestar pero Fin levantó una mano para impedírselo.

—Habla con él, Fionnlagh. Cuéntale lo que quieres hacer con tu vida; y cómo pretendes hacerlo. Demuéstrale que tienes intención de mantener a Donna y a Eilidh en cuanto puedas, y casarte con su hija cuando seas capaz de ofrecerle un futuro.

—¡Pero es que no sé lo que quiero hacer con mi vida! —La frustración quebró la voz de Fionnlagh.

—Casi nadie lo sabe a tu edad. Pero eres listo, Fionnlagh. Debes terminar el instituto, ir a la universidad. Y Donna también, si es lo que quiere.

—¿Y mientras tanto?

—Quedaos aquí. Los tres.

—¡El reverendo Murray no lo aceptará!

—No sabes lo que aceptará y lo que no hasta que hables con él. Piénsalo. Tenéis mucho más en común de lo que crees. Él solo quiere lo mejor para Donna y Eilidh. Igual que tú. Lo único que tienes que hacer es convencerlo de ello.

Fionnlagh cerró los ojos y respiró hondo.

—Es más fácil de decir que de hacer.

La tetina de goma resbaló de la boca de Eilidh y la pequeña balbuceó en protesta. Fionnlagh le devolvió su atención y se la colocó de nuevo entre los pequeños labios manchados de leche.

Fin reconoció el coche de Donald aparcado donde debería estar el suyo, en la curva de la carretera, por encima de la granja abandonada y de su tienda a merced del viento. Pesadas nubes bajas arañaban y rozaban las ondulaciones de aquella tierra, preñadas de lluvia, pero conteniéndola aún, como si se hubieran dado cuenta de que el suelo seguía saturado de agua.

Fin llegó al coche y miró alrededor. Sin embargo, no había rastro de Donald. Por lo menos, su tienda seguía allí, desordenada y empapada, con las cuerdas destensadas y vibrando sin control a merced del vendaval, pero aún sujeta a las estaquillas. Se deslizó por la pendiente hacia ella y a través de la abertura vio que había alguien dentro. Se arrodilló, avanzó a gatas y descubrió a un Donald Murray con aspecto desaliñado, sentado con las piernas cruzadas sobre el saco de dormir, con el informe acerca del atropello con fuga de su hijo abierto encima de las rodillas.

La cólera se apoderó de Fin, que se lo arrebató de un zarpazo.

—¿Qué coño estás haciendo?

Donald se sorprendió. Y pareció avergonzado.

—Lo siento, Fin. No quería fisgonear, en serio. He venido a buscarte y he encontrado la tienda abierta y las hojas del informe volando por todas partes. Las he recogido para ordenarlas y... —Hizo una pausa—. No he podido evitar ver de qué se trataba.

Fin no fue capaz de mirarlo a los ojos.

—No tenía ni idea.

Fin arrojó el informe al fondo de la tienda.

—Nada nuevo. —Retrocedió hasta salir y se levantó, plantándole cara al viento. La enorme y galopante masa de nubes parecía encontrarse justo sobre su cabeza, oprimiéndolo, y notó alguna gota aislada en el rostro. Donald salió precipitadamente tras él y ambos permanecieron de pie, el uno junto al otro, contemplando la pendiente de la granja, hacia los acantilados y la playa a sus pies. Transcurrieron algunos minutos antes de que hablaran.

—¿Has perdido a algún hijo, Donald?

—No.

—Te desgarra por dentro. Tu vida deja de tener sentido. Solo quieres acurrucarte y morir. —Se volvió rápidamente hacia el pastor—. Y no me sueltes ningún rollo sobre Dios ni sobre un propósito más elevado. Eso aún me cabrearía más con Él de lo que ya lo estoy.

—¿Quieres hablar del tema?

Fin se encogió de hombros, hundió las manos en los bolsillos del impermeable y empezó a descender por la pendiente en dirección a los acantilados. Donald se apresuró tras él.

—Solo tenía ocho años, Donald —dijo Fin—. El nuestro no era un matrimonio perfecto, pero tuvimos a Robbie, y él, de algún modo, nos dio sentido como pareja.

Ahora veían, a sus pies, la entrada del mar desde el Minch en enormes olas a cámara lenta que chocaban con furia blanca y espumosa contra las rocas a lo largo de la costa, levantando salpicaduras a diez metros de altura.

—Mona salió con él un día. Habían ido de compras. Ella llevaba bolsas en una mano y con la otra cogía la mano de Robbie. Era un paso de peatones. Estaba verde para los peatones. Y entonces apareció ese coche que se saltó el semáforo. ¡Pum! A ella la lanzó por los aires, a él le pasó por encima. Ella sobrevivió, él murió. —Cerró brevemente los ojos—. Y nosotros también morimos. Nuestro matrimonio, quiero decir. Robbie había sido la única razón para seguir juntos. Sin él, nos derrumbamos.

Ahora casi habían llegado al borde de los acantilados, donde la erosión causada por el clima había vuelto el suelo inestable, por lo que no era seguro acercarse más. Fin se agachó de repente y arrancó la suave y húmeda borra de un tallo de algodón blanco de los pantanos, y la deshizo suavemente entre el pulgar y el índice. Donald se agachó junto a él mientras el océano gruñía y bramaba por debajo de ellos, como si deseara succionarlos del borde del acantilado y arrastrarlos a sus profundidades.

—¿Qué pasó con el conductor?

—Nada. No paró. Y no lo han encontrado.

—¿Crees que lo harán?

Fin se volvió hacia él.

—No creo que tenga forma de seguir adelante con mi vida si no lo hacen.

—¿Y si lo encontraran?

—Lo mataría. —Fin retorció la flor del algodón entre los dedos y la arrojó al viento.

—No, no harías eso.

—Créeme, Donald. Si tuviera la oportunidad, es justo lo que haría.

Sin embargo, Donald negó con la cabeza.

—No lo harías, Fin. No sabes nada de él. Ni quién es, ni por qué no se detuvo ese día, ni el infierno en el que vive desde ese día.

—Eso cuéntaselo a alguien a quien le importe una mierda. —Fin se levantó—. Te vi anoche, Donald. Vi la mirada en tus ojos cuando creías que ibas a perder a tu niña. Y eso que solo iba a subirse a un ferry. Piensa cómo te sentirías si alguien le pusiera la mano encima, le hiciera daño, si alguien la matara. No pondrías la otra mejilla. Sería un ojo por ojo, y a la mierda con lo que diga Gandhi.

—No, Fin. —Donald también se levantó—. Imagino que sentiría muchas cosas. Ira, dolor, deseo de venganza. Pero no sería mi cometido. «Mía es la venganza», dijo el Señor. Tendría que creer que, de algún modo y en algún lugar, se haría justicia. Aunque fuera en la otra vida.

Fin lo miró detenidamente, la cabeza perdida en miles de pensamientos a la vez. Al fin dijo:

—Hay veces, Donald, en que me gustaría tener tu fe.

Donald sonrió.

—Entonces puede que aún quede un rayo de esperanza contigo.

Fin se rió.

—Ni lo sueñes. No hay alma más perdida que la mía. —Se volvió con rapidez—. Vamos. Conozco un sendero que baja a las rocas. —Y empezó a caminar por los acantilados, peligrosamente cerca del borde en opinión de Donald, que echó a andar tras él.

Tras unos cincuenta metros, el terreno descendía y el acantilado se convertía en una masa de turba y pizarra desmenuzada, protegida de la embestida del mar por una montaña de rocas que se alzaba desde la orilla. Un camino recortado conducía en ángulo hasta una playa de guijarros, resguardada y casi oculta al mar, prácticamente inaccesible desde uno y otro lado. A solo unos metros, el océano daba rienda suelta a toda su furia sobre los bajíos rocosos, su rugido amortiguado por los montones de rocas que lo contenían. Aguas cristalinas formaban charcos entre las rocas de más abajo y las salpicaduras se alzaban muy por encima de sus cabezas.

—Este era mi lugar secreto cuando era pequeño —dijo Fin—. Solía venir aquí cuando no quería hablar con nadie. Tras la muerte de mis padres, cuando fui a vivir con mi tía, no volví jamás.

Donald miró alrededor de aquel pequeño oasis de calma, envuelto por el eco del mar, tan cercano y lejano a la vez. Ni siquiera el viento llegaba hasta allí.

—He venido un par de veces desde mi regreso. —Fin esbozó una sonrisa triste—. Tal vez con la esperanza de encontrar mi viejo yo en este lugar. Un fantasma de la edad de la inocencia. Pero no he encontrado más que guijarros y cangrejos, y un eco muy distante del pasado. Aunque creo que eso solo está en mi cabeza. —Sonrió y apoyó un pie en el saliente de una roca—. ¿Para qué has venido a verme?

—Me desperté pensando en Tormod, y en la identidad robada. —Donald se rió—. Bueno, después de engullir más de medio litro de agua y dos comprimidos de paracetamol, claro. Hacía mucho tiempo que no bebía tanto whisky.

—Catriona me prohibirá la entrada a tu casa.

Donald sonrió.

—Ya lo ha hecho.

Fin soltó una carcajada y se sintió bien al reírse con Donald de nuevo, después de tantos años.

—Dime, ¿qué has pensado sobre Tormod?

—Hace un par de meses apareció un artículo en la *Gazette*. Sobre un centro de genealogía en la parte sur de Harris. Se llama Seallam y es fruto de la afición de un tipo que la convirtió en su obsesión. Ahora constituye uno de los archivos más exhaustivos sobre relaciones familiares en las Hébridas Exteriores. Mejor que el registro de cualquier iglesia o centro gubernamental. Ese tipo ha identificado decenas de miles de conexiones familiares de las islas con territorios tan lejanos como Norteamérica o Australia. Si alguien tiene conocimiento de la familia Macdonald y todas sus ramas, es él. —Arqueó las cejas—. ¿Qué te parece?

Fin asintió con gesto pensativo.

—Me parece que merecerá la pena ir a echar un vistazo.

24

En su viaje hacia el sur, Fin pasó por Luskentyre y Scarista, donde había estado el día anterior con George Gunn. Llevaba casi dos horas en la carretera cuando las colinas verdes de South Harris se alzaron desde el valle haciendo parecer diminutas las poblaciones que se aferraban con tenacidad a las orillas de los pequeños lagos que bañaban los desfiladeros.

Al otro lado del edificio blanco de una sola planta con tejado a dos aguas que albergaba el centro de información Seallam, nubes de color crema se deslizaban por las laderas de una colina cónica como un volcán en erupción. Extrañamente, el viento había cesado y una calma anormal se cernía sobre el valle, mezclada con la neblina.

Pinos enanos se apiñaban alrededor de las pocas casas que formaban el pueblo de Northton: An Taobh Tuath, en gaélico. Lirios amarillos y las flores rosadas de las azaleas bordeaban la carretera, breves notas de color en un paisaje monótono. En un cartel se leía: «¡SEALLAM! Exposiciones, Genealogía, Té/Café».

Fin aparcó en una zona de gravilla al otro lado de un arroyo que fluía serpenteante entre las colinas, y a continuación tomó el camino pedregoso hacia el pequeño puente de madera que lo llevó hasta el centro. Un hombre fornido con un fino flequillo cano en una cabeza por lo demás calva se presentó como el especialista en genealogía de Seallam, Bill Lawson. Se deslizó unas enormes gafas de estilo años setenta sobre el puente de su larga nariz y se presentó como el hombre cuya afición se había convertido en obsesión, tal como se describía en la *Stornoway Gazette*.

Se mostró encantado de enseñar a Fin los inmensos mapas murales de Norteamérica y Australia que formaban parte de la exposición abierta al público que ofrecía el centro. Grupos de chinchetas de cabeza negra señalaban asentamientos de familias de las Hébridas que se habían marchado, en busca de una nueva vida, a California, a la costa Este de Estados Unidos, a Nueva Escocia y al sudeste de Australia.

—¿Qué está buscando exactamente? —preguntó a Fin.

—A una familia en concreto. Los Macdonald de Seilebost. Murdo y Peggy. Tuvieron un hijo llamado Tormod que se ahogó en un accidente de barco en 1958. Dejaron su granja a principios de los sesenta y es probable que se marcharan al extranjero. Aún hoy sigue abandonada.

—No creo que sea complicado —respondió el experto, y Fin lo siguió hasta la reducida zona de recepción y venta de artículos en la que las estanterías crujían bajo el peso de tomos ilustrados de gran formato y guías turísticas de las islas encuadernadas en tapa dura. Bill Lawson se agachó para sacar un ejemplar de entre una montaña de publicaciones de color beis que había en el estante inferior—. Aquí se recogen las historias de nuestras granjas de Harris —anunció—. Las organizamos por pueblo y granja. Quién vivió en ellas, cuándo y adónde fueron. Todo lo demás cambia, pero la tierra permanece en su sitio. —Pasó las páginas del cuaderno de espiral—. Antes del registro civil de 1855, la información escaseaba. Y la poca que se tenía estaba en una lengua extranjera: el inglés. —Sonrió—. Así que constan los nombres que el funcionario entendía. Mal escritos en muchos casos. La verdad es que les daba igual. Sucede lo mismo con los registros de la Iglesia. Algunos pastores ponían toda su atención, mientras que a otros les importaba poco. Llevamos combinando el registro popular con los registros oficiales desde 1855, y cuando ambos concuerdan, podemos estar bastante seguros de que la información es exacta.

—Entonces, ¿cree que podrá decirme qué sucedió con los Macdonald?

El hombre sonrió.

—Sí. Tenemos informes sobre prácticamente todas las familias de las islas occidentales a lo largo de los últimos doscientos años. Más de 27.500 árboles genealógicos.

El hombre pasó unos quince minutos buscando entre los libros de registro y en la base de datos del ordenador hasta encontrar la granja y su historia, así como el linaje de quienes habían vivido en ella y trabajado esa tierra durante generaciones.

—Sí, aquí lo tenemos. —Clavó un dedo en la página de uno de sus libros—. Murdo y Peggy Macdonald emigraron a Canadá en 1962. A New Glasgow, en Nueva Escocia.

—¿Hay alguna rama de la familia que se quedara en las islas?

—Veamos… —Recorrió una lista de nombres con el dedo—. Está la prima de Peggy, Marion. Se casó con un muchacho católico justo antes de la guerra. Donald Angus O'Henley. —Se rió entre dientes—. Estoy seguro de que se formó bastante revuelo.

—¿Y queda algún miembro vivo de la familia?

El anciano meneó la cabeza mientras examinaba los registros.

—Al parecer el hombre murió en la guerra. No tuvieron hijos. Ella murió en 1991.

Fin exhaló un suspiro de frustración entre dientes. Tuvo la impresión de haber hecho el viaje en vano.

—Supongo que no quedarán vecinos que aún los recuerden, ¿verdad?

—Bueno, tendrá que ir a Eriskay para averiguarlo.

—¿A Eriskay?

—Sí, claro. Donald Angus era de allí. Y no es posible que a

un muchacho católico se le ocurriera instalarse entre los aguafiestas presbiterianos de Harris. —Se rió de su propia broma—. Cuando se casaron, ella se fue a vivir a la granja familiar de su marido en Haunn, en la isla de Eriskay.

El pequeño puerto pesquero y de ferris de An t'Òb fue rebautizado como «Leverbourgh» por William Hesketh Lever, quien más adelante se convertiría en lord Leverhulme y quien compró el pueblo, junto a la mayor parte de South Harris, justo después de la Primera Guerra Mundial.

En la actualidad quedaban muy pocas señales del medio millón de libras que había invertido para convertirlo en un puerto pesquero importante, diseñado para albergar los más de cuatrocientos barcos de pesca que había adquirido por toda Gran Bretaña. Se construyeron muelles, secaderos y ahumaderos de pescado. Se planeó también abrir un canal a través del lago interior a fin de crear un puerto que diera cabida hasta a doscientos barcos.

Sin embargo, los mejores planes a menudo se frustran, y cuando Leverhulme murió de neumonía en 1924, los proyectos se abandonaron y su patrimonio fue vendido.

Ahora, una menguada población de poco más de dos mil personas vivía en casas desperdigadas alrededor del muelle y de la rampa de cemento construida para acoger los ferris transbordadores que hacían el trayecto entre las islas y recorrían las aguas entre South Harris y North Uist. Los sueños de un puerto pesquero importante se habían perdido para siempre entre la bruma.

Fin aparcó detrás de dos hileras de vehículos que esperaban sobre la plataforma de asfalto para subir al ferry. Más allá de montones de nasas desechadas y ovejas que pastaban, una línea de casas revestidas de verde recorría las colinas que se doblaban sucesivamente hacia la costa. El viento había cesado por completo, y una agua como el cristal reflejaba las rocas cubiertas de algas del color del ámbar. A lo lejos, en el estrecho de Harris, el ferry emergía distante en una atmósfera gris, como un fantasma que vagara entre las sombras de las islas: Ensay, Killegray, Langaigh, Grodhaigh.

Fin permaneció allí sentado y se quedó contemplando cómo el ferry se acercaba al puerto, hasta oír por fin el ruido sordo de los motores. Tardaría una hora, tal vez una hora y media, en conducir hacia el sur a través de las islas Uist, cruzar el yermo paisaje lunar de Benbecula hasta el estrecho de Eriskay y recorrer la propia isla del extremo sur del archipiélago, la última parada antes de llegar a Barra.

Las razones que lo llevaban allí eran poco sólidas. Una prima de la madre del difunto Tormod Macdonald que se había trasladado a la isla. Las «camas perezosas» de Eriskay, las *feannagan* a las que se había referido el padre de Marsaili. Y luego estaba la iglesia de la colina que el anciano le había descrito, con vistas sobre el cementerio y las arenas plateadas más abajo. Podría haberse tratado de la iglesia de Scarista, solo que en ella no había ningún barco, y las arenas que se veían desde allí eran doradas, no plateadas. Por algún motivo, creía que los recuerdos dispersos del anciano, sus fragmentos de memoria, no mostraban una imagen de Harris, donde el auténtico Tormod Macdonald había vivido y había muerto. Los suyos eran recuerdos de otro lugar, de otra época. De Eriskay. Tal vez.

Las sirenas de alerta sonaron mientras el *Loch Portain* se adentraba en el puerto y la rampa empezaba a descender hacia el asfalto. Algunos coches y un par de camiones emergieron de su vientre, y las hileras de vehículos que esperaban comenzaron a bajar por la pendiente, uno detrás de otro.

La hora de trayecto entre Harris y Berneray transcurrió como un sueño. El ferry parecía deslizarse sobre la superficie espejeada del estrecho, dejando atrás los islotes y las rocas espectrales que aparecían como fantasmas de entre la bruma plateada. Fin permaneció en la cubierta de proa, agarrado a la barandilla, observando pinceladas de nubes que formaban vetas oscuras contra un cielo gris pálido. En pocas ocasiones había visto las islas en una calma tan espléndida, misteriosa y etérea, sin el menor indicio de que el hombre hubiera puesto los pies en ellas.

Por fin el contorno oscuro de la isla de Berneray se hizo visible en la penumbra y Fin regresó a la cubierta de coches para desembarcar en el inicio de su largo recorrido hacia el sur. Ese dispar grupo de islas, que en el pasado se había llamado erróneamente Long Island, estaba ahora conectado en su mayor parte por una red de carreteras elevadas a modo de puentes por las que, antaño, los vehículos solo podían circular cuando la marea estaba baja. Solo entre Harris y Berneray, y entre Eriskay y Barra era aún necesario cruzar en barco.

North Uist ofrecía un paisaje lóbrego y primitivo. Montañas elevadas envueltas en nubes que descargaban con fuerza sobre sus laderas y extendían zarcillos de bruma sobre el páramo. Esqueletos de casas abandonadas años atrás, con los hastiales desnudos y negros contra un cielo perturbador. Un terreno pantanoso hostil e inhóspito, interrumpido tan solo por retazos de lagos y ensenadas irregulares. Las ruinas de los intentos fallidos por parte de hombres y mujeres de dominarlo estaban por todas partes, y quienes seguían allí, vivían apiñados en un puñado de pequeños municipios resguardados.

Más al sur, sobre la carretera elevada, la isla de Benbecula, llana y monótona, convertida en un borrón. Entonces el cielo pareció abrirse, la sensación de opresión se disipó, y South Uist emergió ante sus ojos, con montañas al este y las fértiles llanuras de *machair* al oeste, extendiéndose hasta el mar.

Las nubes estaban ahora más altas, resquebrajadas por un viento cada vez más intenso, mientras la luz del sol se colaba entre ellas y se vertía sobre los ríos y las lagunas del territorio. Flores amarillas y púrpura se inclinaban agitadas por la brisa, y

Fin se sintió más animado. Dejó atrás la salida hacia el puerto de ferris de la costa este en Lochboisdale, y más adelante, al oeste, se fijó en los cobertizos abandonados de la vieja planta de procesamiento de algas de Orasaigh, al otro lado de un cementerio protestante tapiado. Al parecer, incluso en la muerte había segregación entre católicos y protestantes.

Finalmente torció hacia el este por la carretera que llevaba a Ludagh, y al otro lado del reluciente estrecho de Eriskay alcanzó a ver fugazmente la propia isla. Era más pequeña de lo que la había imaginado, eclipsada de algún modo por la isla de Barra y su anillo de islotes, que se erguían amenazantes sobre el mar de acuarela que tenía detrás.

Un espigón de piedra se extendía sobre la boca de la bahía de Ludagh, mientras que algunas casas desperdigadas ocupaban la colina mirando al sur, hacia el estrecho. La marea estaba baja, y el puñado de barcos anclados en la bahía descansaban volcados sobre la arena. Los bolardos de cemento de un muelle en desuso se prolongaban más allá de la rampa por la que algún día un ferry debió de transportar gente y mercancías de un lado a otro.

Fin aparcó su coche en el espigón y salió a una brisa intensa procedente del sur que notó cálida en el rostro. Aspiró el olor del mar y alzó una mano para protegerse los ojos del resplandor del sol sobre el agua mientras miraba hacia Eriskay. No podría haber explicado el porqué, pero se sintió casi abrumado por una extraña sensación, algo parecido a un *déjà vu*, al mirar esa isla.

Un hombre mayor con vaqueros y jersey de lana estaba trabajando en el casco de un bote vuelto del revés. Tenía el rostro curtido como el cuero bajo una mata de pelo plateado. Asintió con la cabeza y Fin comentó:

—Creí que había una carretera elevada por la que se llegaba a Eriskay.

El hombre se levantó y señaló al este.

—Sí, la hay. Solo tiene que seguir la carretera hasta esa punta.

Fin forzó la vista contra el resplandor y vio la carretera que cruzaba el estrecho a lo largo del horizonte.

—Gracias.

Regresó a su coche y siguió la carretera hasta allí donde se curvaba alrededor de la punta, y a continuación cruzó una reja de contención de ganado hasta llegar al largo y recto tramo de asfalto construido sobre los miles de toneladas de rocas lisas que se habían utilizado para formar el paso elevado entre las islas.

A medida que se acercaba, Eriskay fue ocupando todo su campo visual, sin árboles y árida, con una única montaña que se alzaba hacia el cielo. La carretera ascendía entre los pliegues de las colinas y lo conducía hasta la isla propiamente dicha. Al llegar a un cruce torció a la izquierda por una estrecha franja de asfalto que lo llevó al viejo puerto de Haunn, donde Bill Lawson le había dicho que encontraría la granja familiar de los O'Henley.

Un viejo espigón de piedra en un estado de evidente deterioro se adentraba en una bahía estrecha y resguardada. Un par de casas en ruinas se alzaban entre las rocas del otro extremo, donde un muelle de cemento parecía prácticamente abandonado. Otro grupo de casas rodeaba la bahía, algunas deshabitadas, otras también en ruinas. Aparcó al final del viejo espigón y caminó por la pasarela elevada, junto a montones de nasas y redes puestas a secar, y se descubrió mirando la pendiente de una rampa de cemento, y de nuevo hacia la extensión del estrecho hasta South Uist.

—Ahí es donde solía llegar el ferry de coches. —Un anciano con chaqueta acolchada y una gorra de tela se detuvo a su lado con un fox terrier de pelo corto que tiraba y se retorcía en el extremo de la larga correa—. El antiguo barco de pasajeros llegaba al otro muelle. —Se rió—. No hubo necesidad de un ferry de coches hasta que se construyeron las carreteras. Y eso no ocurrió hasta la década de los cincuenta. Y por aquel entonces no mucha gente tenía coche.

—Supongo que es usted de aquí, ¿verdad? —preguntó Fin.

—Nacido y criado aquí, sí. Pero por su gaélico entiendo que usted no lo es.

—Soy un Leodhasach —respondió Fin—. De Crobost, en Ness.

—Nunca he estado tan al norte —comentó el anciano—. ¿Qué lo trae hasta aquí?

—Estoy buscando la vieja granja de los O'Henley.

—Ah, bueno, pues no está lejos del lugar. Venga conmigo.

Se volvió y regresó a la pasarela que conducía al viejo espigón, con el perro corriendo frente a él, saltando y ladrando al viento. Fin lo siguió hasta que se detuvo en el muelle, frente a la pequeña bahía que se abría ante sus ojos.

—Ese edificio amarillo de la izquierda, el que no tiene tejado, era la tienda y la oficina de correos del pueblo. La llevaba un tipo llamado Nicholson, creo recordar. El único protestante de la isla. —Sonrió—. ¿Se lo imagina?

Fin no se lo podía imaginar.

—Justo un poco más allá, a la derecha, encontrará los restos de una vieja cabaña de piedra. No queda mucho de ella. Es la casa de la señora O'Henley. Hace años que murió. Enviudó bastante joven. Tenía a una muchachita que vivía con ella. Ceit, si no me falla la memoria. Pero no estoy seguro de que fuera su hija.

—¿Qué fue de ella?

—Oh, sabe Dios. Se marchó mucho antes de que muriera la anciana. Como todos los jóvenes. Se morían de ganas de largarse de la isla en esa época. —Su sonrisa se tiñó de tristeza—. Entonces y también ahora.

Fin dirigió la mirada más allá de las ruinas, hacia una gran casa blanca construida en las rocas que se cernían sobre ella. Lo que parecía un camino de entrada nuevo serpenteaba por la colina hasta una zona ajardinada en la parte delantera y un porche de madera separado de la casa por unos ventanales. En la parte superior había un balcón acristalado protegido de los elementos, y en la pared que quedaba por encima, una estrella de neón.

—¿Quién vive en esa casa blanca? —preguntó.

El anciano sonrió.

—Ah, es la casa de Morag MacEwan. Regresó a la isla que la vio nacer casi sesenta años después de salir de ella. No la recuerdo, pero es todo un personaje, esa mujer. Tal vez usted la conozca.

—¿Yo? —preguntó Fin, desconcertado.

—Si ve la televisión, claro. Era una estrella famosa en una telenovela. Está forrada, se lo aseguro. Mantiene las luces de Navidad encendidas todo el año, y conduce un Mercedes descapotable de color rosa. —Soltó una carcajada—. Dicen que su casa es como la cueva de Aladino, aunque yo nunca he entrado en ella.

—¿Cuánta gente vive en Eriskay hoy en día? —preguntó Fin.

—Oh, no mucha. Unas ciento treinta personas. Cuando yo era pequeño únicamente tenía quinientos habitantes. La isla solo mide alrededor de cuatro kilómetros de longitud. Y unos dos kilómetros en su punto más ancho. No es fácil ganarse la vida aquí. Ni con la tierra ni con el mar, en estos momentos.

Fin paseó la mirada por las laderas rocosas y desoladas, y se preguntó cómo esa gente había logrado sobrevivir allí. Sus ojos se detuvieron en un edificio oscuro que se alzaba en lo alto de una colina a su derecha, dominando la isla.

—¿Qué es ese lugar?

El hombre siguió su mirada.

—Es la iglesia —respondió—. La iglesia de san Miguel.

Fin condujo colina arriba en dirección a la pequeña población de Rubha Ban, construida alrededor de la escuela de primaria y el centro médico. Un cartel en el que se leía «*Eaglais Naomh Mhicheil*» lo guió por un estrecho camino hasta la iglesia de piedra con pronunciados tejados a dos aguas y ventanas estrechas perfiladas de blanco. Una entrada en forma de arco coronada por una cruz blanca y el lema «*Quis ut Deus*» —¿Quién como Dios?— formaban la fachada sur de la iglesia. En el exterior, la campana negra de un barco reposaba sobre un pedestal, y Fin se preguntó si la utilizarían para convocar a los fieles a la oración. El nombre que se leía en ella, pintado en blanco, era *SMS Derfflinger*.

Aparcó el coche y se volvió para mirar la parte baja de la colina, hacia el espigón de Haunn y el estrecho hasta South Uist. El mar brillaba, resplandecía y se movía como si estuviera vivo, y la luz del sol bañaba las colinas del otro lado al tiempo que las sombras de las nubes se apoderaban de sus contornos a gran velocidad. El viento era fuerte allí arriba, le hinchaba la chaqueta y se colaba a través de sus rizos como si tratara de alisárselos.

Una mujer muy anciana vestida con un cárdigan rojo y una falda gris oscuro estaba limpiando el suelo de la entrada. Llevaba guantes de goma verdes hasta los codos y vertía agua jabonosa de un cubo de color rojo intenso. Un pañuelo de seda le cubría el cabello algodonoso, y asintió a modo de saludo cuando se hizo a un lado para dejarlo pasar.

Durante un instante, el tiempo se detuvo para Fin. La luz entraba a raudales por ventanas en forma de arco. Coloridas estatuas de la Virgen María y el niño Jesús, y de ángeles alados inclinados en actitud de oración proyectaban largas sombras sobre los estrechos bancos de madera. Las estrellas brillaban en un firmamento azul pintado en la cúpula, sobre el altar, y la mesa cubierta con una tela blanca drapeada se sostenía sobre la proa de un pequeño barco.

Se le erizó el vello de los brazos y la nuca. Esa era la iglesia en la que había un barco de la que Tormod le había hablado. Se volvió hacia la entrada.

—Disculpe.

La anciana se irguió.

—¿Sí?

—¿Cuál es la historia del barco que hay debajo del altar? ¿La conoce?

La mujer se llevó las manos a los riñones y arqueó la espalda hacia atrás.

—Pues sí —respondió—. Es una historia preciosa. La gente del pueblo construyó esta iglesia con sus propias manos, ¿sabe? Extrajeron las piedras, las labraron, y se cargaron sacos de arena y de otros materiales a las espaldas para subirlos hasta aquí. Almas devotas, sin duda. Cada una de ellas tiene su lugar en el cielo. No me cabe la menor duda. —Volvió a meter la fregona en el cubo y se apoyó en el mango—. Pero fueron los pescadores quienes pagaron por ella. Ofrecieron dar las ganancias de una noche de pesca para la construcción de la iglesia. Esa noche todos rezaron, y los hombres volvieron con una cantidad sin precedentes. Doscientas libras, fueron. Mucho dinero en aquella época. Así que el barco es una suerte de homenaje a esas almas valientes que se enfrentaron a la ira del mar por el Señor.

Fuera, Fin siguió el camino de grava hasta la fachada oeste de la iglesia y se fijó en que el terreno descendía hasta la orilla. Más allá de las casas de la ladera y de las lápidas que había en el *machair* de más abajo, hasta una franja de playa con reflejos plateados sobre las aguas turquesa de la bahía. Tal como Tormod le había dicho.

Fin recordó un párrafo del informe de la autopsia que había leído la noche anterior en su tienda, bajo la luz parpadeante del fluorescente.

«Se observa una contusión ovalada, entre marrón oscura y negra, en apariencia escoriada, de 5×25 centímetros, sobre la parte inferior de la zona rotular izquierda. La capa exterior de la piel presenta un aspecto ligeramente rugoso, con granos finos de arena plateada en la superficie.»

El patólogo había hallado arena plateada en todas las abrasiones y contusiones de la mitad inferior del cuerpo. No de arena dorada, como la de las playas de Harris. Sino plateada, como la que había allí, allí abajo, en la que Tormod había llamado «la playa de Charlie».

Fin se fijó en esa media luna plateada que rodeaba la bahía hasta un rompeolas en su extremo sur y se preguntó por qué la había llamado «la playa de Charlie».

25

—¿Quién es este?

—Es su nieto, señor Macdonald. Fionnlagh.

No me resulta familiar. Veo a algunos de los internos sentados en sus butacas como si fueran los reyes del lugar, pasando revista a este joven con el extraño pelo de punta que ha venido a verme. Parece que tienen curiosidad. ¿Cómo lo hará para que se le aguante de punta? ¿Y por qué?

La enfermera acerca una silla y el joven se sienta a mi lado. Parece incómodo. Qué le voy a hacer si no sé quién diablos es.

—No te conozco —le digo. ¿Cómo es posible que tenga un nieto? Apenas tengo edad para ser padre—. ¿Qué quieres?

—Soy el hijo de Marsaili —responde, y el corazón me da un vuelco en el pecho.

—¿Marsaili? ¿Está aquí?

—Ha ido a Glasgow, abuelo, para presentarse a unos exámenes. Volverá dentro de un par de días.

La noticia me sienta como una bofetada.

—Me prometió que me llevaría a casa. Estoy harto de este hotel. —Lo único que hago durante todo el día es quedarme sentado en una maldita silla y mirar por la ventana. Veo a los niños del otro lado de la calle salir por la mañana de camino a la escuela y volver a casa de noche. Y no recuerdo nada de lo que ha sucedido entre una cosa y la otra. Supongo que habré almorzado, porque no tengo hambre. Pero tampoco lo recuerdo.

—Abuelo, ¿te acuerdas de cuando te ayudaba a reunir las ovejas? ¿Cuando las juntábamos para el esquileo?

—¡Oh, Dios, sí! El esquileo. Eso me dejaba deslomado.

—Pues yo te ayudé con ello desde que tenía cuatro o cinco años.

—Sí, eras un muchachito muy guapo, Fin. Marsaili te tenía en muy alta estima, ya lo sabes.

—No, yo soy Fionnlagh, abuelo. Fin es mi padre.

Me dedica una de esas sonrisas que todo el mundo me dirige últimamente. Un poco avergonzados, como si creyeran que soy tonto.

—He estado ayudando a Murdo Morrison para sacarme un poco de dinero extra. Este año también le he echado una mano con la parición de las ovejas.

Recuerdo bien la parición de las ovejas. Ese primer año en la isla. Nunca nevaba, pero hacía un frío del carajo, y el viento de una húmeda noche de marzo podía partirte por la mitad. Jamás había visto nacer un cordero, y la primera vez estuve a punto de vomitar. Por culpa de toda esa sangre y la placenta. Pero qué maravilloso fue ver a esa cosita delgaducha, como una rata ahogada, respirar por primera vez y dar sus primeros pasos inestables. Vida en estado puro.

Ese invierno aprendí un montón de cosas. Aprendí que por muy dura que creyera que había sido mi vida en El Valle, había cosas mucho peores. Nadie nos trataba mal. No mal de verdad. Pero sobrevivir costaba un esfuerzo brutal, y nadie se libraba por el hecho de ser niño.

Todos los días había tareas que hacer. Nos levantábamos cuando todavía era noche cerrada, mucho antes de salir hacia la escuela, y subíamos la colina para llenar los cubos en el manantial. También cortábamos las algas de la orilla. Donald Seamus cobraba a tanto la tonelada de Alginate Industries, en la planta de procesamiento de algas de Orasaigh. Era un trabajo agotador, resbalábamos y nos caíamos sobre las rocas negras cuando la marea estaba baja, y teníamos que agacharnos con una hoz desafilada para cortar las algas, mientras las conchas, cortantes como cuchillas, nos destrozaban los dedos. Creo que quemaban las algas y utilizaban las cenizas como fertilizante. Alguien me explicó una vez que también hacían explosivos, pasta de dientes y helados con ellas. Pero nunca me lo creí. Ese alguien debió de pensar que yo era tan ingenuo como Peter.

Después de la parición de las ovejas llegaba la extracción de turba, más arriba, al otro lado de Beinn Sciathan, y teníamos que levantar los pedazos de turba que Donald Seamus cortaba con su *tarasgeir*, una azada especial, y que nosotros amontonábamos en grupos de tres. De vez en cuando les dábamos la vuelta para que el viento los secara por completo, y después los recogíamos en enormes cestas de mimbre. Compartíamos nuestro poni con un vecino, por lo que no siempre estaba disponible, y a veces teníamos que cargarnos esas cestas a la espalda.

Después estaba el heno, que cortábamos a mano en tiras largas con una guadaña. Separábamos las hierbas bastas y lo poníamos a secar, rezando para que no lloviera. Teníamos que voltearlo, airearlo y volver a colocarlo para que siguiera secándose, o se pudría en el montón. Así que era necesario que hiciera buen tiempo. De nuevo en la zona de apilamiento, lo convertíamos en balas, y hasta que no estaba llena de balas, Donald Seamus no se quedaba convencido de que habría suficiente pienso para alimentar a los animales durante el invierno.

Cabría pensar que no nos sobraba demasiado tiempo para ir a la escuela, pero a Peter y a mí nos llevaban cada mañana en barco con los otros niños para que nos recogiera el autobús y nos trasladara hasta el edificio revestido de chapa ondulada que había junto al cruce de Daliburgh y que era nuestro instituto. Había otro edificio, el de la escuela técnica, unos cuatrocientos metros más abajo. Pero yo solo fui hasta que se produjo el incidente de Año Nuevo. Después de eso, Donald Seamus se negó a que volviera, de modo que Peter tenía que ir solo.

No eran mala gente, Donald Seamus y Mary-Anne, pero no había amor en ellos. Sabía de algunos niños trasladados a las islas que recibían un trato terrible. No era nuestro caso.

Mary-Anne casi nunca hablaba. Apenas parecía consciente de nuestra existencia, salvo para darnos de comer y lavar la poca ropa que teníamos. Pasaba la mayor parte del tiempo hilando, tiñendo y tejiendo la lana, y reuniéndose con las otras mujeres para humedecer y golpear la tela, todas sentadas a una mesa de madera frente a la casa, en la que giraban y sacudían la trama hasta que quedaba lo bastante densa y del todo impermeable. Mientras lo hacían, cantaban siguiendo el ritmo de su labor. Canciones interminables para hacer soportable la repetitiva mecánica de los movimientos. Jamás he oído a mujeres cantar tanto como durante el tiempo que permanecí en la isla.

Donald Seamus era severo pero justo. Si se quitaba el cinturón para azotarme era, generalmente, porque lo merecía. Pero nunca le permití que le pusiera una mano encima a Peter. Por malo que fuera lo que pudiera haber hecho el chico, no era culpa suya, y tuve que enfrentarme a él para hacérselo entender.

Ahora no recuerdo qué había hecho Peter. Se le cayeron los huevos de vuelta del establo y se lo rompieron todos, tal vez. Recuerdo que le ocurrió varias veces, hasta que le pidieron que no fuera más a recogerlos.

Pero, hiciera lo que hiciese aquella vez, Donald Seamus se puso hecho una furia. Agarró a Peter por el cogote y lo arrastró al cobertizo de los animales. Allí siempre hacía calor y olía a mierda.

Cuando yo llegué, mi hermano ya tenía los pantalones por los tobillos. Donald Seamus lo había obligado a inclinarse sobre un caballete y se estaba deslizando el cinturón por las presillas del pantalón, a punto de azotarlo. Se volvió cuando entré y me ordenó claramente que me largara de allí. Pero yo me mantuve firme y miré alrededor. Había dos mangos de hacha nuevos colgados de la pared en un rincón del cobertizo. Cogí uno y noté la madera fría y suave en la palma de la mano mientras la rodeaba fuertemente con los dedos al tiempo que la sopesaba.

Donald Seamus se detuvo y lo miré a los ojos, sin parpadear, con el mango del hacha colgando a un lado de mi cuerpo. Era un hombre fornido, y estoy seguro de que en una pelea podría haberme dado una buena paliza. Pero en aquella época yo era un crío fuerte, casi un hombre joven y, con un sólido mango de hacha en la mano, ninguno de los dos teníamos la menor duda de que podía hacerle mucho daño.

No dijimos una palabra, pero en ese momento se trazó una línea. Si le ponía una mano encima a mi hermano, se las vería conmigo. Volvió a ceñirse el cinturón y le dijo a Peter que se largara, y yo devolví el mango de hacha a su rincón.

Jamás opuse resistencia cuando me tocó a mí recibir sus azotes en el trasero, y creo que me zurró el doble de lo que lo habría hecho en otras circunstancias. Como si yo recibiera el castigo de los dos. Pero no me importaba. El dolor en el trasero se pasaba, y así mantuve la promesa que le había hecho a mi madre.

Fue durante la segunda parición de las ovejas cuando rescaté a una cordera de una muerte segura. Era un animalito débil que apenas se sostenía en pie, y por alguna razón su madre la rechazó y le negaba la tetilla. Donald Seamus me dio una botella con una tetina de goma y me pidió que la alimentara.

Estuve casi dos semanas alimentando a esa pobre bestia, y no había duda de que creía que yo era su madre. La llamé Morag, y me seguía a todas partes, como un perro. Solía bajar a la orilla conmigo cuando iba a cortar las algas, y cuando me sentaba en las rocas a mediodía para comerme los sándwiches que Mary-Anne me envolvía en papel engrasado, se acurrucaba a mi lado, dándome su calor y absorbiendo el mío. Le acariciaba la cabeza y sus grandes ojos me miraban embelesados. Adoraba a esa corderita. La primera relación afectiva que tenía con otro ser vivo desde que muriera mi madre. Con la excepción, tal vez, de Peter. Pero eso era distinto.

Lo curioso es que creo que fue la cordera la que propició mi primera experiencia sexual con Ceit. O, más bien, los celos que la joven tenía de ella. Parece ridículo que alguien pueda sentir celos de una cordera, pero resultaría difícil explicar el vínculo emocional que creé con ese animalito.

Jamás había tenido relaciones sexuales, y llegué a pensar que quizá no estuvieran hechas para mí y que probablemente me pasaría el resto de mi vida cascándomela entre las sábanas.

Hasta que Ceit metió mano en el asunto. Por así decirlo.

Se había quejado en varias ocasiones del tiempo que le dedicaba a la cordera. Solía ir al espigón a reunirme con ella y con Peter cuando bajaban del barco a su regreso de la escuela, y después íbamos a lanzar guijarros a la bahía, o cruzábamos la colina y bajábamos a la que ella llamaba «la playa de Charlie», en la parte oeste de la isla. Nunca había nadie, y nos los pasábamos de miedo jugando al escondite entre la hierba y las ruinas de las granjas, o haciendo carreras sobre la arena compacta cuando la marea estaba baja. Sin embargo, desde la llegada de Morag, empecé a sentirme un poco preocupado.

«Tú y esa maldita cordera», me dijo Ceit un día. «Estoy harta de ella. ¡Nadie tiene una cordera por mascota! Un perro, vale, pero ¿una cordera?» Ya hacía mucho tiempo que no tenía que alimentarla, pero no estaba dispuesto a separarme de ella. Caminamos en silencio por el sendero que llevaba hasta la tienda del señor Nicholson. Era un bonito día de primavera, con una suave brisa que soplaba del sudoeste y el cielo veteado de nubes altas, como briznas de lana cardada. Sentíamos el sol cálido en la piel, y parecía que por fin el invierno se había retirado a acurrucarse en la oscuridad a esperar pacientemente el equinoccio de otoño, cuando enviaría señales de su inminente regreso con la llegada de los salvajes vendavales equinocciales.

Sin embargo, todo eso se veía muy lejano durante los optimistas días de finales de primavera y principios de verano.

La mayoría de las mujeres estaban sentadas a la puerta de sus casas, hilando y tejiendo. La mayoría de los hombres se habían hecho a la mar. El sonido de voces que se alzaban en cánticos recorría las colinas arrastrado por la brisa y resultaba extrañamente conmovedor. Cada vez que lo oía, se me ponía la piel de gallina.

Ceit bajó la voz, como si alguien pudiera oírnos.

«Quedemos esta noche. Quiero darte una cosa», me dijo.

«¿Esta noche?», pregunté sorprendido. «¿Cuándo? ¿Después de cenar?»

«No. Cuando oscurezca. Cuando todos duerman. Puedes escaparte por la ventana trasera, ¿no?»

Estaba perplejo.

«Bueno, sí, supongo que podría. Pero ¿por qué? Sea lo que sea, ¿por qué no me lo das ahora?»

«¡Porque no puedo, idiota!»

Nos detuvimos en la cima de la colina y miramos hacia abajo, a la pequeña bahía y la extensión del estrecho, en dirección a Ludagh.

«Estaré en el muelle a las once. Los Gillies ya se habrán acostado a esa hora, ¿no?»

«Desde luego.»

«Bien. Entonces no hay ningún problema.»

«No estoy seguro de que Peter se anime a venir», agregué.

«Joder, Johnny, ¡es que no puedes hacer algo sin Peter por una vez!» Tenía el rostro encendido y una expresión muy extraña en la mirada.

Su apasionada respuesta me desconcertó. Siempre lo hacíamos todo juntos, Ceit, Peter y yo.

«Claro que puedo», respondí a la defensiva.

«Bien. Pues entonces solos tú y yo. A las once en el espigón.»

Y se marchó con paso decidido, cruzando la colina hacia la granja de los O'Henley.

No sé por qué, pero me sentía extrañamente emocionado por la idea de salir a hurtadillas por la noche para reunirme con Ceit. Y cuando cayó la noche y el viento cesó, apenas lograba contener mi impaciencia. Peter y yo terminamos nuestras tareas de la tarde y después cenamos con Mary-Anne y Donald Seamus en el silencio que siempre reinaba después de bendecir la mesa. No era que hubieran decidido no hablar con nosotros. Ellos tampoco se dirigían la palabra. En realidad, ninguno de nosotros tenía nada que decir a los otros. ¿De qué íbamos a hablar? El ciclo de la vida no cambiaba de un día a otro. De estación en estación, sí. Pero una cosa seguía a la otra de manera natural y nunca requería comentario alguno. No aprendimos gaélico de Donald Seamus Gillies ni de su hermana. Peter lo aprendió de los chicos de la escuela. En el patio, claro, no en clase, donde solo se hablaba inglés. Yo lo aprendí de los granjeros de la zona, algunos de los cuales apenas sabían inglés. Y si sabían, no estaban dispuestos a hablarlo conmigo.

Donald Seamus se quedó fumando su pipa durante un rato junto a la estufa, leyendo el periódico mientras Mary-Anne lavaba los platos y yo ayudaba a Peter con sus deberes. Después, a las diez en punto llegó la hora de acostarse. El fuego se había extinguido, apagamos las lámparas y nos dirigimos a nuestras habitaciones con el olor a humo de turba, tabaco y aceite de lámpara metido en las fosas nasales.

Peter y yo compartíamos una cama en la habitación trasera. Había un armario y una cómoda, y apenas quedaba espacio para abrir la puerta. Peter se quedó dormido al cabo de pocos minutos, como siempre, y yo no temí despertarlo al vestirme y saltar por la ventana. Sin embargo, no tenía ni idea de la profundidad del sueño de Donald Seamus y Mary-Anne. Pero como me había comprometido, justo antes de que el reloj marcara las once, abrí la puerta una rendija y agucé el oído en la oscuridad del pasillo. Alguien roncaba con una intensidad digna de ser registrada por la escala de Richter. No sé si era el hermano o la hermana, pero al cabo de un momento fui consciente de otro ronquido intermitente y más agudo, que parecía proceder de la garganta y no de la nariz. Lo que significaba que ambos estaban dormidos.

Cerré la puerta y avancé hasta la ventana, descorrí la cortina y deslicé el pestillo para levantar la hoja con el mayor sigilo del que fui capaz. Peter gruñó y se volvió, pero no se despertó. Me fijé en que movía los labios como si hablara consigo mismo, tal vez utilizando las palabras que no se le pedía que pronunciara durante las comidas. Me senté en el alféizar, pasé las piernas hacia el otro lado y salté sobre la hierba.

En el exterior aún había una claridad sorprendente, con un leve resplandor que moría por el oeste mientras la luna vertía un brillo incoloro sobre las colinas. El cielo tenía un tono azul oscuro que todavía no era negro. En pleno verano, era normal que hubiera luz a medianoche e incluso más tarde, pero aún faltaban algunas semanas para que llegara ese momento. Me volví para correr de nuevo la cortina y bajar la hoja de la ventana.

A continuación descendí por la colina como un galgo liberado de su jaula, corriendo sobre la alta hierba, chapoteando por el camino cenagoso, jubiloso por esa extraordinaria sensación de libertad. Estaba fuera y la noche era mía. Y de Ceit.

Me estaba esperando en el espigón, nerviosa, pensé, y un poco impaciente.

«¿Por qué has tardado tanto?» Su susurro me pareció demasiado alto, y me di cuenta de que no había viento; únicamente se oía la respiración, lenta y continua, del mar.

«Deben de ser y cinco», respondí. Ceit tan solo chasqueó la lengua, me agarró del brazo y tiró de mí por el camino que llevaba a Rubha Ban. No había una sola luz encendida en las granjas de la colina, en una isla dormida por completo, o eso parecía. La visibilidad no era un problema bajo el resplandor de la luna, pero eso también nos hacía vulnerables. Si alguien hubiera salido en ese momento, le habría sido fácil distinguirnos.

«¿Adónde vamos?», le pregunté.

«A la playa de Charlie.»

«¿Por qué?»

«Ya lo verás.»

Hubo solo un momento en que todo podría haber salido mal. Ceit me tiró de repente de la manga y nos tumbamos entre la crecida hierba a un lado del camino cuando una luz se encendió tras una puerta abierta y vimos a un anciano que salía de su casa con una pala y un periódico en la mano. La mayoría de la gente utilizaba un orinal durante la noche, que vaciaba por la mañana. Pero el viejo señor MacGinty debió de pensar que hacía buena noche para aliviarse en el páramo. De modo que tuvimos que esperar allí, tumbados y muertos de risa, mientras el hombre cavaba un hoyo y se agachaba sobre él, con el camisón levantado hasta el cuello, gruñendo por el esfuerzo.

Ceit me cubrió la boca con la mano para silenciarme, pero ella apenas lograba contener su propia risa, ya que el aire se le escapaba a través de los labios apretados en pequeñas explosiones. Así pues, también yo le apoyé una mano en la boca, y permanecimos allí, muy juntos, durante casi diez minutos, mientras el señor MacGinty hacía sus necesidades.

Supongo que esa debió de ser la primera vez que cobré conciencia de su cuerpo en un sentido sexual. Su calor, la suavidad de sus pechos contra mi cuerpo, una pierna doblada sobre la mía. Y sentí el primer cosquilleo de excitación, a la vez sorprendente y aterrador. Ceit llevaba un vestido con un estampado claro y un cuello en pico que mostraba su escote. Y recuerdo que iba descalza. Había algo sensual y tentador en esas piernas desnudas y expuestas a la luz de la luna.

Tenía el pelo mucho más largo que en El Valle y le caía en una cascada de suaves rizos castaños sobre los hombros, y un flequillo demasiado largo que se le metía constantemente en los ojos.

También noté en ella, mientras seguíamos tumbados en la hierba, un suave olor a flores, aromático, con una nota de almizcle, distinto al que desprendía en El Valle. Cuando el señor MacGinty hubo regresado por fin a su cama y cada uno apartó la mano de la boca del otro, la olisqueé y le pregunté a qué olía.

Ceit se rió.

«Es el agua de colonia de la señora O'Henley», respondió.

«¿Y eso qué es?»

«Perfume, tonto. Me he pulverizado un par de nubes en el cuello. ¿Te gusta?»

Me gustaba. No sé qué había en ella, pero me hizo sentir mariposas en el estómago. Sus ojos parecían muy oscuros bajo esa luz. Tenía los labios carnosos, con un encanto casi irresistible. Me moría de ganas de besarlos. Sin embargo, antes de que pudiera sucumbir a la tentación, ella ya estaba en pie, con un brazo extendido y pidiéndome con insistencia que me levantara.

Me incorporé precipitadamente, me tomó la mano y corrimos colina arriba, dejando atrás la escuela de primaria, por la carretera que había sobre la playa. Nos detuvimos, faltos de aliento, a contemplar el paisaje. El mar estaba en calma, envuelto en un silencio reluciente alrededor de la curva de la bahía, con plácidas olas que rompían formando una suave espuma plateada sobre la arena. El reflejo de la luna en el agua se extendía a una distancia infinita, el horizonte tan solo roto por un puñado de islotes oscuros y la inquietante sombra de Barra.

Jamás había visto la isla de ese modo. Benigna, seductora, casi confabulada con el grandioso plan de Ceit.

«Vamos», dijo, y me guió por un estrecho sendero a través del brezo hasta una vieja casita en ruinas con vistas sobre la arena, y avanzamos entre las piedras por su interior cubierto de hierba. De repente se sentó y dio unos golpecitos en el suelo a su lado. Me senté y fui consciente de inmediato el calor de su cuerpo, de los suaves suspiros del viento, del vasto firmamento en lo alto, con el cielo ahora negro y tachonado de estrellas. Estaba rebosante de impaciencia cuando ella volvió su mirada oscura hacia mí y noté las yemas de sus dedos en la cara, como pequeñas descargas eléctricas.

No tengo ni idea sobre dónde aprendemos a hacer esas cosas, pero sin apenas darme cuenta ya la había rodeado entre mis brazos y nos estábamos besando. Labios suaves y calientes que se separaban para que nuestras lenguas se encontraran. Sorprendente, emocionante. Sentí su mano entre las piernas, allí donde ya me apretaban los pantalones, y yo deslicé la mía por debajo de su vestido de algodón, y le palpé un pecho, suave y blando, con un pezón duro como una nuez contra la palma de mi mano.

Me sentí embriagado. Borracho. Arrastrado por un mar de hormonas. Completamente descontrolado. Nos quitamos la ropa con desesperación, la lanzamos al aire y nos quedamos desnudos, piel con piel. Suave, cálida, caliente, húmeda. No sabía lo que hacía. Los chicos nunca lo saben. Tan solo se dejan llevar por un instinto primario. Ceit estaba mucho más contenida. Tomándome en sus manos, guiándome hasta su interior. Jadeando, casi gritando. No estaba seguro si de placer o de dolor. Entonces mis instintos primarios se apoderaron de mí y reaccioné como supongo que estaba programado para actuar. Sus gritos solo conseguían excitarme más y me llevaron a lo inevitable, que, por supuesto, llegó demasiado pronto.

Pero Ceit estaba preparada para ello y me apartó, de modo que mi semilla, plateada a la luz de la luna, se derramó sobre la suave curva de su vientre.

«No queremos que me quede embarazada, ¿verdad?», comentó, y llevó mi mano a su entrepierna. «Hazme acabar.»

No tenía la menor idea de a qué se refería, pero gracias a ella mis torpes dedos aprendieron rápidamente a provocar una respuesta entre la suavidad húmeda de sus labios, y me sentí invadido por un enorme deseo de complacerla mientras su cuerpo se arqueaba una vez, y otra, debajo de mí, antes de soltar un gemido a la noche y de quedarse jadeando sobre la hierba, sonrojada y sonriente.

Alargó los brazos, me tomó la cabeza entre las manos y tiró de mí para besarme. Fue un beso prolongado, su lengua retorciéndose despacio alrededor de la mía, una y otra vez. A continuación se levantó y me dio la mano.

«Vamos, Johnny.» Y corrimos desnudos entre las piedras hasta la playa, luego atravesamos atropelladamente la arena y nos metimos en el mar.

La impresión estuvo a punto de dejarme sin aliento. Agua congelada sobre piel caliente. Ambos gritamos sin querer, por lo que fue una suerte que no hubiera granjas habitadas cerca de la playa o sin duda alguien nos habría oído. En realidad, me sorprende que nadie lo hiciera. Nuestros gritos debieron de resonar por toda la isla.

«¡Joder!», chilló Ceit en la oscuridad.

Y yo sonreí y dije:

«Creo que es lo que acabamos de hacer.»

Corrimos chapoteando de vuelta a la arena y subimos a la vieja casita, donde nos revolcamos sobre la hierba para secarnos y nos vestimos de inmediato. Entonces el frío se convirtió en calor de piel ardiente, tumbados el uno entre los brazos del otro, contemplando las estrellas, sin aliento, embelesados, como si fuéramos los primeros en descubrir el sexo en toda la historia de la humanidad.

Durante un rato, permanecimos en silencio, hasta que por fin pregunté:

«¿Qué es lo que querías darme?»

Y ella soltó una carcajada larga y sonora.

Me incorporé sobre un codo y la miré, perplejo.

«¿Qué tiene tanta gracia?»

Aún entre risas, respondió:

«Algún día lo descubrirás, muchachote.»

Volví a tumbarme a su lado, y la sensación de que se estaba riendo de mí pasó rápidamente, superada, casi aplastada, por sentimientos de amor y el deseo de abrazarla y protegerla, de asegurarme que estuviera siempre a salvo. Ceit me estrechó entre sus brazos, su rostro hundido en mi cuello, con un brazo encima de mi pecho y una pierna sobre la mía, y yo seguí contemplando las estrellas, lleno de una nueva sensación de júbilo por estar vivo. Le besé la cabeza.

«¿Por qué la llamas "la playa de Charlie"?», pregunté.

«Porque es aquí donde el príncipe Carlos Eduardo Estuardo, al que llamaban "Charlie" o "El joven pretendiente", atracó por primera vez cuando vino a formar un ejército para combatir a los ingleses durante el levantamiento jacobita de 1745», respondió. «Nos lo enseñaron en la escuela.»

En las semanas siguientes nos vimos varias veces y encontramos la manera de escapar a la vieja casita en ruinas para hacer el amor. El buen tiempo primaveral continuó, el océano se había templado gracias a la corriente marina del Golfo, que invadía las frías aguas del Atlántico Norte. Hasta la noche de la tormenta, cuando todo se torció.

Ese día había quedado con Ceit como de costumbre. Pero en algún momento a última hora de esa tarde la atmósfera cambió y enormes nubes negras cubrieron el horizonte, avanzando con rapidez a medida que oscurecía. Se levantó viento, debía ser de una fuerza 8 o 9 y empujaba la lluvia casi en horizontal sobre la isla. El retorno del humo de la chimenea cargó el ambiente del salón esa noche y nos obligó a acostarnos temprano, cuando aún no había oscurecido.

Permanecí tumbado un buen rato, mirando el techo y preguntándome qué podía hacer. Había quedado con Ceit y no tenía modo de cancelar nuestra cita. Aunque sabía que sería imposible que hiciéramos el amor esa noche, no podía faltar al encuentro, por si ella aparecía. No podía dejarla sola, plantando cara al mal tiempo, esperándome en el espigón a la intemperie.

Así que estuve controlando la hora, consultando con frecuencia mi reloj, sus manecillas resplandecientes en la oscuridad, hasta que llegó el momento de salir. Me deslicé entre las sábanas, me vestí y me agaché para sacar el chubasquero de debajo de la cama, donde lo había escondido. Estaba levantando la ventana cuando me llegó la voz de Peter en la oscuridad, lo bastante alta para que la oyera por encima del aullido del viento.

«¿Adónde vas?»

Se me detuvo el corazón y me volví, con una sensación de furia irracional en el pecho.

«¿Y a ti qué diablos te importa? Duérmete.»

«Pero Johnny, nunca vas a ningún sitio sin mí.»

«Baja la voz, haz el favor. Date la vuelta y piensa que sigo en la cama. Volveré enseguida.»

Levanté del todo la ventana y pasé las piernas por encima de ella para saltar a la lluvia. Cuando me volví para bajarla de nuevo, vi el rostro pálido de Peter, sentado en la cama, mirándome con expresión de miedo e incomprensión. Cerré la ventana y me puse la capucha para protegerme de la lluvia.

Esa noche no hubo carreras por la colina. Estaba oscuro como boca de lobo y tuve que seguir el camino con sumo cuidado entre las rocas y la hierba, luchando contra el viento y la lluvia que me azotaba la cara. Por fin encontré el sendero que conducía al espigón y pude avanzar un poco más deprisa.

Cuando llegué, no había ni rastro de Ceit. Parecía que la marea estaba alta y ni el muelle ni la tierra ofrecían cierto resguardo del mar, que batía con fuerza, rompiendo ola tras ola contra las rocas que rodeaban la orilla. Su rugido era ensordecedor. Las salpicaduras que levantaba al chocar contra el espigón se aliaron con la lluvia para dejarme empapado. Notaba la ropa mojada debajo del chubasquero. Eché un vistazo alrededor en la oscuridad y me pregunté cuánto tiempo debería esperar. Era una locura haber ido hasta allí. Tendría que haber imaginado que Ceit no acudiría en una noche como esa.

Entonces vi una pequeña silueta que emergía de la sombra de la colina. Ceit, con botas de agua verdes, demasiado grandes para ella, y envuelta en un abrigo que debía de ser de la señora O'Henley. La tomé entre mis brazos y la estreché con fuerza.

«Tenía que venir por si aparecías», grité por encima del estruendo de la noche.

«Igual que yo.» Sonrió al mirarme y la besé. «Pero me alegro de que hayas venido. Aunque solo sea para decirme que tienes que irte corriendo.»

Le sonreí.

«No lo dirás con doble sentido, supongo.»

Ceit se rió.

«Eres un obseso.»

Volvimos a besarnos y la abracé con fuerza contra el viento y la lluvia, contra la tormenta que descargaba sobre nosotros. Entonces se apartó.

«Será mejor que me vaya. Ya veremos cómo explico toda esta ropa mojada.»

Me dio un último beso y después echó a correr, engullida por la tormenta y oculta en la noche. Permanecí allí de pie durante un momento para recuperar el aliento y a continuación enfilé el sendero para volver a subir la colina hacia la granja de los Gillies. No había recorrido más de diez metros cuando una figura emergió de la oscuridad. Me llevé un susto de muerte y estuve a punto de gritar, pero entonces me di cuenta de que era Peter. No llevaba impermeable, tan solo un pantalón de peto y una vieja chaqueta de tweed, heredada de Donald Seamus. Estaba empapado, llevaba el pelo pegado a la cara y su expresión de profunda amargura se hizo evidente incluso en aquellas circunstancias. Debió de levantarse, vestirse y salir detrás de mí en cuanto me marché.

«Por el amor de Dios, Peter, ¿qué haces aquí?»

«Estabas con Ceit», respondió.

No pude negarlo. Era evidente que nos había visto.

«Sí.»

«A mis espaldas.»

«No, Peter.»

«Sí, Johnny. Siempre vamos juntos, tú, Ceit y yo. Los tres, desde El Valle.» Su mirada encendida transmitía una extraña intensidad. «Te he visto besarla.»

Lo agarré del brazo.

«Vamos, Peter. Volvamos a casa.»

Pero Peter se zafó de un tirón.

«¡No!» Me miró fijamente a través de la tormenta. «Me has mentido.»

«Claro que no.» Entonces empecé a enfadarme. «Joder, Peter. Ceit y yo estamos enamorados, ¿vale? No tiene nada que ver contigo.»

Siguió mirándome de hito en hito, y jamás olvidaré la expresión de sentirse absolutamente traicionado que reflejaban sus ojos. A continuación se marchó corriendo y se perdió en la noche. Yo estaba tan sorprendido que tardé unos segundos en reaccionar, suficientes para que desapareciera de mi vista.

«¡Peter!», grité a su espalda. Había echado a correr en dirección opuesta a la granja, hacia el mar. Lancé un grito ahogado de frustración y salí tras él.

Un mar gigantesco rompía contra la recortada costa del norte, donde inmensas rocas se amontonaban en bloques y trozos puntiagudos a los pies de las bajas colinas. Entonces vi a Peter, convertido en la tenue sombra de una silueta oscura, escalando por ellas. Era una locura. En cualquier momento el mar podía arrancarlo de allí y arrastrarlo al estrecho y a una muerte segura. Maldije el día en que nació y corrí hacia las rocas tras él.

Lo llamé a gritos varias veces, pero mi voz se ahogaba en el ruido del mar y se perdía en el furioso bramido del viento. Lo único que podía hacer era intentar no perderlo de vista y esforzarme por alcanzarlo. Llegué a estar a unos quince o veinte metros de él cuando empezó a escalar. En circunstancias normales no era una subida difícil, pero esa noche, en esas condiciones, era un auténtico suicidio. El *machair* descendía hasta llegar a unos seis metros de la orilla antes de caer en picado hasta las rocas de más abajo, donde se abría una enorme grieta, como si alguien se hubiera servido de una gigantesca cuña y un pesado mazo para formarla.

Peter se hallaba casi en lo alto cuando cayó. Si gritó, no lo oí. Tan solo se precipitó al negro abismo de esa brecha en la tierra. Entonces abandoné toda precaución y, presa del pánico, seguí subiendo hasta donde lo había visto por última vez. La oscuridad que vi allí abajo, al asomarme a la sima, era absoluta.

«¡Peter!» Grité su nombre y el eco lo devolvió desde lo más profundo. Para mi alivio, me llegó una débil respuesta.

«¡Johnny! ¡Johnny, ayúdame!»

Lo que hice fue una locura. Si me hubiera detenido a pensar, habría corrido a la granja y despertado a Donald Seamus. Sin importarme el lío en que me habría metido, tendría que haber ido a buscar ayuda. Pero no me detuve, y no pensé, y al cabo de un momento estaba tan necesitado de ayuda como Peter.

Empecé a descender hacia la abertura, intentando apoyarme entre ambas paredes, cuando la roca en la que apoyaba el pie izquierdo se precipitó al vacío y caí al abismo.

En algún punto de la caída me golpeé la cabeza y perdí el conocimiento incluso antes de llegar al suelo. No tengo ni idea sobre cuánto tiempo duró el desvanecimiento, pero lo primero de lo que fui consciente fue de la voz de Peter, muy cerca de la oreja, repitiendo mi nombre una y otra vez, como un mantra.

Y entonces, con la conciencia, llegó el dolor. Un dolor punzante en el brazo izquierdo que me dejó sin aliento. Estaba tumbado en el suelo, con las piernas y los brazos extendidos sobre un lecho de rocas y guijarros, con el brazo retorcido debajo de mi cuerpo en una postura antinatural. Supe enseguida que me lo había roto. Me costó un gran esfuerzo darme la vuelta e incorporarme para quedarme sentado con la espalda apoyada contra la roca, y grité imprecaciones contra la noche, Dios y la Virgen santa, contra Peter y todo aquel que me vino a la cabeza. No veía nada, pero el rugido del océano era ensordecedor. Los guijarros estaban húmedos y cubiertos de algas y arena, y me di cuenta de que la única razón por la que no estábamos bajo el agua era que la marea debía de haber cambiado.

Con marea alta, en plena tormenta como aquella, el mar se habría introducido en esa brecha de la tierra convertido en una furia hirviente de agua espumosa, y nos habríamos ahogado. Peter gemía y oí que le castañeteaban los dientes. Se arrimó a mi cuerpo y noté su temblor.

«Tienes que ir a buscar ayuda», grité.

«No pienso dejarte solo, Johnny.» Noté su aliento en la cara.

«Peter, si no te has roto nada, tienes que subir la colina y avisar a Donald Seamus. Tengo el brazo roto.»

Sin embargo, tan solo se acercó más a mí, sin dejar de sollozar ni temblar, y yo apoyé la cabeza contra la roca y cerré los ojos.

Cuando los abrí de nuevo, la primera luz gris del amanecer se introducía sesgada en la grieta. Peter estaba acurrucado junto a mí sobre las piedras y no se movía. Me invadió el pánico y empecé a gritar pidiendo ayuda. ¡Una locura! ¿Quién iba a oírme?

Me había quedado sin voz y ya prácticamente había desistido cuando una sombra se asomó a la abertura a cinco metros por encima de nuestras cabezas y una voz familiar gritó:

«¡Virgen santísima! Pero ¿qué hacéis ahí abajo, chicos?»

Era nuestro vecino, Roderick MacIntyre. Más adelante supe que había perdido algunas ovejas después de la tormenta y se había acercado hasta los acantilados para buscarlas. De no haber sido por esa circunstancia afortunada y providencial, es posible que hubiéramos muerto allí abajo. En realidad, yo seguía temiendo por la vida de Peter. No se había movido desde que yo había recobrado la conciencia.

Los hombres que no habían salido con la flota pesquera se reunieron en lo alto del acantilado y uno de ellos descendió atado a una cuerda para rescatarnos. Para entonces la tormenta había amainado, pero el viento aún soplaba con bastante fuerza y jamás olvidaré la expresión en el rostro de Donald Seamus bajo esa luz gris amarillenta del amanecer cuando por fin me subieron. No pronunció una palabra, tan solo me tomó en brazos y me llevó al espigón, donde esperaba un barco que nos llevaría a Ludagh. Peter seguía inconsciente, y entre la multitud de hombres que se arremolinó a nuestro alrededor en el barco, alguien comentó que tenía síntomas de congelación. «Hipotermia», dijo otro. «Tendrá suerte si sobrevive.» Y yo sentí una terrible punzada de culpabilidad. Nada de eso habría sucedido si no me hubiera escapado para reunirme con Ceit. ¿Cómo iba a ser capaz de enfrentarme a mi madre en la otra vida si algo malo le ocurría a Peter? ¡Le había hecho una promesa!

No recuerdo mucho del par de días siguientes. Sé que en Ludagh nos metieron en la parte trasera de la furgoneta de Donald Seamus y que nos llevaron al hospital rural de Daliburgh. El Sagrado Corazón. Yo también debí de sufrir hipotermia, porque tampoco recuerdo que me enyesaran el brazo. Una escayola grande y pesada de la muñeca hasta el codo, de la que solo asomaban los dedos. Recuerdo a monjas inclinadas sobre mi cama. Daban miedo, con las túnicas negras y las tocas blancas, como heraldos de la muerte. Y recuerdo que sudaba mucho y que incluso llegué a delirar, que ardía de calor y al minuto siguiente temblaba de frío.

Fuera estaba oscuro cuando por fin recuperé la razón. No era capaz de decir si había pasado un día, o tal vez dos. En mi mesilla de noche había una luz encendida y me resultó impactante volver a ver luz eléctrica, como si me hubieran trasladado de nuevo a mi antigua vida.

Me hallaba en una sala en la que había seis camas. Un par de ellas estaban ocupadas, pero Peter no se encontraba allí y empecé a preocuparme. ¿Dónde estaba? Me levanté de la cama, los pies descalzos sobre el linóleo, las piernas tan temblorosas que apenas me sostenían, y avancé hasta la puerta. Al otro lado había un pasillo corto. De una puerta abierta salía luz. Oí los susurros de las monjas y la voz de un hombre. El médico, tal vez.

«Esta noche será crucial», dijo. «Si sobrevive, se pondrá bien. Pero su estado es crítico. Al menos tiene a su favor que es joven.»

Entré en una suerte de trance mientras avanzaba por ese pasillo y me descubrí frente a la puerta abierta. Tres cabezas se volvieron hacia mí, y una de las monjas se incorporó de inmediato y me agarró por los hombros.

«¿Qué demonios haces fuera de la cama, jovencito?»

«¿Dónde está Peter?», fue cuanto pude decir, y me fijé en que todos se miraron.

El médico era un hombre mayor, de unos cincuenta y tantos años. Llevaba un traje oscuro. «Tu hermano tiene neumonía», respondió, lo que para mí, entonces, no significó nada. Pero por su gesto serio entendí que era grave.

«¿Dónde está?»

«En una habitación especial al final del pasillo», dijo una de las enfermeras. «Podrás verlo mañana.»

Sin embargo, les había oído comentar que tal vez no hubiera mañana. Se me revolvió el estómago.

«Vamos, ahora tienes que regresar a la cama.» La monja que me agarraba de los hombros me guió por el pasillo hasta la sala donde estaba mi cama. Cuando estuve de nuevo arropado me dijo que no me preocupara y que intentara dormir. Apagó la luz y salió al pasillo con un frufrú de faldas al caminar.

En la oscuridad, oí la voz de un hombre procedente de una de las camas.

«La neumonía es mortal, hijo. Será mejor que reces por tu hermanito.»

Permanecí tumbado, escuchando el latido de mi corazón, el pulso en los oídos, hasta que me llegó el delicado ronroneo de los pacientes cuando por fin sucumbieron al sueño. Sin embargo, sabía que me resultaría imposible dormir esa noche. Esperé y esperé hasta que la luz del corredor por fin se apagó y un manto de silencio cubrió el pequeño hospital rural.

Finalmente reuní el valor suficiente para deslizarme fuera de la cama y cruzar la sala una vez más hasta la puerta. La abrí una rendija y eché un vistazo al pasillo. Vi una línea de luz bajo la puerta cerrada de la habitación de las monjas, y un poco más adelante la luz que se filtraba por debajo de otra puerta, también cerrada. Salí de puntillas al pasillo y pasé deprisa frente a la habitación de las monjas hasta llegar a la segunda puerta, donde bajé la manecilla con suma lentitud para abrirla sin hacer ruido.

La luz era tenue. Tenía un extraño tono amarillo anaranjado. Cálida, casi seductora. Hacía un calor sofocante. Había una única cama con, a un lado, un equipo eléctrico del que salían cables y tubos que recorrían las mantas y llegaban al cuerpo de Peter, tendido boca abajo. Cerré la puerta y corrí a su lado.

Tenía un color espantoso. Pálido como el papel, con unas pronunciadas ojeras y el rostro perlado de sudor. Tenía la boca abierta y por las sábanas que lo cubrían pude ver que estaba empapado. Le toqué la frente con el dorso de la mano y el calor casi me hizo retroceder. Estaba hirviendo, anormalmente caliente. Sus ojos se movían bajo los párpados y su respiración era rápida y superficial.

En ese instante, el sentimiento de culpa estuvo a punto de aplastarme. Acerqué una silla a un lado de la cama, me senté en el borde y le tomé una mano entre las mías, sosteniéndola con desesperación. Si pudiera haber dado mi vida por la suya, lo habría hecho.

No sé cuánto tiempo pasé junto a él. Horas, creo. Pero en algún momento me quedé dormido, y lo siguiente que recuerdo es que una monja me despertó y me llevó de vuelta a mi habitación, sin dirigirme una sola palabra de amonestación. De nuevo en mi cama, caí en un sueño irregular, nunca profundo, perturbado por sueños extraños de tormentas y sexo, hasta que la luz del amanecer empezó a colarse entre las cortinas. Y después, de manera repentina, los rayos del sol bañaron el linóleo en estrechas franjas apagadas.

La puerta se abrió y las monjas entraron empujando un carrito con el desayuno. Una de ellas me ayudó a incorporarme y me dijo: «Tu hermano está bien. La fiebre ha remitido durante la noche. Se pondrá bien. Puedes ir a verlo después de desayunar».

Engullí las gachas, la tostada y el té a toda prisa.

Peter seguía tumbado en la cama cuando entré en su habitación. Pero su rostro había recuperado el color y las ojeras eran un poco menos intensas. Volvió la cabeza para mirarme mientras yo acercaba la silla a su cama. Esbozó una sonrisa débil, pero parecía realmente contento de verme. Había temido que no me perdonara jamás. Dijo:

«Lo siento, Johnny».

Noté que las lágrimas me afloraban a los ojos.

«¿Qué sientes? No tienes que sentir nada, Peter.»

«Ha sido culpa mía.»

Negué con la cabeza.

«No tienes la culpa de nada, Peter. Si alguien tiene la culpa de algo, ese soy yo.»

Sonrió.

«Una mujer se ha sentado a mi lado y ha pasado toda la noche conmigo.»

Me reí.

«No. Era yo, Peter.»

Meneó la cabeza.

«No, Johnny. Era una mujer. Se ha sentado ahí, en esa silla.»

«Entonces sería una de las monjas.»

«No. No era una monja. No le he visto la cara, pero llevaba una especie de chaqueta corta verde y una falda negra. Me ha sujetado la mano toda la noche.»

Ya entonces sabía que la fiebre podía provocar delirios. Hacerte ver cosas que no estaban en realidad allí. Había sido yo quien le había sostenido la mano, y sin duda las monjas habían estado entrando y saliendo durante toda la noche. Debía de haberlo mezclado todo en su cabeza.

«Tenía unas manos preciosas, Johnny. Con los dedos largos y muy blancos. Y estaba casada, así que no podía ser una monja.»

«¿Cómo sabes que estaba casada?»

«Llevaba un anillo en el dedo anular. Distinto a cualquier anillo que hubiera visto antes. De plata retorcida, como dos serpientes enroscadas.»

Creo que en ese momento todos los pelos de mi cuerpo se pusieron de punta. Peter no sabía que nuestra madre me había dado su anillo. Nunca le dije que lo escondía en un calcetín, en la bolsa que dejaba a los pies de la cama. Y nunca supo que se había quemado en la caldera junto a todas las cosas que el señor Anderson había arrojado a las llamas ese día.

Supongo que es posible que algún recuerdo de infancia permaneciera en su memoria, por habérselo visto puesto a mi madre. Pero creo que lo que vio esa noche no tuvo nada que ver con recuerdos ni con delirios. Creo que mi madre pasó con él las horas críticas de su enfermedad, animándolo a vivir desde el más allá. Que tuvo que intervenir ante mi promesa fallida de cuidarlo siempre.

Y el sentido de culpa por ello me acompañará hasta la tumba.

Pasaron algunos días hasta que nos dejaron volver a casa, y yo aún llevaba el brazo escayolado, claro. No quería pensar en ello, pues temía el castigo seguro que recibiríamos de manos de Donald Seamus. La expresión de su cara el día que nos sacaron de la sima seguía fresco en mi memoria.

Apareció en el Sagrado Corazón en su vieja furgoneta y abrió la puerta para que subiéramos a la parte trasera. Durante los veinte minutos de trayecto hasta llegar a Ludagh permanecimos en silencio. En el ferry, Neil Campbell le preguntó por nosotros dos, y Donald y el hombre intercambiaron algunas palabras, pero no se dirigieron a nosotros en ningún momento. Cuando bajamos al espigón de Haunn, vi a Ceit observándonos desde la puerta de la granja de los O'Henley, una diminuta figura azul en la ladera de la colina. Me saludó con la mano, pero no me atreví a devolverle el gesto.

Donald Seamus nos hizo caminar a paso rápido colina arriba hasta la granja, donde Mary-Anne nos esperaba en el interior, con la cena caliente en la cocina y el aroma de una sabrosa comida flotando en la habitación. Se giró cuando cruzamos la puerta y nos miró de arriba abajo, pero no dijo nada y centró su atención de nuevo en las ollas que había sobre el fogón.

Las primeras palabras que se pronunciaron fueron para bendecir la mesa y dar gracias al Señor por el alimento que íbamos a tomar, y a continuación Mary-Anne nos sirvió una comida digna de reyes. En aquella época no era un entusiasta de la Biblia, pero recordé la parábola del hijo pródigo, y cómo su padre lo había recibido en su casa como si nada hubiera ocurrido. Tomamos una densa sopa de verduras y rebañamos los platos con pedazos de pan tierno que arrancábamos de una hogaza recién hecha. Le siguió un guiso de carne con patatas hervidas, y pudin de pan y mantequilla de postre. Creo que no he disfrutado tanto una comida en toda mi vida.

Después me puse el mono y las botas de agua y fui a alimentar a las ovejas, las gallinas y el poni. Lo que no resultó nada sencillo con el brazo izquierdo escayolado. Pero me sentía bien por estar de vuelta. Y, tal vez, por vez primera en el año y medio que llevaba allí, me sentí como en casa. A continuación bajé a buscar a Morag. Estaba seguro de que me habría echado de menos, aunque una parte de mí temía que me hubiera olvidado. Sin embargo, no la encontré por ninguna parte y, después de casi una hora y media de búsqueda, regresé a la cabaña.

Donald Seamus estaba en su silla junto al fuego, fumando su pipa. Se volvió cuando abrí la puerta.

«¿Dónde está Morag?»

Vi una extraña mirada apagada en sus ojos.

«Acabas de comértela, muchacho.»

En ningún momento permití que notara lo mucho que su acto de crueldad me había afectado, ni di muestra alguna de las lágrimas que vertí en silencio debajo de las mantas esa noche. Pero el hombre no había terminado conmigo.

Al día siguiente me llevó al cobertizo en el que mataban a las ovejas. No sé qué tenía esa vieja cabaña con el oxidado tejado de cinc, pero nada más entrar en ella sabías que era un lugar en el que flotaba la muerte. Nunca había visto sacrificar a una oveja, pero Donald Seamus decidió que había llegado el momento de que lo presenciara.

«Los animales están para comérselos, no para quererlos», dijo.

Entró con una oveja joven en el cobertizo y la irguió sobre sus patas traseras. Me hizo sujetarla por los cuernos, lo que hice con dificultad mientras él colocaba un cubo debajo del animal y sacaba un cuchillo largo y afilado que reflejó la luz que se colaba por la minúscula ventana. En un movimiento rápido y breve, le seccionó la arteria principal del cuello y la sangre salió a borbotones y cayó en el cubo.

Creí que el animal opondría mayor resistencia, pero se rindió casi de inmediato, y me miró con esos ojos grandes y desesperados hasta que se hubo desangrado y la luz se apagó en ellos.

La misma mirada que vi en los ojos de Peter esa noche en la playa de Charlie, cuando también a él le cortaron el cuello.

El chico me está mirando fijamente, como si esperara que dijera algo. Es extraño, pero me veo en sus ojos y alargo un brazo para cogerle la mano. ¡Malditas lágrimas! Lo emborronan todo. Noto que me aprieta la mano y todo lo que es mi vida, todo lo que ha sido, se tiñe de negro y desesperación.

—Lo siento, Peter —digo—. Lo siento mucho.

26

El viejo cementerio estaba lleno a rebosar tras sus muros de piedra cubiertos de liquen, y ahora ocupaba también un nuevo terreno cavado en el *machair* que se elevaba por la ladera en dirección a la iglesia.

Fin aparcó su coche y avanzó entre las lápidas en ese extenso hogar de los muertos. Los muertos eran multitud, incluso en una pequeña isla como esa. Cruces que brotaban de la tierra, brutalmente desnudas en una zona sin árboles. Tantas almas que habían pasado de una vida a otra. Todas a la sombra de la iglesia a la que algún día habían asistido. Una iglesia pagada por los pescadores. Una iglesia con la proa de un barco debajo del altar.

A un extremo de la valla se alzaba un edificio moderno de una planta con una galería acristalada en la parte trasera desde la que se veía el estrecho. Pero no se trataba de una casa particular. Un cartel rojo en el hastial y una señal ovalada en la pared de la cuesta que conducía a su puerta lateral descubrían que era un pub: Am Politician. Un abrevadero a mano para los muertos, pensó Fin, en el camino de la iglesia al cementerio, o al menos para sus dolientes.

Había un Mercedes rosa descapotable en el aparcamiento. Un yorkie escandaloso le ladró desde su interior cuando pasó junto a él.

No había mucha gente en el pub, tan solo un puñado de

clientes tomando unas copas a última hora de la tarde. Fin pidió una cerveza a la joven parlanchina que atendía la barra y que parecía deseosa de explicarle que el pub llevaba el nombre de un barco, *The Politician*, que se había hundido en el estrecho de camino al Caribe durante la guerra.

—Por supuesto —añadió—, cualquiera que haya leído *Whisky Galore*, de Compton Mackenzie, sabrá que transportaba un cargamento de veintiocho mil cajas de exquisito whisky de malta. Y que los isleños pasaron buena parte de los seis meses siguientes «rescatándolo» y escondiéndolo del recaudador de impuestos.

Mientras le mostraba tres botellas supuestamente rescatadas del naufragio, y que aún contenían whisky, Fin se preguntó cuántas veces habría contado esa historia.

Tomó un sorbo de cerveza y cambió de tema.

—Esa playa que hay en la parte oeste de la isla —comenzó a decir—. La que está más allá del cementerio…

—¿Sí?

—¿Por qué la llaman «la playa de Charlie»?

La joven se encogió de hombros.

—Nunca he oído que la llamen así. —Se volvió y se dirigió a una mujer mayor que estaba sentada sola en la galería acristalada, contemplando el estrecho mientras revolvía su gin-tonic—. Morag, ¿has oído alguna vez que llamen «la playa de Charlie» a la playa de ahí abajo?

Morag se volvió y Fin vio a la que debió de ser una mujer preciosa en su época. Tenía las facciones marcadas y una piel suave y bronceada bajo una maraña caótica de pelo grueso teñido de rubio, lo que le daba la apariencia de una mujer de cincuenta y tantos años, aunque Fin advirtió que era probable que tuviera casi setenta. Con ambas muñecas engalanadas con oro y plata y los dedos cubiertos de anillos, tomó un sorbo de su gin-tonic, que sostenía con una mano elegante, adornada con uñas largas pintadas de fucsia. Llevaba una torera estampada encima de una blusa blanca y una falda azul de tejido diáfano. No era la clase de persona que habría esperado encontrar en un lugar como ese.

Les dirigió una sonrisa beatífica.

—No tengo ni idea, *a ghràidh* —dijo en inglés, pero utilizando el gaélico como fórmula afectuosa—. Pero si tuviera que arriesgarme, diría que probablemente se deba a que es allí donde llegó la fragata francesa *Du Teillay*, con Carlos Eduardo Estuardo, el príncipe Charlie, y los siete hombres de Moidart, dispuestos a formar un ejército para iniciar el levantamiento jacobita de 1745 contra los ingleses.

—No lo sabía —respondió la joven.

Morag meneó la cabeza.

—Hoy en día no os enseñan nada en la escuela. Al parecer, Charlie se refugió en una cala llamada Coileag a' Phrionnsa. La orilla del príncipe. —Volvió sus brillantes ojos marrones hacia Fin—. ¿Quién lo pregunta?

Fin levantó su pinta y se dirigió hacia ella para estrecharle la mano.

—Fin Macleod. Intento localizar a la familia que vivía en la granja que hay justo debajo de su casa.

La mujer arqueó las cejas, sorprendida.

—Oh, entonces, ¿sabe quién soy?

Fin sonrió.

—No, antes de llegar a la isla no lo sabía. Pero no pasó mucho tiempo antes de que alguien me lo contara. Es solo una conjetura al azar, y conste que el Mercedes rosa del aparcamiento no me ha dado ninguna pista, pero diría que debe de ser la actriz Morag McEwan.

La mujer esbozó una sonrisa radiante.

—Lo ha adivinado, *a ghràidh*. Debería ser policía.

—Lo era. —Sonrió—. Al parecer tendría que conocerla de la televisión.

—No todo el mundo es esclavo de la caja tonta. —Tomó un sorbo de gin-tonic—. ¿Era policía?

—Sí. Pero ahora soy solo Fin Macleod.

—Bueno, *a ghràidh*, yo crecí aquí en la época en que todas las granjas estaban ocupadas. Así que si alguien puede contarle lo que quiere saber, esa soy yo. —Apuró su copa, se levantó con la espalda muy erguida y alargó una mano con rapidez para apoyarse en el brazo de Fin—. ¡Maldito reuma! Vayamos a mi casa, señor Fin Macleod, ex policía, y le serviré una copa, o tres, mientras le cuento la historia. —Se inclinó hacia él en actitud de revelarle una confidencia, si bien su tono de voz sonó demasiado elevado para un aparte—. Allí el alcohol es más barato.

Una vez fuera, dijo:

—Deje su coche aquí y venga conmigo. Puede volver por él caminando. —Entró en su Mercedes rosa para inmensa alegría del yorkie. Mientras Fin se sentaba en el asiento del acompañante, la mujer comentó—: Este es Dino. Dino, te presento a Fin. —El perro lo miró y acto seguido saltó al regazo de la mujer, que arrancó el coche y bajó la capota—. Le encanta el viento en la cara. Y sería una lástima no aprovechar los pocos días en que brilla el sol, ¿no cree?

—Por supuesto.

La mujer encendió un cigarrillo.

—Malditas leyes del gobierno. Ya no se puede disfrutar de un pitillo y una copa, si no es en casa. —Dio una honda calada y expulsó el humo con gesto satisfecho—. Mucho mejor.

Metió la primera marcha, avanzó a trompicones hasta la valla y estuvo a punto de chocar contra un poste mientras daba un volantazo para tomar la carretera de la colina. Dino se había sentado sobre su brazo derecho y asomaba la cabeza por la ventanilla, y la mujer hacía malabarismos con el cigarrillo y la palanca de cambio de marchas para ascender hacia la escuela de primaria y tomar el camino que conducía a la iglesia. Fin se descubrió llevando las manos a los lados de su asiento y aferrándose a él con fuerza, los brazos rígidos por la tensión. Morag parecía relajada y se desviaba hacia la izquierda, y a veces hacia la derecha, cada vez que cambiaba de marcha. La ceniza del cigarrillo, junto con las bocanadas de humo, se perdían en la corriente de aire.

—En el concesionario me respondieron que no los hacían en rosa cuando les dije que lo quería de ese color. Pero yo les dije: «Claro que los hacéis». Les enseñé las uñas y les dejé un bote de pintaúñas para que consiguieran el color exacto. Cuando me entregaron el coche les dije: «¿Lo veis? Todo es posible». —Se rió y Fin deseó que prestara atención a la carretera en lugar de mirarlo a él mientras le hablaba.

Coronaron la colina y a continuación Morag aceleró en dirección al puerto de Haunn, torció a la derecha en el último momento para rodear la pequeña bahía y ascendió por la nueva entrada hacia su enorme casa blanca. El coche tembló sobre la reja de contención del ganado y aplastó entre crujidos la gravilla de granito mezclada con cuentas de cristal de colores.

—Brillan por la noche cuando las luces están encendidas —aclaró Morag, y Dino y ella bajaron del vehículo—. Es como si caminaras sobre la luz.

Estatuas de yeso de mujeres desnudas custodiaban las escaleras de acceso al porche, otras de ciervos a tamaño natural, tanto de pie como tumbados, decoraban el jardín, y una sirena de bronce aparecía recostada en las rocas que rodeaban un pequeño estanque. Fin se fijó en los tubos de luz de neón colocados sobre la alambrada y en las baldosas de terracota entre macizos de brezo y algunos arbustos florecientes que, de algún modo, habían sobrevivido a los vendavales. Carillones de viento sonaban por toda la casa en un tintineo constante, mezcla de bambú y acero.

—Entre por aquí.

Fin siguió a Morag y a Dino a un vestíbulo en el que una tupida alfombra de tartán llegaba hasta una amplia escalera que conducía al primer piso. Las paredes estaban cubiertas de imágenes de flores silvestres y vírgenes, veleros y santos. Adornos llamativos coronaban columnas griegas, y un guepardo de plata a tamaño real yacía tumbado junto a la puerta del salón bar, una habitación con ventanales a ambos lados y puertas cristaleras que daban al patio. Todas las superficies de aquella estancia, estanterías, mesas y la barra del bar, estaban cubiertas de estatuillas de porcelana, joyeros de vidrio, lámparas y leones. El suelo estaba tan pulido que las baldosas parecían espejos.

Morag lanzó su chaqueta en una butaca reclinable de cuero y se coló detrás de la barra para servir las bebidas.

—¿Cerveza, whisky? ¿Algo más exótico?

—Con una cerveza me apaño. —Fin se había tomado menos de la mitad de la pinta que había pedido en el Am Politician. Alcanzó el vaso espumoso que la mujer le ofrecía, se paseó entre el montón de fruslerías hasta los ventanales y observó las vistas desde el norte sobre el estrecho y hacia South Uist. Justo debajo vio la pequeña bahía con su minúsculo puerto de piedra, al que llegaba el barco que cruzaba las aguas hasta Ludagh antes de que la construcción de las carreteras hiciera necesario un ferry para automóviles.

—¿Usted nació aquí?

—No. Pero pasé aquí la mayor parte de mi infancia.

Fin se volvió y la vio tomar un trago largo de su gin-tonic. El hielo de su vaso tintineaba como los carillones de fuera.

—¿Y cómo llega una chica de Eriskay a convertirse en una actriz famosa?

La mujer soltó una sonora carcajada.

—No sé si diría famosa... pero el primer paso que una chica de Eriskay tiene que dar para ser algo más que una chica de Eriskay es largarse de este maldito lugar.

—¿Cuántos años tenía cuando se marchó?

—Diecisiete. Fui a la Real Academia Escocesa de Música y Arte Dramático de Glasgow. Siempre quise ser actriz, ¿sabe? Desde que pusieron una película en el salón parroquial. Aunque no era una obra de ficción, sino un documental que un tipo alemán hizo en la década de los treinta. Pero había algo especial en toda esa gente que salía en la pantalla. Algo glamuroso. Y, no sé, les daba cierto aire de inmortalidad. Y yo quería eso. —Soltó una risita y salió de detrás de la barra para acomodarse en el sofá. Dino le saltó de inmediato a las rodillas—. Me entusiasmé cuando un profesor de la isla nos dijo a los niños que podíamos ir a su casa a ver películas. Fue justo después de que llegara la electricidad, y recuerdo que nos apretujábamos en su salón para verlas. Nos cobraba un penique a cada uno y proyectaba las diapositivas de sus vacaciones en Inverness. ¡Imagínese! —Se rió a carcajadas y Dino levantó la cabeza y soltó dos ladridos.

Fin sonrió.

—¿Regresó en alguna ocasión de visita?

La mujer meneó la cabeza enérgicamente.

—No. Nunca. Pasé años trabajando en los teatros de Glasgow y Edimburgo, y representando obras por toda Escocia. Después, Robert Love me ofreció mi primer papel para la televisión escocesa y jamás volví la vista atrás. Entonces me marché a Londres. Fui a muchas pruebas, conseguí algunos papeles y trabajé de camarera entre uno y otro. Me fue bastante bien, supongo. Pero nunca tuve un éxito enorme. —Otro trago de gin-tonic propició un momento de reflexión—. Hasta que me ofrecieron un papel en *The Street.* Me llegó relativamente tarde en la vida, pero me convertí en una estrella de inmediato. No sé por qué, pero a la gente le encantaba mi personaje. —Se rió socarronamente—. Me convertí en algo así como una más en sus casas. Y los veinte años de fama que me acompañaron, y los maravillosos ingresos que me proporcionó, han pagado todo esto. —Su brazo trazó un arco mientras mostraba su imperio—. Una jubilación muy cómoda.

Fin la observó con gesto pensativo.

—¿Qué la hizo volver?

La mujer lo miró.

—Usted es isleño, ¿verdad?

—Sí. Soy de Lewis.

—Entonces ya sabe la respuesta. Las islas poseen algo, *a ghràidh*, que siempre termina por hacerte regresar. Ya tengo reservado mi espacio en el cementerio de la colina.

—¿Ha estado casada?

Su sonrisa tenía un matiz de tristeza.

—Me enamoré una vez, pero no me casé.

Fin se volvió hacia los ventanales con vistas sobre la colina.

—Entonces, ¿conoció a la gente que vivía en la granja de ahí abajo?

—Sí, claro. La vieja viuda de O'Henley era quien vivía en ella cuando yo era pequeña. Ella y una jovencita llamada Ceit que iba a clase conmigo. Una «niña de casa».

Fin frunció el entrecejo.

—¿Qué es eso?

—Una niña salida de una casa de acogida, *a ghràidh*. Los concejos y la Iglesia católica sacaron a cientos de ellos de orfanatos y centros de acogida y los enviaron a las islas. Los pobres quedaron en manos de completos desconocidos. En aquella época no se investigaba a nadie. Los niños bajaban del ferry de Lochboisdale y se quedaban de pie en el muelle, con el nombre de su nueva familia colgado al cuello, esperando que alguien los reclamara. En la escuela de primaria de la colina había un montón de ellos. Una vez llegaron a ser casi cien.

Fin se sorprendió.

—No tenía ni idea.

Morag encendió un cigarrillo y dio un par de caladas mientras hablaba.

—Sí, pasó durante los sesenta. Una vez oí a un sacerdote decir que era bueno que llegara sangre nueva a las islas después de generaciones de endogamia. Creo que esa era la idea. Porque no todos eran huérfanos, ¿sabe? Algunos procedían de hogares rotos. Pero no había forma de regresar. Una vez los mandaban aquí, se cortaban todos los lazos con el pasado. Les prohibían mantener contacto con sus padres y familiares. Pobres desgraciados. Algunos de ellos fueron terriblemente maltratados. Con palizas, o cosas peores. A la mayoría los trataban como esclavos. Algunos tuvieron más suerte, como yo.

Fin arqueó una ceja.

—¿Usted fue una de ellos?

—Así es, señor Macleod. Fui a vivir con una familia de Parks, en el otro extremo de la isla. Ya están muertos, claro. No tuvieron hijos propios. Sin embargo, a diferencia de muchos, yo tengo recuerdos felices de los años que pasé allí. Por eso no tuve problemas para volver. —Apuró su bebida—. Necesito un chorrito más. ¿Y usted?

—No, gracias. —Fin apenas había probado la cerveza.

Morag hizo bajar a Dino de sus rodillas y se levantó del sofá para servirse otra copa.

—Por supuesto, no solo la gente del lugar se lo hacía pasar mal a los chicos. También algunos de fuera. Sobre todo ingleses. Como el director de la escuela de Daliburgh. —Sonrió—. Creyó que venía aquí a civilizarnos, *a ghràidh*, y prohibió la Gillean Cullaig.

—¿Qué es eso?

—Es como llamaban a la tradición de Hogmanay: un grupo de chicos iban de casa en casa la noche de Fin de Año y recitaban un poema a cambio de pan, bollos, pastel y fruta, que metían en sacos de harina. Llevaba siglos celebrándose. Pero al señor Bidgood le parecía que aquello era mendigar y emitió una orden por la que prohibía a sus alumnos participar en ella.

—¿Y todos obedecieron?

—Bueno, la mayoría sí. Pero en mi clase había un chico, Donald John. Un «niño de casa». Vivía con los Gillies, hermano y hermana, al otro lado de la colina. Él desafió la prohibición y fue con los chicos mayores. Cuando Bidgood lo descubrió, le dio una buena azotaina con el látigo.

Fin meneó la cabeza.

—No debería haber tenido derecho a hacer eso.

—Oh, en aquellos tiempos tenían derecho a hacer lo que quisieran. Pero Donald Seamus, que era el hombre con quien John vivía, se sintió molesto. Así que subió a la escuela y le dio una buena somanta de hostias a ese director. Con perdón de la expresión. Ese mismo día sacó a Donald John de la escuela y el chico nunca regresó. —Sonrió—. No había pasado ni un mes cuando Bidgood volvió a Inglaterra con el rabo entre las piernas. —Sonrió de nuevo—. En esa época la vida era muy pintoresca.

Fin miró alrededor y pensó que para ella aún seguía siéndolo.

—¿Tiene alguna idea de lo que sucedió con Ceit?

Morag se encogió de hombros y tomó otro sorbo de gin-tonic.

—Ni la más mínima, lo siento, *a ghràidh*. Se marchó de la isla un poco antes que yo, y por lo que sé no regresó jamás.

Otro callejón sin salida.

Cuando Fin se disponía a marcharse, una inquietante masa de nubes empezaba a formarse sobre la bahía del oeste, el viento era más severo y transportaba algunas gotas de lluvia. En algún lugar alejado, más allá de la masa nubosa, el sol derramaba su líquido dorado sobre el océano mientras se ponía por el horizonte.

—Será mejor que le lleve de vuelta a la colina, *a ghràidh* —dijo Morag—. O lo pillara el chaparrón. Dejaré la puerta del garaje abierta, así podré entrar directamente cuando vuelva.

Marcó un código en el panel que había junto a la puerta, que se replegó lentamente hacia arriba hasta quedar en posición horizontal contra el techo. Al subir al coche, Fin se fijó en una vieja rueca al fondo del garaje.

—No me diga que hila lana.

La mujer se rió.

—No, por Dios. Nunca lo he hecho y nunca lo haré. —Dino se le subió al regazo y Morag cerró la puerta, pero esa vez no bajó la capota. El perro resopló, aulló y restregó la húmeda nariz contra la ventanilla hasta que la mujer la bajó, y ocupó de nuevo su lugar habitual encima del brazo de su dueña para sacar la cabeza al viento. Mientras conducía por el camino de entrada, comentó—: Es una vieja rueca que quiero reparar. Quedará bien en el salón. Un recuerdo de tiempos pasados. Todas las mujeres hilaban lana cuando era pequeña. Solían engrasarla y tejerla para hacer sábanas, calcetines y jerséis para los hombres. En esa época, la mayoría de ellos eran pescadores y pasaban cinco a días a la semana en el mar, y un jersey de Eriskay tejido con esa lana engrasada era tan bueno como un impermeable. Todos los llevaban.

Al llegar al final del camino viró bruscamente mientras daba una calada a su cigarrillo, y por centímetros no chocó contra un poste de la valla.

—Cada mujer utilizaba su propio diseño, que por lo general pasaba de madres a hijas. Era tan distintivo que cuando sacaban el cuerpo de un hombre del mar, tan deteriorado que era imposible reconocerlo, casi siempre lo identificaban por el diseño de su jersey. Tan bueno como una huella dactilar.

Saludó con la mano al anciano del perro con el que Fin había hablado antes y el Mercedes estuvo a punto de meterse en la cuneta. Sin embargo, Morag no le dio importancia.

—En la isla hay un viejo sacerdote jubilado que es casi un historiador. —Se rió—. Supongo que no hay muchas distracciones con las que un célibe pueda ocupar las largas noches de invierno. —Dirigió una fugaz sonrisa a Fin—. En cualquier caso, es una especie de experto en los patrones de los tejidos de Eriskay de la época. He oído decir que tiene una colección de fotografías y dibujos. Con información de hace un siglo, o más, según cuentan.

Cuando llegaron a lo alto de la colina, Morag lanzó una mirada de curiosidad a su acompañante.

—No está muy hablador, señor Macleod.

Fin pensó que le habría costado meter aunque solo fuera una palabra de refilón. Sin embargo, respondió:

—Me lo paso bien escuchando sus historias, Morag.

Al cabo de un momento, la mujer preguntó:

—¿Por qué le interesa la gente que vivió en la granja de los O'Henley?

—No es la señora O'Henley quien me interesa, Morag. Intento rastrear las raíces de un anciano que ahora vive en Lewis. Creo que es posible que fuera de Eriskay.

—Bueno, tal vez lo conozca. ¿Cómo se llama?

—Su nombre no le sonará. Él dice llamarse Tormod Macdonald, pero no es su verdadero nombre.

—Entonces, ¿cuál es?

—Eso es lo que no sé.

La lluvia empezó a caer cuando Fin conducía hacia el norte desde Ludagh, barriendo el *machair* desde el mar abierto hacia el oeste. Gruesos goterones que comenzaron cayendo de uno en uno y de dos en dos, antes de que llegaran los refuerzos y lo obligaran a conectar el limpiaparabrisas a máxima velocidad. Tomó la salida de Daliburgh por la carretera de Lochboisdale, dándole vueltas a la idea de que la historia de Morag sobre los patrones de los tejidos de Eriskay era, tal vez, su última oportunidad de descubrir la verdadera identidad del padre de Marsaili. Sin duda, una posibilidad muy remota.

El hotel Lochboisdale se alzaba en la colina, por encima del puerto, al abrigo de Ben Kenneth. Era un viejo edificio encalado y tradicional con anexos modernos y un salón comedor con vistas sobre la bahía. Tras un oscuro mostrador de recepción en el vestíbulo, una joven con falda escocesa le dio las llaves de una habitación individual y le confirmó que sí, por supuesto que tenían servicio de fax. Fin anotó el número y subió por las escaleras a su habitación.

Desde la ventana observó el muelle bajo la luz crepuscular mientras el ferry CalMac procedente de Oban, con sus rojas chimeneas gemelas, hacía aparición entre la cortina de lluvia y maniobraba para colocarse en la rampa y hacer descender la puerta de la cubierta de vehículos. Diminutas figuras con chubasqueros amarillos hacían frente al mal tiempo para dirigir la salida de los coches. Fin se preguntó cómo debieron de sentirse esos pobres niños asustados, a los que arrancaron de su entorno y abandonaron en el muelle para que se enfrentaran a su destino. Y sintió rabia hacia los hombres cuya religión y política así lo habían dictado.

¿Quién habría estado al corriente en ese momento, aparte de los implicados? ¿Por qué nunca apareció en la prensa, como sin duda sucedería hoy en día? ¿Cómo habría reaccionado la gente si hubiera sabido lo que estaba ocurriendo? Estaba seguro de que sus padres se habrían indignado. La rabia lo invadió al pensar en ello. La rabia de un padre. Y el dolor de un huérfano. Su capacidad de identificarse con aquellos niños desdichados le resultaba casi dolorosa. Le entraron ganas de arremeter contra algo, o contra alguien, en nombre de ellos.

Y la lluvia se deslizó por su ventana como lágrimas vertidas por esas pobres almas desvalidas.

Cruzó la habitación para sentarse en el borde de la cama, en la penumbra del atardecer, y cuando se disponía a encender la lámpara de la mesilla de noche, sintió que el abatimiento se apoderaba de él en una oleada incontenible. En la agenda de su teléfono móvil, buscó el número fijo de George Gunn y pulsó el botón de llamada. Respondió la mujer de Gunn y Fin recordó las múltiples ocasiones en que George lo había invitado a su casa, a comer salmón escocés con él y su mujer. Fin aún no la conocía.

—Hola, señora Gunn. Soy Fin Macleod. ¿Está George?

—Ah, hola, señor Macleod —respondió, como si fueran viejos amigos—. Un momento, voy a buscarlo.

Tras unos segundos, oyó la voz de Gunn.

—¿Dónde está, señor Macleod?

—En Lochboisdale, George.

Percibió la sorpresa en su voz.

—¿Y qué diablos hace ahí abajo?

—Estoy casi seguro de que el padre de Marsaili es de Eriskay. Y creo que tal vez haya una forma de descubrir quién era. O quién es. Pero tengo que usar un comodín, George, y necesito tu ayuda.

Se produjo un silencio prolongado.

—¿Para qué?

—¿Has conseguido el dibujo del diseño de la manta que quedó grabado en el cadáver?

Más sorpresa.

—Sí. De hecho, el dibujante ha venido hoy. —Hizo una pausa—. ¿Va a dejarme participar en esto?

—Lo haré, George, cuando esté seguro de cómo están las cosas.

Oyó un suspiro al otro lado de la línea.

—Me está agotando la paciencia, señor Macleod. —Fin esperó. Acto seguido, Gunn añadió—: ¿Qué quiere que haga?

—Quiero que me envíes esos dibujos por fax al hotel Lochboisdale.

27

¡Otra vez la maldita oscuridad! Siempre está oscuro. Estaba soñando. Algo muy claro para mí. Pero que me aspen si recuerdo lo que era. Solo sé que me ha despertado. De eso estoy seguro.

¿Qué hora es? Oh. Mary debe de haberse llevado el reloj de la mesilla. Pero será hora de ordeñar. Espero que haya dejado de llover. Retiro la cortina y veo las gotas deslizarse por la ventana. ¡Maldita sea!

No tardo en vestirme. Y ahí está mi viejo sombrero, encima de la silla. Hace años que lo tengo, ese sombrero. Me ha protegido del frío y de la lluvia en todas las épocas del año, y ha salido volando unas cuantas veces, también.

La luz del pasillo está encendida, pero no hay señal de Mary. Quizá esté en la cocina preparándome el desayuno. Me sentaré a la mesa a esperar. No me acuerdo qué cenamos anoche, pero tengo hambre.

¡Oh, Dios! De repente caigo en la cuenta. El maldito sueño. Estaba en alguna playa, caminando junto a un joven, y me dio una medalla, como una moneda, colgada de una cadena. La encerré en un puño, tomé impulso y la arrojé al océano. Solo cuando desapareció me di cuenta de lo que era. El san Cristóbal. Ceit me la dio. Lo recuerdo claramente. Pero estaba oscuro y yo estaba muy nervioso.

Peter se encontraba en la parte trasera de la furgoneta de Donald Seamus, en el espigón de Ludagh, envuelto en una vieja colcha de lana. Muerto. Cubierto de sangre. Y yo apenas era capaz de controlar mis emociones.

Lo habíamos traído por el estrecho desde Haunn en un pequeño bote de remos que Donald Seamus dejaba en la bahía. Hacía una noche de mil demonios. Noté la ira de Dios en el viento y los reproches de mi madre en su voz. Afortunadamente, nos alumbraron las luces de las granjas de ese lado de la bahía, o nunca habríamos llegado a salvo. La noche era negra como boca de lobo y el bote se zarandeaba como si fuera un tapón de corcho. A veces me costaba horrores hundir los remos en el agua para seguir impulsándonos.

El bote estaba atado en el extremo del espigón, alzándose y cayendo con furia en la oscuridad, y sabía que Ceit tendría que devolverlo sola. También sabía que ella no quería hacerlo, y nunca olvidaré su mirada. Se acercó y me agarró del cuello del chubasquero con ambas manos.

«No te vayas, Johnny.»

«Tengo que hacerlo.»

«¡Claro que no! Podemos explicar lo que ha sucedido.»

Negué con la cabeza.

«No, no podemos.» La sujeté por los hombros, con demasiada fuerza. «No puedes decírselo a nadie, Ceit. Tienes que prometérmelo.» Como no respondió, la zarandeé. «¡Prométemelo!»

Ceit apartó la mirada y la dirigió al suelo.

«Te lo prometo.» Sus palabras se alejaron en el viento casi antes de que alcanzara a oírlas. Y entonces la estreché entre mis brazos con tanta fuerza que temí romperla.

«No hay forma de explicarle esto a nadie, Ceit. Y tengo asuntos que atender», dije. Le había fallado a mi madre y era consciente de que no podría seguir adelante con mi vida hasta haber arreglado las cosas. Si es que podían arreglarse.

Levantó la cabeza para mirarme y vi el miedo en su rostro.

«Déjalo, Johnny. Déjalo correr.»

Pero no podía. Y ella lo sabía. Se zafó de mi abrazo y se llevó las manos a la nuca para desabrocharse la cadena con la medalla de san Cristóbal. Me la ofreció y la cadena se enrolló en el viento.

«Quiero que te la quedes.»

Negué con la cabeza.

«No puedo. La llevas desde que te conozco.»

«¡Cógela!», dijo en un tono que no admitía discusión. «Te protegerá, Johnny. Y cada vez que la mires quiero que pienses en mí. Es para que no me olvides.»

A regañadientes, se la cogí de la mano y la encerré con fuerza en la mía. El pedacito de Ceit que llevaría conmigo toda la vida. Entonces extendió un brazo y me tocó la cara, como lo había hecho esa primera vez, y me besó. Fue un beso suave y dulce, lleno de amor y dolor.

Esa fue la última vez que la vi. Y aunque me casé y tuve dos hijas maravillosas, nunca amé a nadie más.

¡Oh, Dios! ¿Qué me llevó a arrojarla al mar? ¿Lo he soñado o de verdad lo hice? ¿Por qué? ¿Por qué haría algo así? Pobre Ceit. Perdida para siempre.

De repente la luz se enciende y parpadeo debido al intenso resplandor. Una mujer se me queda mirando como si tuviera dos cabezas.

—¿Qué hace ahí sentado a oscuras, señor Macdonald? ¿Y por qué se ha vestido?

—Es hora de ir a ordeñar —respondo—. Estoy esperando a que Mary me traiga el desayuno.

—Es demasiado temprano para desayunar, señor Macdonald. Vamos, lo ayudaré a volver a la cama.

¡Menuda locura! Ahora ya estoy levantado. Y las vacas no pueden esperar.

Me coloca una mano debajo del brazo para ayudarme a

ponerme en pie y me mira fijamente. Me doy cuenta de que está preocupada por algo.

—Oh, señor Macdonald… Ha llorado.

¿Ah, sí? Me llevo una mano a la cara y la noto húmeda.

28

La casa del viejo sacerdote se encontraba en la zona de la colina desde la que se dominaba la playa de Charlie, justo antes de llegar a la curva de la carretera, donde el camino conducía a Parks y a Acarsaid Mhor. El sacerdote era un hombre encogido, encorvado y marchito por los años y el clima, aunque tenía una buena mata de cabello cano y unos ojos azul intenso que revelaban una aguda inteligencia.

Desde la puerta de su vieja granja se divisaba la extensión de Coileag a' Phrionnsa y el nuevo rompeolas justo debajo, con magníficas vistas del estrecho de Barra.

Fin había llegado a media mañana y se encontraba en la entrada de la casa, disfrutando de las vistas, esperando que el anciano le abriera, mientras la luz del sol caía en una cascada de olas sobre el cristal turquesa de la bahía y el viento le azotaba los pantalones y la chaqueta.

—No puedo imaginarme un lugar mejor en el que pasar los últimos años de vida. —La voz del cura sobresaltó a Fin, que se volvió y vio al anciano contemplando el estrecho—. Veo el ferry ir y venir de Barra todos los días, y me prometo que un día me subiré a él y haré un viajecito por el agua. Para visitar a viejos amigos antes de que se mueran. Es una isla preciosa, Barra. ¿La conoce?

Fin meneó la cabeza.

—Entonces debería ir también usted, y no dejarlo para más adelante, como hago yo. Pase.

En el interior, el hombre se inclinó sobre la mesa del salón, donde había esparcidos bosquejos y fotografías entre álbumes abiertos llenos de recortes, fotocopias y listas escritas a mano. Lo había sacado todo justo después de recibir la llamada de Fin. No tenía muchas ocasiones de mostrar su colección. Debajo de un cárdigan verde abotonado llevaba una camisa blanca a cuadros marrones, abierta por el cuello. Los pantalones grises de franela le caían formando pliegues sobre las zapatillas, también marrones. Fin se fijó en que tenía las uñas sucias y no se había afeitado hacía por lo menos dos días, pues una incipiente barba plateada le cubría la carne flácida del rostro.

—Los jerséis de Eriskay son una de las obras de artesanía más excepcionales que encontrará en Escocia hoy en día —comentó.

Fin se sorprendió.

—¿Aún los hacen?

—Sí. Para la cooperativa, la Co-Chomunn Eirisgeidh. Solo quedan unas pocas mujeres que los tejen. En los viejos tiempos eran de un solo color. Azul marino. Pero ahora también los hacen en color crema. Es una pena, pero el color único no permite mostrar bien lo intrincado de los diseños.

Se agachó sobre una bolsa que había en el suelo y sacó una muestra de jersey para enseñársela a Fin. La aplastó contra la mesa y Fin comprobó lo que el viejo sacerdote le había dicho. El diseño era increíblemente delicado, con una vuelta tras otra de canalé en vertical, horizontal y en ángulo, algunas en forma de diamante, otras formando un motivo en zigzag. El anciano acarició ligeramente las estrías de lana azul.

—Utilizan agujas muy delgadas y aprietan mucho el punto. Como ve, el jersey no tiene costuras. Es muy caliente y casi impermeable. Se tarda unas dos semanas en tejer uno.

—¿Y cada familia tenía su propio diseño distintivo?

—Sí, así es. Y pasaba de generación en generación. En una época solía estilarse en todas las Hébridas, pero ahora esa tradición solo se sigue en Eriskay. Y no me cabe duda de que morirá aquí. Los jóvenes no muestran demasiado interés en seguirla. Se tarda demasiado, claro. Y las chicas de ahora lo quieren todo para hoy. O para ayer. —Esbozó una sonrisa triste y meneó la cabeza—. Por eso creí que sería una pena que no quedara constancia de un arte tan precioso.

—¿Y tiene muestras de los diseños de todas las familias de la isla?

—De prácticamente todas. Al menos de los últimos setenta años. ¿Quiere tomar algo? ¿Le apetece una copita?

Fin declinó el ofrecimiento con cortesía.

—Es un poco temprano para mí.

—Vamos, nunca es temprano para un sorbo de whisky, señor Macleod. No he llegado a mi edad rechazando traguitos, ni bebiendo leche. —Sonrió y se dirigió a un viejo buró con puerta abatible en el que guardaba una colección de botellas. Eligió una y se sirvió una pequeña cantidad—. ¿No lo he convencido?

Fin sonrió.

—No, gracias.

El viejo sacerdote regresó a la mesa y tomó un sorbo.

—¿Tiene una muestra de lo que busca?

—Sí. —Fin extrajo de la bolsa el fax que le había enviado Gunn y lo dejó sobre el jersey que había encima de la mesa.

El anciano le echó un vistazo.

—Ah, sí. Sin duda es un diseño de Eriskay. ¿De dónde lo ha sacado?

Fin vaciló.

—Es el dibujo a partir de la huella dejada por una colcha, o una manta. O de algún tejido de lana.

El sacerdote asintió.

—Bueno, tardaré un poco en compararlo con todas mis

muestras. Si no le apetece un trago, sírvase una taza de té. —Le señaló el fogón de la cocina—. Y siéntese junto a la chimenea. Le dejaré una Biblia para que la lea. —Esbozó una sonrisa pícara—. Aunque tal vez sea demasiado temprano para algo tan fuerte.

Fin se sentó junto al fuego con una taza de té oscuro y dulce, y miró por la pequeña ventana, hacia la playa de abajo. Su instinto le dijo que estaba observando el escenario de un crimen. Que fue allí donde habían asesinado al joven cuyo cadáver había aparecido en la turbera de Lewis. Aún no sabía quién era ese hombre, aunque si contenía la respiración y escuchaba al viento, casi podía oírlo susurrar que estaba a punto de descubrirlo.

—¿Señor Macleod?

Fin se volvió hacia la mesa.

El viejo sacerdote sonrió.

—Creo que ya sé quién tejió esto.

Fin se levantó y cruzó la sala para acercarse a la mesa, donde vio la fotografía en blanco y negro de un jersey de Eriskay. Se trataba de una imagen de gran nitidez que, colocada junto al esbozo que le había enviado Gunn, permitía pasear los ojos de un diseño al otro y establecer una comparación entre ambos.

El anciano señaló todos los puntos de correlación. Había demasiados para dudar que hubieran sido tejidos por la misma mano. Se mirara por donde se mirase, eran idénticos.

Fin señalo el fax con el dedo.

—Pero esto no era un jersey.

—No. —El sacerdote meneó la cabeza con gesto pensativo—. Diría que era más bien una colcha. De cuadrados de lana que después cosieron. Debió de ser muy calentita. —Recorrió el débil trazo de la esquina derecha de uno de los cuadrados y Fin se dijo que un cadáver no tenía necesidad de calor—. Aún no me ha dicho de dónde lo ha sacado.

—Lo lamento, pero todavía no puedo revelar esa información.

El anciano asintió con el gesto de aceptación fatalista propio de alguien que había construido su vida sobre los pilares de la fe.

Fin no fue capaz de contener su curiosidad durante más tiempo.

—¿A quién pertenece ese patrón?

El sacerdote volvió la fotografía y escrito en el dorso, con letra clara y tinta desvaída, se leía el nombre de Mary-Anne Gillies. Y la fecha, 1949.

Las ruinas se alzaban en una posición elevada, en la ladera, casi perdidas entre la crecida hierba que se inclinaba con el viento. La mitad superior de la granja se había desplomado hacía años, y la puerta de entrada solo era una abertura entre dos paredes desmoronadas. Las pequeñas ventanas empotradas a uno y otro lado permanecían intactas, aunque la madera y el cristal habían desaparecido tiempo atrás. Sin embargo, las chimeneas de los gabletes habían sobrevivido. Una de ellas incluso conservaba una olla de cerámica amarilla sostenida precariamente en lo alto. Entre la hierba asomaban también los cimientos de otros edificios pertenecientes a la casa: un cobertizo en el que sin duda debían de encerrar a los animales y un granero para almacenar el heno con que alimentarlos durante el invierno. La franja de tierra en la que debía de haber crecido se extendía por la colina hasta la carretera que quedaba por debajo. Al final de la carretera, la luz del sol refulgía sobre la pequeña bahía y el estrecho, más allá. Fragmentos de nubes corrían por un cielo sumamente azul, persiguiendo sus propias sombras por la ladera. En el jardín minúsculo y barrido por el viento de una casita blanca al borde de la carretera, altas flores primaverales de cabezas rojas y amarillas se combaban aquí y allá entre las turbulentas corrientes de aire.

Claramente visible desde allí, en la cima del otro lado, se encontraba la iglesia de granito construida gracias a la recaudación de una noche de pesca. Había dominado la vida de la isla durante más de un siglo y su presencia física seguía alzándose imponente sobre ella.

Fin entró con cuidado en la granja, ahora convertida en una montaña de paredes derrumbadas medio ocultas entre la hierba y las ortigas. Esa era la casa de los Gillies de la que Morag McEwan le había hablado el día anterior. El hogar de un muchacho llamado Donald John, que había sido azotado por desobedecer al director de la escuela de Daliburgh. El hogar de Mary-Anne Gillies, que había tejido la colcha cuyo diseño había quedado grabado en el cadáver de un joven encontrado en una turbera de la isla de Lewis, a cuatro horas de viaje hacia el norte. O más, reflexionó Fin. En la época en que enterraron el cuerpo, las carreteras debían de estar en mucho peor estado, debía de haber muchos menos pasos elevados, si es que había alguno, y los trayectos en ferry habrían durado mucho más. Para la gente que vivía en Eriskay en aquellos tiempos, la isla de Lewis debía de estar a un mundo de distancia.

El sonido de un claxon llegó hasta él arrastrado por el viento, y Fin salió de la casa en ruinas, las piernas hundidas hasta las rodillas en hierba mojada y flores amarillas, y vio el Mercedes rosa de Morag acercarse a su coche a los pies de la colina. La mujer había retirado la capota y lo saludaba con la mano.

Fin empezó a bajar, pisando con cuidado entre las zonas cenagosas en que la tierra se hundía bajo los pies, hasta llegar al coche. Dino ladró un saludo desde su lugar habitual en el regazo de su dueña.

—Buenos días —dijo Fin.

—¿Qué hacía allí arriba, *a ghràidh*?

—Ayer me dijo que esa era la granja de los Gillies.

—Sí, así es.

—Y que un niño llamado Donald John Gillies vivía allí.

—Sí. Con el viejo Donald Seamus y su hermana, Mary-Anne.

Fin asintió con gesto pensativo.

—¿Los tres solos?

—No. Donald John tenía un hermano. —Morag protegió un cigarrillo del viento para encenderlo—. Estoy intentando recordar su nombre… —Dio una calada y soltó una larga bocanada de humo que se desvaneció en cuanto abandonó sus labios—. Peter —dijo al fin—. Donald Peter. Así se llamaba. —Se rió—. Aquí todos se llaman Donald. El segundo nombre es el que cuenta. —A continuación meneó la cabeza con tristeza—. Pobre Peter. Era un chico encantador. Pero estaba un poco tocado, ya me entiende.

Y Fin supo que había descubierto el lugar donde había vivido el padre de Marsaili, y de quién era el cuerpo que habían sacado de la turbera de Siader.

29

Sobre la mitad norte de la isla de Lewis se había instalado una calma extraña que contrastaba con la mezcla de pensamientos caóticos que habían ocupado la cabeza de Fin durante el largo viaje de regreso.

No se había detenido ni una sola vez, salvo por la media hora que pasó en Stornoway informando a George Gunn sobre lo que había descubierto. Gunn lo había escuchado en silencio en el centro de investigaciones. Se había quedado mirando por encima de los tejados de las casas de enfrente, hacia el castillo de Lews y los árboles de la colina, mientras los últimos rayos de sol del día se colaban sesgados entre las ramas y formaban largas franjas rosadas sobre la pendiente. Le había dicho:

«Entonces, el chico muerto es el hermano del padre de Marsaili».

«Donald Peter Gillies.»

«Solo que, en realidad, no se apellidan Gillies. Ese es el apellido de quienes los acogieron.»

Fin asintió.

«Y no tenemos ni idea de dónde procedían, ni de cuál pudo ser su verdadero apellido.»

Después de salir de Stornoway, Fin pensó en ello durante el trayecto a través del páramo de Barvas, y mientras cruzaba los pueblos de la costa oeste. Siader, Galson, Dell, Cross. Un borrón de iglesias, todas ellas de confesiones distintas. De viviendas subvencionadas por el Departamento de Agricultura y Pesca, casas blancas, casas negras y chalets modernos a lo largo de la costa, con revestimiento exterior especial a modo de escudo contra la próxima embestida.

No tenía ni idea sobre la clase de registro, en caso de que existiera alguno, que la Iglesia habría llevado acerca de los pobres niños a los que había arrancado de casas de acogida del continente para trasladarlos a las islas. No había garantía de que en el ayuntamiento encontrara más respuestas. Había pasado demasiado tiempo. ¿Y quién debió de preocuparse en aquella época por los desechos humanos de familias fracasadas, o por niños huérfanos sin parientes para defender sus derechos? Una aplastante sensación de vergüenza se apoderó de Fin por el hecho de que sus paisanos hubieran perpetrado tales actos en un pasado tan reciente.

El mayor problema al que se enfrentaba para intentar descubrir quiénes fueron en realidad Donald John y Donald Peter Gillies, era que nadie sabía de dónde procedían. Debieron de llegar como pasajeros anónimos que bajaron del ferry en Lochboisdale, con carteles colgados al cuello y un pasado borrado. Y ahora, con Peter muerto y su hermano John perdido en la niebla de la demencia, ¿quién quedaba capaz de recordar? ¿Quién podría decir quiénes habían sido en realidad? Esos dos chicos se habían perdido para siempre, y lo más probable era que ni él ni la policía averiguaran jamás quién había asesinado a Peter, o por qué.

Las luces de Ness destellaban sobre el cabo en la penumbra, como un reflejo de las estrellas que emergían en el cielo despejado. El viento que había zarandeado su coche en el trayecto desprotegido hacia el norte a través de las islas Uist había cesado y ahora reinaba una calma antinatural. Por el retrovisor aún veía la presencia perturbadora de las nubes en su lugar de reunión habitual en torno a los picos de Harris, y un poco más lejos, hacia el oeste, sobre un océano como el cristal, el reflejo de la última luz del día moría convirtiéndose en la noche.

Había tres coches aparcados en el camino de grava que quedaba por encima del chalet de Marsaili. El Mini de Fionnlagh, el viejo Astra de Marsaili y el utilitario de Donald Murray.

Donald y Marsaili estaban sentados a la mesa de la cocina cuando Fin llamó a la puerta y entró en la casa. Durante un instante sintió una punzada de celos extrañamente desagradable. Al fin y al cabo, había sido Donald Murray quien la había desvirgado tantos años atrás. Sin embargo, eso había sucedido en otra vida, cuando todos ellos eran personas muy distintas.

Donald saludó con la cabeza.

—Fin.

Marsaili, casi como si quisiera hacerle saber que no tenía motivos para sentirse celoso, se apresuró a decir:

—Donald ha venido con una propuesta sobre Fionnlagh y Donna.

Fin se volvió hacia Donald.

—¿Fionnlagh ha ido a verte?

—Sí, esta mañana.

—¿Y?

Donald esbozó una sonrisa irónica, cargada de historia.

—Es un digno hijo de su padre.

Fin no logró contener una sonrisa.

Marsaili agregó:

—Se han mudado aquí de manera permanente, los dos, con la niña. Están en el piso de arriba. —Dirigió una mirada vacilante a Donald—. Donald sugiere que él y yo compartamos los gastos y la responsabilidad del bebé para que Fionnlagh y Donna puedan terminar sus estudios. Aunque eso signifique que uno, o los dos, tengan que marcharse de la isla para ir a la universidad. Está claro que todos sabemos lo importante que es no desperdiciar las oportunidades que se presentan cuando se es joven. De lo contrario, te pasas el resto de la vida lamentándolo.

Había algo más que un matiz de resentimiento en su voz. Y Fin se preguntó si también contenía reproche.

—El plan suena bien.

Marsaili bajó la mirada hacia la mesa.

—No estoy segura de que pueda permitírmelo. Que Fionnlagh vaya a la universidad, quiero decir. Y los gastos del bebé. Sobrevivo con el seguro de vida de Artair, y esperaba invertirlo para ir a la universidad, si consigo entrar. Supongo que tendré que posponer mis estudios y buscar trabajo.

—Eso sería una lástima —dijo Fin.

Marsaili se encogió de hombros.

—No hay muchas alternativas.

—Podría haberlas.

Volvió una mirada inquisitiva hacia él.

—¿Como cuáles?

—Como que tú y yo compartiéramos la responsabilidad. —Sonrió—. Al fin y al cabo, soy el abuelo de Eilidh. Tal vez no podamos evitar que nuestros hijos cometan los mismos errores que nosotros, pero al menos podemos estar a su lado para sacarles las castañas del fuego.

Donald los miró alternativamente, y percibió e interpretó lo que permanecía silenciado. A continuación se levantó.

—Bueno, os dejaré para que habléis de ello. —Vaciló antes de tenderle la mano a Fin. Al final lo hizo y Fin se la estrechó. Se marchó sin decir más.

La cocina se quedó en un extraño silencio, parecía casi irreal bajo el resplandor parpadeante del fluorescente del techo. Desde algún lugar alejado de la casa les llegó el eco de la música de Fionnlagh.

Al fin Marsaili dijo:

—¿Cómo podrás permitírtelo?

Fin se encogió de hombros.

—Tengo algo ahorrado. Y no pretendo seguir en paro toda la vida.

El silencio volvió a cernerse pesadamente entre ambos. Un silencio nacido del arrepentimiento. De todos sus fracasos, juntos y por separado.

Hasta que Fin preguntó:

—¿Cómo te fueron los exámenes?

—No preguntes.

Él asintió con la cabeza.

—Supongo que no ibas muy preparada.

—No.

Fin respiró hondo.

—Marsaili, tengo noticias. Sobre tu padre. —Los ojos azules de la mujer lo miraron fijamente, rebosantes de pura curiosidad—. ¿Por qué no salimos de aquí, a que nos dé un poco el aire? Hace una noche preciosa, y seguro que no hay un alma en la playa.

El susurro del mar llenaba la noche. Suspiraba, como si se sintiera aliviado por haber sido liberado de la obligación de mantener una actitud furiosa. Una luna en tres cuartos se alzaba en la oscuridad y proyectaba su luz sobre el agua y la arena, una luz que formaba sombras y ocultaba verdades en rostros medio iluminados. El aire era suave y, preñado de la promesa de un verano ya próximo, poesía en la noche, mecía las olas bajas que rompían como una Hipocrene burbujeante a lo largo de la playa.

Fin y Marsaili caminaban lo bastante juntos para sentir el calor del otro, dejando sus huellas sobre la arena virgen.

—Hubo un tiempo —dijo Fin— en el que te habría cogido la mano caminando por una playa como esta.

Marsaili le dirigió una mirada de sorpresa.

—¿Es que ahora lees el pensamiento?

Y Fin pensó en lo completamente natural que habría sido, y en lo embarazoso que habría resultado de inmediato. Se rió.

—¿Te acuerdas de la vez que vacié ese saco de cangrejos desde el acantilado sobre las chicas que estabais tomando el sol abajo en la playa?

—Me acuerdo de que te di una bofetada tan fuerte que me hice daño en la mano.

Fin esbozó una mueca de arrepentimiento.

—Sí, yo también me acuerdo de eso. Y de que ese día ibas en toples.

—¡Maldito mirón!

Fin sonrió.

—Y recuerdo que hicimos el amor entre las rocas, y que después nos bañamos en cueros en el mar para refrescarnos. —Como Marsaili no reaccionó, se volvió hacia ella y vio una mirada distante en sus ojos, como si el pensamiento la hubiera transportado a un lugar y a un tiempo muy lejanos.

Ya casi habían llegado a la cabaña del barco. Surgía entre la oscuridad como un presagio de dolor pasado y futuro, y Fin apoyó suavemente una mano en el hombro de Marsaili para desandar el camino. El mar barría sus huellas, borrando la historia como si jamás hubieran pasado por allí. Fin le pasó el brazo alrededor de sus hombros y notó que ella se inclinaba hacia él mientras la guiaba hacia la arena, lejos del mar.

Anduvieron en silencio durante casi la mitad del camino hasta que se detuvieron, de mutuo acuerdo tácito, y Fin volvió a Marsaili hacia él. La mujer tenía el rostro en la sombra, de modo que le acercó un dedo al mentón y se lo levantó hacia la luz. Al principio ella se resistió a mirarlo a los ojos.

—Recuerdo a la niña que me tomó de la mano el primer día de la escuela. Y que me llevó por el sendero hasta las tiendas de Crobost y me dijo que se llamaba Marjorie, pero que prefería su nombre en gaélico, Marsaili. La misma niña que decidió que mi nombre inglés era feo, y lo acortó a Fin. Que es como todo el mundo ha seguido llamándome toda mi vida.

Entonces Marsaili sonrió, con una sonrisa teñida de tristeza, y finalmente lo miró a los ojos.

—Y yo recuerdo que te quería, Fin Macleod. —La luz de la luna brilló en las lágrimas que asomaron a sus ojos—. Y no estoy segura de que haya dejado de hacerlo.

Fin se inclinó hacia ella y sus labios se encontraron. Cálidos, indecisos, vacilantes. Y por fin se besaron. Fue un beso suave y dulce, lleno de lo que algún día habían sido, y de todo lo que habían perdido desde entonces. Con los ojos cerrados, los reproches y las pasiones de toda una vida lo envolvieron por completo.

Y de repente terminó. Marsaili retrocedió, alejándose de sus brazos, y lo miró en la oscuridad. La mirada escrutadora, repleta de miedo y duda. A continuación se volvió y se dirigió hacia las rocas. Fin permaneció inmóvil durante unos segundos y la observó alejarse, pero acto seguido corrió para alcanzarla. Cuando estuvo a su lado, sin dejar de caminar, ella preguntó:

—¿Qué has descubierto sobre mi padre?

—Que no es Tormod Macdonald.

Marsaili se detuvo en seco y lo miró con el entrecejo fruncido.

—¿Qué quieres decir?

—Quiero decir que tomó prestada, o robó, la identidad de un chico de Harris que murió. En realidad se llamaba Donald John Gillies, y llegó de la isla de Eriskay. El joven al que encontraron en la turbera era su hermano, Donald Peter.

Marsaili se quedó boquiabierta.

—Aunque Donald John tampoco es su nombre verdadero. —Pudo ver cómo su mundo se desmoronaba en la mirada de dolor que reflejaban sus ojos, ahora fruncidos. Todas las certezas de su vida se deshacían bajo sus pies, como la arena que pisaba.

—No lo entiendo…

Fin le contó todo lo que había averiguado, y cómo. Marsaili lo escuchó en silencio, con el rostro más pálido que la luna, y cuando terminó, ella tuvo que apoyarse en su brazo para mantener el equilibrio.

—¿Mi padre era un «niño de casa»?

Fin asintió con la cabeza.

—Un huérfano, con toda probabilidad. O un niño que vivía en una casa de acogida, al que la Iglesia católica mandó a las islas con su hermano.

Marsaili se dejó caer sobre la arena, cruzó las piernas y hundió la cara entre las manos abiertas. Al principio Fin creyó que estaba llorando, pero cuando le levantó el rostro, lo descubrió seco. La impresión le había embotado el resto de emociones. Fin se sentó a su lado. Marsaili se quedó observando la pasajera benevolencia del mar.

—Es extraño —comentó—. Crees que sabes quién eres porque crees saber quiénes son tus padres. Hay cosas que son… —Se interrumpió para buscar la palabra—. Innegables, incuestionables. —Meneó la cabeza—. Y va y de repente descubres que toda tu vida se ha basado en una mentira, y de que no tienes ni idea de quién eres. —Se volvió y le dedicó una mirada cargada de desilusión—. ¿Mi padre mató a su hermano?

Fin se dio cuenta entonces de que, si bien para él sería posible aceptar la idea de que tal vez jamás descubriría los orígenes de su padre y quién mató a su hermano, Marsaili no podría descansar hasta saber la verdad.

—No lo sé. —La rodeó con un brazo y ella le apoyó la cabeza en el hombro.

Permanecieron allí sentados un buen rato, escuchando la cadencia lenta y regular del océano, bañado de luz de luna, hasta que Fin la notó temblar de frío. Sin embargo, ella no mostró intención de moverse.

—Fui a verlo, justo antes de marcharme a Glasgow, y lo

encontré sentado bajo la lluvia. Creía que estaba en un barco. El *Claymore*, dijo que se llamaba, que había salido del continente. —Se volvió para mirar a Fin, con los ojos empañados y tristes—. Creí que desvariaba. Que hablaba de algo que había visto por la televisión o leído en un libro. Al principio me llamó Catherine, después Ceit, como si fuera alguien a quien conocía. No su hija. Y me habló de alguien llamado «gran Kenneth».

—Beinn Ruigh Choinnich. Es la montaña que abriga el puerto de Lochboisdale. Debieron de verlo desde el ferry, a lo lejos. —Alargó un brazo para retirarle un mechón de pelo de los ojos—. ¿Qué más te dijo, Marsaili?

—Nada que tuviera demasiado sentido. Al menos, en ese momento. Hablaba con Ceit, no conmigo. Dijo que nunca olvidaría los días que pasaron en El Valle. Ni las torrecillas de la casa de Danny. O algo así. Que aquello les recordaba el lugar que ocupaban en el mundo. —Lo miró con el dolor dibujado en cada línea de su rostro—. Y algo más, que ahora adquiere un significado del todo distinto. —Cerró los ojos, intentando recordar con exactitud. A continuación los abrió como platos—. Dijo que no les había ido tan mal, para ser un par de pobres huerfanitos.

Los ojos de Fin debieron de iluminarse en ese momento, porque Marsaili frunció el entrecejo, ladeó la cabeza y se lo quedó mirando fijamente.

—¿Qué pasa?

Y si se habían iluminado, lo habían hecho con la luz de la revelación.

—Marsaili, es posible que sepa exactamente a qué se refirió tu padre al hablar de El Valle —dijo Fin—. Y de las torrecillas de Danny. Y da la impresión de que Ceit, la niña que fue a vivir con la viuda O'Henley, viajó con él en el barco. —Y pensó: «Tal vez, después de todo, haya alguien que todavía sabe la verdad». Entonces se levantó y ofreció una mano a Marsaili. La mujer se levantó junto a él—. Si encontramos plazas, mañana deberíamos subirnos al primer avión que salga hacia Edimburgo.

La única luz de la habitación la proporcionaba el resplandor azulado de la pantalla de su portátil. Se sentó a solas frente a la mesa, en la oscuridad, y notó la opresión de la calma que reinaba en la casa. La presencia de los otros, en otras habitaciones, parecía incrementar su sensación de aislamiento.

Esa era la habitación en la que había pasado tantas horas recibiendo clases del padre de Artair. Donde Artair y él se habían sentado, juntos o por separado, a escuchar las largas lecciones sobre historia de las Hébridas, o a descifrar ecuaciones matemáticas. Donde sus años de infancia habían transcurrido en una encarcelación sofocante, la libertad intuida solo de vez en cuando, mediante miradas furtivas por la ventana. Marsaili le había dicho que podía pasar la noche en el sofá cama. Sin embargo, allí había demasiados recuerdos. La mancha de café con la forma de Chipre sobre la mesa de juego en la que trabajaban. Las hileras de libros con títulos exóticos aún en los estantes. El olor de la pipa del padre de Artair, con el humo sostenido en el aire en volutas lentas y azules. Si respiraba hondo, podía notar su aroma, aunque solo fuera en el recuerdo.

Marsaili, frágil y fatigada, se había acostado hacía un rato y le había dicho que podía quedarse cuanto quisiera y aprovechar la conexión wifi de Fionnlagh. El cursor de la pantalla parpadeó sobre una página en la que figuraba el emblema de las Galerías Nacionales de Escocia. Debajo, una ventana azul en la que aparecían nubes de aspecto algodonoso anunciaba: «Otro mundo. Dalí, Magritte, Miró y los surrealistas». Sin embargo, hacía rato que había dejado de mirarla. No había tardado casi nada en confirmar sus sospechas y en reservar de inmediato los billetes para el vuelo de la mañana. Luego dedicó buena parte de la hora siguiente a investigar a fondo.

Estaba cansado. Le dolían los ojos. Sentía el cuerpo golpeado, magullado, mientras su cerebro provocaba un cortocircuito en sus pensamientos casi en el instante en que se le ocurrían. No tenía ningún deseo de regresar a Edimburgo, un retorno a un pasado doloroso que había sido incapaz de superar. Lo único que había conseguido era lograr cierta distancia. Y ahora, el destino le privaba incluso de eso. Marsaili no podría dar el asunto por cerrado sin ese viaje, mientras que para él solo serviría para abrir viejas heridas.

Se preguntó brevemente cómo sería recibido si avanzara de puntillas por el pasillo hasta su habitación y se metiera bajo las mantas a su lado. No en busca de sexo, ni siquiera de amor. Sino de comodidad. El calor de otro ser humano.

Sin embargo, sabía que no lo haría. Bajó la pantalla del portátil, cruzó en silencio la casa y cerró la puerta de la cocina lentamente tras él. Enfiló la carretera a oscuras hacia su tienda. La luz de la luna que se reflejaba sobre el océano en calma era casi dolorosamente brillante, y las estrellas parecían millones de puntas de aguja candentes clavadas en el universo. Lo único que le esperaba entre los límites de su desangelada tienda de campaña era un saco de dormir frío, una carpeta beis que contenía las hojas de papel en las que se describía la muerte de su hijo y todas las horas en vela a las que tendría que hacer frente antes del amanecer.

30

En Edimburgo hacía mejor tiempo, con un suave viento que soplaba procedente de las colinas de Pentland mientras el sol se ocultaba y se asomaba tras burbujas de cúmulos y vertía luz y color sobre esa ciudad gris de arenisca y granito.

Habían llevado bolsos de viaje por si tenían que quedarse, aunque Fin no era optimista al respecto y estaba convencido de que solo encontrarían los lugares de los que había hablado el padre de Marsaili. Una visita que les ocuparía menos de una hora. Tomaron un taxi en el aeropuerto, y cuando se acercaron a Haymarket, el conductor encendió el intermitente para avisar de un giro a la izquierda hacia Magdala Crescent.

—Por aquí no —dijo Fin.

—Es un atajo, amigo.

—Me da igual. Suba hasta Palmerston Place.

El taxista se encogió de hombros.

—Usted manda.

Fin notó la mirada de Marsaili. Sin devolvérsela, comentó:

—Cuando Padraig MacBean me llevó a An Sgeir en su vieja barca, me contó la historia de cómo había perdido el barco nuevecito de su padre en el estrecho de Minch. Estuvo a punto de morir. —Se volvió y la descubrió mirándolo fijamente, con gesto de curiosidad—. Aunque no hay nada que señale el lugar donde se hundió, Padraig me dijo que lo nota cada vez que navega sobre él.

—¿Tu hijo murió en Magdala Crescent?

—En una calle que sale de allí.

—¿Quieres hablar del tema?

Su mirada se perdió más allá del conductor, del parabrisas y del tráfico que se extendía frente a ellos por West Maitland Street. Al fin respondió:

—No, creo que no quiero.

El taxi torció por Palmerston Place, paso por delante de edificios con ventanas en saliente tiznados por el humo, un parque con árboles en floración primaveral, la grandiosidad de la catedral episcopal de Santa María, y bajó por la colina en dirección a la iglesia de arenisca roja de la esquina, que habían convertido en un albergue juvenil con puertas pintadas de rojo brillante.

A continuación subió la colina por Belford Road y los dejó en el patio delantero de un hotel de la cadena Travelodge, frente a una portalada de piedra bajo un estandarte blanco y azul que ondeaba con la brisa.

—Dean Gallery —leyó Marsaili cuando bajaron del taxi. Fin pagó al taxista y se volvió para hacer frente a su confusión—. ¿Esto es El Valle? ¿El Valle es una galería de arte?

Fin asintió con la cabeza.

—Ahora sí. —La tomó del brazo y cruzaron la carretera sortando los coches. Atravesaron una puerta negra de hierro forjado y siguieron un sendero adoquinado que ascendía por la colina entre un alto seto de ligustro y un muro de piedra. A continuación el camino se ensanchaba y torcía a través de jardines a la sombra de altos castaños, donde estatuas de bronce se alzaban sobre pedestales de piedra en zonas de césped muy cuidado—. En la época anterior al estado de bienestar, en Escocia había lo que llamaban la Ley de Pobres. Era una suerte de seguridad social para los más desvalidos de la sociedad, pagada casi en su totalidad por la Iglesia. Y cuando había alguna laguna, a veces intervenían también organizaciones benéficas privadas. El Hospital de Huérfanos de Edimburgo lo fundó la Sociedad para la Propagación del Conocimiento Cristiano a principios del siglo XVIII para rellenar una de esas lagunas.

—¿Esto es lo que buscabas anoche en internet?

—Sí. —Pasaron junto a una escultura deslustrada de la Virgen y el Niño que se llamaba *La Virgen de Alsacia*—. En 1833, el hospital se trasladó a un edificio nuevo, aquí en la zona del valle, en la aldea de Dean Estate, y lo llamaron el Orfanato de El Valle. —Una dama de Edimburgo de edad indeterminada, con melena corta plateada y falda azul marino pasó junto a ellos con paso rápido y desprendió un leve aroma floral que a Fin le recordó brevemente el de la madre de Marsaili.

Cuando rodearon la curva en lo alto de la colina, El Valle se irguió ante ellos con todo su esplendor de piedra arenisca: pórticos, ventanas en arco, torres de cuatro esquinas y balaustradas de piedra. Fin y Marsaili se detuvieron para admirarlo. Experimentaron una extraña sensación al descubrirlo allí arriba, en lo alto de la colina, oculto detrás de setos y árboles, revelándose de súbito como una visión de la historia, nacional y personal. El círculo del destino cuya primera curva había empezado con la partida del padre de Marsaili, se cerraba ahora con la llegada de su hija.

Su voz sonó sobrecogida.

—¿Esto era un orfanato?

—Eso parece.

—Dios mío. Es un edificio maravilloso, Fin. Pero no me parece el sitio adecuado para criar a niños huérfanos.

Fin pensó que la casa de su tía tampoco fue el lugar adecuado para criar a un huérfano. En cambio dijo:

—Anoche leí que en los primeros tiempos les daban de comer gachas y col rizada, y que las niñas tenían que confeccionar la ropa que llevaban todos los huérfanos. Supongo que las cosas serían bastante distintas en los cincuenta. —Hizo una pausa—. Pero se me hace difícil imaginar a tu padre aquí.

Marsaili se volvió hacia él.

—¿Estás seguro de que este es el lugar al que se refirió?

La guió un poco más arriba en la colina y señaló más allá de El Valle, hacia las torres gemelas de otro edificio impresionante que ocupaba la parte baja del valle.

—Stewart Melville —anunció—. Una escuela privada. En los años que tu padre debió de pasar aquí se llamaba escuela Daniel Stewart.

—Lo que él llama «la casa de Danny».

Fin asintió con la cabeza.

—Encierra una espantosa ironía, que no pasó desapercibida para tu padre. Los niños más pobres y necesitados de su generación vivían a tiro de piedra de los más privilegiados. ¿Qué fue lo que dijo? ¿Que las torrecillas de la casa de Danny siempre le recordaron el lugar que ocupaba en el mundo?

—Sí —confirmó Marsaili—. En el furgón de cola. —Se volvió hacia Fin—. Quiero entrar.

Siguieron el sendero hasta el pórtico de la entrada, donde unos escalones entre pilares conducían a una puerta de color rojo óxido. Una escalera a su izquierda descendía hasta una zona verde que antaño debieron de ser jardines. Fin observó el rostro de Marsaili mientras cruzaban un vestíbulo con el suelo embaldosado hasta llegar al pasillo principal, que recorría toda la extensión del edificio. A cada lado se abrían salas imponentes y grandiosas, galerías cubiertas de cuadros o llenas de esculturas, una tienda y una cafetería. La luz se colaba a raudales por ambos extremos a través de las ventanas situadas en los huecos de las escaleras de cada ala. Casi podía oírse el eco lejano de niños perdidos.

La emoción reflejada en el rostro de Marsaili casi resultaba dolorosa de contemplar mientras la mujer reconsideraba todo lo relacionado con su vida. Quién era, de dónde procedía, las espantosas vivencias a las que su padre había tenido que enfrentarse de pequeño. Algo que jamás había comentado con ninguno de ellos. Su secreto en solitario.

Un vigilante de seguridad uniformado les preguntó si necesitaban ayuda.

—Este lugar era un orfanato —dijo Fin.

—Sí. Cuesta de creer. —El vigilante ladeó la cabeza hacia un extremo del pasillo—. Al parecer, los niños estaban en esa ala. Las niñas en la otra. La sala de exposiciones de más adelante, a la izquierda, era la oficina del director. O como quiera que se llamara.

—Quiero irme —dijo Marsaili de repente, y Fin se fijó en que lágrimas silenciosas reflejaban la luz en sus mejillas. Enlazó un brazo en el de ella y la guió hasta la entrada bajo la mirada de desconcierto del vigilante, que debió de preguntarse qué había dicho de malo. Marsaili estuvo respirando hondo en lo alto de las escaleras durante casi un minuto—. Podemos averiguarlo a partir de los registros, ¿no? Quién era en realidad, quiero decir. De dónde era su familia.

Fin meneó la cabeza.

—Lo consulté anoche por internet. Los registros se guardan bajo llave durante cien años. Solo quienes estuvieron aquí tienen derecho a acceder a ellos. —Se encogió de hombros—. Supongo que se hizo así para protegerlos. Aunque imagino que la policía podría obtener una orden para consultarlos. Al fin y al cabo, tenemos entre manos la investigación de un asesinato.

Marsaili volvió los ojos llorosos hacia él y se secó las mejillas con el dorso de las manos. Fin descubrió en su rostro la misma pregunta que no había sido capaz de responder en la playa la noche anterior. ¿Su padre había matado a su hermano? Fin creía improbable que llegaran a averiguarlo, a no ser que, por algún milagro, fueran capaces de encontrar a la muchacha llamada Ceit, que se había hospedado en la granja de los O'Henley.

Avanzaron en silencio por el camino adoquinado hasta Belford Road, con el cementerio sumido en una calma sombría al otro lado de un alto muro de piedra. Cuando llegaron a la puerta, el móvil de Fin lo avisó de que había recibido un correo electrónico. Recorrió el menú con el dedo y pulsó la pantalla para abrirlo. Se tomó un tiempo para leerlo mientras fruncía el entrecejo con gesto pensativo.

—¿Es algo importante? —preguntó Marsaili.

Esperó a haber enviado la respuesta para contestar.

—Anoche, mientras buscaba referencias sobre el orfanato de El Valle en internet, encontré un foro de gente que había vivido allí, en el que intercambiaban fotografías y recuerdos. Supongo que debe de haber una especie de vínculo entre ellos que aún sigue vivo, aunque no se conocieran en El Valle.

—Como familia.

Fin la miró.

—Sí. Como la familia que nunca tuvieron. Siempre es más fácil sentir mayor afinidad con un primo segundo al que nunca conociste que con un perfecto desconocido. —Hundió las manos en los bolsillos—. Al parecer, muchos emigraron. Australia fue el destino más popular.

—Tan lejos de El Valle como les fue posible.

—Para empezar de nuevo, supongo. Poniendo de por medio todo un mundo entre ellos y su infancia. Para borrar el pasado. —Cada palabra que pronunciaba tenía tal relevancia para Fin que la emoción le oprimía la garganta y le costaba hablar. Al fin y al cabo, era lo que él mismo había hecho. Sintió la mano de Marsaili en el brazo. Un ligero contacto que dijo más de lo que podría haber expresado con palabras—. Resulta que uno de ellos sigue viviendo aquí, en Edimburgo. Un hombre que se llama Tommy Jack. Es posible que estuviera en El Valle sobre la misma época que tu padre. Había una dirección de correo electrónico. Y le escribí. —Se encogió de hombros—. Estuve a punto de no hacerlo. Fue una idea de último momento.

—¿Es él quien te ha escrito?

—Sí.

—¿Y?

—Me ha enviado su dirección y dice que le encantará recibirnos esta noche en su casa.

31

La luz de la tarde se filtraba a través de las cortinas echadas, que oscilaban al ritmo de la brisa que entraba por la ventana abierta situada detrás de ellos. El ruido del tráfico se colaba también por ella, lejano e irreal, junto con el sonido del agua de la presa del río Water of Leith, más abajo.

Su habitación estaba en lo alto y ofrecía vistas sobre el río y la localidad de Dean Village. Sin embargo, Fin había corrido las cortinas nada más entrar. Necesitaban oscuridad para encontrarse.

No lo habían discutido, ni siquiera lo habían planeado. El hotel se encontraba justo enfrente de la galería, y ellos necesitaban un lugar donde pasar la noche. Fin no estaba seguro de por qué ninguno de los dos había corregido la deducción errónea de la recepcionista de que eran pareja y deseaban una habitación doble. Habían tenido sobradas oportunidades.

Habían subido al piso superior en un pequeño ascensor sin cruzar una palabra, Fin con el estómago lleno de mariposas en constante colisión. Ninguno había buscado la mirada del otro.

Por algún motivo, había resultado más sencillo desnudarse a oscuras, aunque en algún momento hubieran conocido sus cuerpos de manera íntima. Cada curva, cada superficie, cada suavidad.

Y ahora, con el frío de las sábanas en la piel, redescubrieron esa intimidad. Cuán extrañamente cómodo resultó de repente, y cuán familiar, como si el tiempo no hubiera transcurrido desde la última vez. Fin descubrió en su interior la misma pasión que ella le había despertado esa primera vez. Un deseo fiero, tembloroso, devorador. Le buscó el rostro con las manos, sus facciones conocidas. El cuello, los hombros, la suave curva de sus pechos, la ondulación de sus nalgas.

Sus labios eran como viejos amigos que se reencontraban después de muchos años y escrutaban, exploraban, como si no se creyeran del todo que nada había cambiado realmente.

Sus cuerpos ascendieron y cayeron convertidos en uno, la respiración jadeante, como una puntuación vocal involuntaria. Sin palabras. Sin control. Deseo, pasión, hambre, gula. Generando calor, sudor, inmersión total. Fin sintió los latidos de su herencia de la isla en cada embestida. Los infinitos páramos azotados por el viento, la furia del océano cuando rompía contra la orilla. Las voces gaélicas de sus antepasados que se alzaban en un canto tribal.

Y, de repente, se terminó. Como la primera vez. Las compuertas se abrieron, el agua fluyó, después de años contenida tras diques emocionales construidos con rabia y malentendidos. Todo esfumado, en un momento, haciendo desaparecer hasta el último minuto desperdiciado de sus vidas.

Después permanecieron tumbados, envueltos el uno en el otro, absortos en sus pensamientos. Al cabo de un rato Fin notó que la respiración de Marsaili se volvía más lenta, más superficial, sintió su cabeza más pesada contra el pecho y se preguntó qué diablos pasaría a partir de entonces.

32

Tommy Jack vivía en un piso de dos habitaciones encima de una bodega y un quiosco de prensa en Broughton Street. El taxi dejó a Fin y a Marsaili en York Place y bajaron lentamente por la colina bajo la suave luz del atardecer, inhalando los extraños olores de la ciudad. Humo de los tubos de escape, malta, curry. Nada más alejado de la experiencia en la isla. Fin había pasado quince años de su vida en esa ciudad, pero después de tan solo unos días en las islas le resultaba desconocida e insoportablemente claustrofóbica. Y sucia. Chicles pegados en las aceras, basura acumulada en las calles.

La entrada al edificio estaba en Albany Street Lane, y mientras se dirigían a ella, Fin vio una furgoneta que subía por la colina. Era un vehículo de Barnardo's, la organización benéfica en favor de la infancia, con el lema: «Devolvemos a los niños su futuro». Y se preguntó cómo podía devolverse algo que se había destruido.

Tommy era un hombre bajo de rostro redondo y luminoso, con una calva brillante. El cuello de su camisa estaba deshilachado. Llevaba un jersey con manchas de huevo en la parte delantera, metido en unos pantalones demasiado grandes que se sujetaba a la altura del estómago con un cinturón apretado en exceso. Las zapatillas de cuadros tenían agujeros sobre el dedo gordo.

Los guió por un pasillo estrecho cubierto con papel pintado de tono oscuro, hasta una sala que debía de recibir el sol durante el día, pero que a esa hora tenía un aspecto lúgubre bajo la luz mortecina de la última hora de la tarde. Un hedor a manteca rancia impregnaba el apartamento, combinado con el aroma ligeramente desagradable a olor corporal.

Tommy era un hombre de carácter alegre y tenía unos ojos oscuros y despiertos que los miraban a través de unas gafas de montura al aire. Fin calculó que debía tener entre sesenta y cinco y setenta años.

—¿Les apetece una taza de té?

—Sería un detalle —respondió Marsaili, y la voz del hombre les llegó a través de la puerta abierta de la minúscula habitación anexa a la cocina mientras ponía la tetera a hervir y preparaba las tazas, los platillos y las bolsas de té.

—Ahora vivo solo, desde que mi señora murió hace casi ocho años. Estuvimos casados más de treinta. Aún no me acostumbro a vivir sin ella.

Y Fin pensó que había cierta ironía trágica en el hecho de empezar y terminar la vida en solitario.

—¿No tuvieron hijos? —preguntó Marsaili.

El hombre apareció por la puerta, sonriendo. Sin embargo, era una sonrisa teñida de arrepentimiento.

—Me temo que no. Una de las mayores decepciones de mi vida. No haber tenido hijos para darles la infancia que habría querido para mí. —Se volvió hacia la cocina—. Aunque no es que pudiera haberles dado mucho, con mi sueldo de empleado en un banco. —Se rió entre dientes—. Imagínese, toda la vida contando dinero de otra gente.

Les sirvió el té en tazas de loza y se sentaron en sillones de tela raída, adornados con mugrientos antimacasares blancos. Una fotografía en blanco y negro de Tommy y la que debió de ser su esposa descansaba en la repisa de una chimenea revestida de azulejos en la que una estufa de gas iluminaba débilmente en la penumbra. El fotógrafo había capturado el afecto mutuo en sus ojos, lo que a Fin le hizo pensar que al menos Tommy había conocido la felicidad en su vida.

—¿Cuándo estuvo en El Valle, Tommy?

El hombre meneó la cabeza.

—No podría darle la fecha exacta. Pero pasé allí algunos años durante la década de los cincuenta. Entonces, el director era un animal. Anderson, se llamaba. Para ser alguien que estaba al cargo de un centro que se suponía que debía proporcionar refugio y bienestar a un grupo de huérfanos, no le gustaban demasiado los niños. Y tenía un genio de mil demonios. Recuerdo que una vez nos quitó nuestras cosas y las quemó en la caldera de la calefacción central. Nuestro castigo por habernos divertido. —Se rió entre dientes al recordarlo.

De algún modo, lograba encontrarle una parte divertida a la historia, y Fin se maravilló ante la capacidad humana de restar importancia a los momentos más terribles que puede deparar la vida. Una capacidad de recuperación infinita. Cuestión de supervivencia, pensó. Si se cedía, aunque solo fuera durante un instante, era fácil dejarse arrastrar a la oscuridad.

—Por supuesto, no solo estuve en El Valle. Nos llevaban de un lado a otro. Era difícil mantener las amistades, así que dejábamos de hacer amigos. Y nunca nos permitíamos la esperanza de que un día todo aquello terminara. Ni siquiera cuando los mayores venían a visitarnos y elegían a uno o a dos para adoptarlos. —Se rió—. Ahora no lo harían, pero en la época nos daban un buen baño, nos hacían vestirnos con nuestras mejores galas y nos ponían en fila mientras señoras que olían a perfume francés y hombres que apestaban a puro se acercaban y nos examinaban, como ovejas en un mercado. Por supuesto, siempre elegían a las niñas. Los niños escuchimizados como yo no teníamos ninguna opción. —Se inclinó hacia delante—. ¿Quieren más té?

—No, gracias.

Marsaili cubrió su taza aún medio llena con una mano. Fin meneó la cabeza.

Tommy se levantó.

—Yo tomaré otra. Si me levanto en plena noche, al menos que sea para vaciar el depósito. —Volvió a la cocina para poner la tetera a hervir. Alzó la voz para que pudieran oírlo desde la sala—. En un centro en el que estuve recibí la visita de Roy Rogers. ¿Se acuerdan de él? Era un famoso vaquero, en películas y series de televisión. Vino a hacer un viaje por Escocia con su caballo, Gatillo. Hizo una parada en nuestro orfanato y eligió a una de las muchachas. La adoptó y se la llevó a Estados Unidos. ¡Se lo imaginan! Un día eres una pobre huerfanita en un centro de acogida de Escocia y al siguiente eres la hija de un hombre rico en el país más rico del mundo. —Regresó con la taza entre las manos—. De historias así están hechos los sueños, ¿no creen? —Se sentó, pero volvió a levantarse de repente—. ¿En qué estaría pensando? No les he ofrecido galletas.

Fin y Marsaili declinaron el ofrecimiento con educación y el hombre se sentó de nuevo.

—Cuando fui demasiado mayor para estar en orfanatos me enviaron a un albergue de Collinton Road. Recuerdo que aún se hablaba de un muchacho mayor que había pasado cierto tiempo allí, unos diez años atrás. Había vuelto a casa de la marina y su familia no tenía lugar para él. O algo por el estilo. Tam el Grandullón, lo llamaban. Un tipo fornido y atractivo, según decían. Unos chicos se habían enterado de que en la ciudad se hacían audiciones para el musical *South Pacific*, y animaron a Tam el Grandullón a presentarse. —Tommy sonrió—. Y ya saben cómo sigue.

Ni Fin ni Marsaili tenían la menor idea.

—Tam el Grandullón era Sean Connery. —Tommy soltó una carcajada—. Una estrella famosa. ¡Y estuvimos en el mismo albergue! Regresó a Escocia para la apertura del Parlamento escocés. El día que se recuperaba el Parlamento en Edimburgo después de casi trescientos años. Yo también fui. Un momento histórico, ¿no? No podía perdérmelo. En fin, que veo a Sean cuando está entrando. Y lo saludo con la mano entre la multitud y grito: «¿Cómo estás, Grandullón?». —Tommy sonrió—. No me reconoció, claro.

Fin se inclinó hacia delante.

—¿El Valle era un centro católico, Tommy?

Tommy arqueó las cejas sorprendido.

—¡Cielos, no! El tal señor Anderson odiaba a los católicos. Aunque lo odiaba todo y a todo el mundo, en realidad.

—Pero ¿había católicos en el centro? —preguntó Marsaili.

—Ah, sí, pero no se quedaban mucho tiempo. Los sacerdotes iban a buscarlos y se los llevaban a algún lugar católico. Durante un tiempo hubo tres, que recibieron una azotaina de campeonato cuando un chico murió en el puente.

—¿En qué puente? —dijo Fin, con repentina curiosidad.

—El puente Dean. Cruza el Water of Leith justo por encima de Dean Village. Debió de ser una caída de unos treinta metros.

—¿Qué pasó?

—Bueno, nadie lo sabe con seguridad. Corrían muchos rumores y especulaciones, claro. Una apuesta, o un reto, para cruzarlo por la cornisa exterior del parapeto. Algo así. En fin, que algunos chicos de El Valle estuvieron implicados. Se escaparon una noche y un muchacho del pueblo cayó y murió. Dos días después, los tres católicos desaparecieron. Se dijo que se los llevaron en un gran coche negro.

Fin sintió una quietud en el corazón, como la sensación de estar lo bastante cerca de la verdad para llegar a tocarla.

—¿Recuerda cómo se llamaban?

—Oh. —Tommy negó con la cabeza—. Hace mucho tiempo, señor Macleod. Había una muchacha. Cathy, o Catherine, me parece que se llamaba. Y dos hermanos. Uno de ellos creo que era John. O Johnny. —Hizo una pausa mientras rebuscaba en su memoria—. Me acuerdo sin problemas del nombre del chico que murió. Patrick Kelly. Todo el mundo conocía a los hermanos Kelly, claro. Vivían en el pueblo y su padre estaba metido en una banda criminal. Había estado en la cárcel, se comentaba. Esos chicos eran duros como rocas. Si podías evitarlo, no te cruzabas con ellos. —Ladeó la cabeza en un momento de lejana reflexión—. Un grupo de ellos llegó a El Valle al cabo de unos días a buscar al tontito.

Marsaili frunció el entrecejo.

—¿El tontito?

—Sí, el hermano. ¿Cómo se llamaba...? —El recuerdo iluminó de repente su mirada, como luz del amanecer—. ¡Peter! Eso es. El hermano de Johnny. Un buen muchacho, pero no estaba del todo bien de la azotea.

Ya casi había anochecido cuando salieron a la calle, antes de lo que habría oscurecido en las islas, y bajo la fría luz que emanaba de las altas farolas y se reflejaba en los charcos todo adquiría un aspecto un tanto irreal.

—Conque mi padre y su hermano en verdad se llamaban John y Peter —dijo Marsaili, como si el hecho de saber sus nombres los hiciera más reales—. Pero ¿cómo lograremos descubrir su apellido?

Fin parecía pensativo.

—Hablando con alguien que los conociera.

—¿Como quién?

—Como los Kelly.

Marsaili frunció el entrecejo.

—¿Y cómo los encontraremos?

—Bueno, si aún fuera policía, respondería que son sujetos conocidos.

—No lo entiendo.

Una pareja joven salió de la entrada azul de una tienda de vinos con las botellas entrechocando en el interior de una bolsa de papel. La mujer enlazó un brazo con el del hombre y sus voces les llegaron como el parloteo de dos pájaros en la penumbra.

—Los Kelly son una familia de delincuentes muy conocida en Edimburgo, Marsaili —aclaró Fin—. Desde hace años. Empezaron en lo que entonces eran los barrios bajos de Dean Village. Drogas, prostitución. Incluso han estado implicados en una serie de asesinatos entre bandas organizadas, aunque no ha podido demostrarse.

—¿Los conoces? —preguntó Marsaili en tono de incredulidad.

—No he tratado con ellos, no. Pero sé que mi antiguo inspector jefe sí lo hizo. Era mi superior cuando entré en la policía. Jack Walker. Ahora está jubilado. —Sacó el móvil—. Es probable que le apetezca tomar una copa con nosotros.

Daba la impresión de que alguien se paseaba por Edimburgo pintando las fachadas de las tiendas, bares y restaurantes de colores primarios. Vándalos con una noción de orgullo cívico muy equivocada. El Windsor Buffet, en lo alto de Leith Walk, era de un verde estridente, los antiguos estudios de la televisión escocesa, justo al lado, de un azul impactante. Amarillos y rojos cubrían el resto de la calle, junto a más tonos de verde y azul. Todo ello coronado por viviendas de monótona piedra arenisca, algunas de las cuales se habían restaurado, mientras que otras seguían ennegrecidas por los años, como dientes podridos en una sonrisa magnífica.

El Windsor estaba casi lleno, pero Jack Walker les había reservado un espacio en la parte trasera. Miró a Marsaili con curiosidad cuando Fin se la presentó, pero no hizo preguntas. Pidió cerveza para Fin y para él, y un vaso de vino blanco para Marsaili. Era un hombre fornido, de hombros anchos, y con una mata de pelo cano alborotado de aspecto estropajoso. Si bien debía de tener más de setenta años, no era un hombre con el que apeteciera pelearse. Lucía un bronceado artificial y tenía unos ojos color esmeralda que casi nunca lograban transmitir la misma calidez que la sonrisa sarcástica que se paseaba constantemente por sus labios.

Meneó la cabeza con seriedad.

—No te metas con los Kelly, Fin. Son de mala calaña.

—No lo dudo, señor. Y no tengo intención de meterme con ellos. —Mientras hablaba, se dio cuenta de que se dirigió a su antiguo jefe como «señor». Las viejas costumbres no se perdían fácilmente—. Solo quiero hablar con cualquiera de ellos que viviera con su familia en Dean Village alrededor de los años cincuenta.

Walker alzó una ceja. Aquello había despertado su interés, pero los años en el cuerpo policial le habían enseñado que a veces era preferible no hacer preguntas.

—El único que queda de esa época es Paul Kelly. Entonces debía de ser un chiquillo. Tenía dos hermanos mayores, pero los cosieron a tiros en la puerta de su casa hace más de cincuenta años. Un ojo por ojo, supusimos. En esos días hubo guerras territoriales bastante violentas. Yo era un poli joven que acababa de empezar. No investigamos a fondo ninguno de esos asesinatos entre bandas, así que nadie resultó detenido. Y después, con el paso de los años, vi cómo el joven Paul Kelly tomaba las riendas. Se ha construido un maldito imperio a costa del sufrimiento de mucha gente. —Esbozó una mueca que escondía gran frustración y rabia contenidas—. Nunca pudimos echarle el guante.

—Entonces, ¿sigue siendo un mandamás?

—Ya no tanto, Fin, pero sí. Sin duda, el tipo se cree el Padrino. Se crió en los bajos fondos, pero vive en una puta mansión en Morningside. —Echó un vistazo a Marsaili pero no se disculpó por su lenguaje—. Ahora tiene hijos y nietos. Van todos a escuelas privadas, mientras que tipos corrientes y honrados como tú y como yo las pasamos canutas para pagar la calefacción. Es basura, Fin. Nada más que basura. No perdería ni un segundo con él.

Permanecieron en silencio durante lo que pareció una eternidad en la oscuridad de su habitación de hotel. Lo único que acompañaba a su respiración era el sonido del agua que corría por el río, abajo, en la calle. La misma agua que fluía bajo el puente Dean. Fin había llevado allí a Marsaili cuando salieron del Windsor, y juntos lo habían cruzado hasta la mitad y se habían asomado a mirar Dean Village y el Water of Leith, a unos treinta metros de distancia. El padre de Marsaili y su hermano habían estado allí. Algo había sucedido en ese puente y un chico había muerto.

La voz de Marsaili retumbó en la oscuridad y se estrelló contra sus pensamientos.

—Ha sido raro verte esta noche. Con ese policía.

Fin volvió la cabeza hacia ella, aunque no podía verla.

—¿Por qué ha sido raro?

—Porque ha sido como ver a alguien a quien no conocía. No eras el Fin Macleod con el que fui a la escuela, ni el Fin Macleod que me hizo el amor en la playa. Ni siquiera el Fin Macleod que me trató como una mierda en Glasgow.

Fin cerró los ojos y recordó cómo había sido esa breve estancia juntos en la universidad de Glasgow. Compartiendo piso. Lo mal que la había tratado, incapaz de lidiar con su propio dolor y descargándolo sobre ella. ¿Cómo es que, con tanta frecuencia, hacemos tanto daño a la gente que más queremos?, se preguntó.

—Ha sido como ver a un desconocido. El Fin Macleod que debes de haber sido todos estos años, cuando yo no sabía de ti. Casado con otra mujer, criando a tu hijo, siendo policía.

Fin casi se asustó al sentir de repente su mano en la cara.

—No estoy segura de conocerte. Ya no.

Y esos fugaces momentos de pasión que habían compartido esa misma tarde, con rayos de luz delgados como el trazo de un lápiz zigzagueando sobre sus cuerpos frenéticos, parecían pertenecer ya a otra época.

33

Paul Kelly vivía en una casa de piedra arenisca amarilla de tres plantas, con gabletes y buhardillas, un recargado porche en la entrada y una galería acristalada en la parte trasera que ocupaba un jardín crecido y bien cuidado.

Un camino semicircular conducía a la entrada desde Tipperlinn Road, con puertas electrónicas de hierro forjado en cada extremo. La luz del sol cubría las azaleas en flor, moteadas del verde de las hojas nuevas de las hayas.

El taxi dejó a Fin y a Marsaili en la puerta sur, y Fin pidió al taxista que esperara. Sin embargo, el hombre negó con la cabeza.

—Ni hablar. Págueme ahora. No pienso quedarme rondando por aquí. —Daba la impresión de que conocía la dirección y estaba impaciente por marcharse. Se quedaron mirando el vehículo mientras daba media vuelta y torcía de nuevo hacia Morningside Place.

Fin se dirigió al interfono instalado en el poste de piedra y pulsó el botón. Al cabo de un instante, una voz dijo:

—¿Qué quiere?

—Me llamo Fin Macleod. Soy ex policía. Me gustaría hablar con Paul Kelly.

—El señor Kelly no habla con nadie sin cita previa.

—Dígale que se trata de algo que sucedió en el puente Dean hace más de cincuenta años.

—No lo recibirá.

—Usted dígaselo. —La voz de Fin tenía un matiz imperativo. Un tono que no admitía réplica.

El interfono quedó en silencio y Fin miró incómodo a Marsaili. Había vuelto a ser el Fin Macleod que ella no conocía. Y no tenía ni idea sobre cómo salvar el abismo entre los dos.

La espera les estaba resultando excesivamente larga cuando de repente el interfono volvió a crujir y oyeron de nuevo la voz.

—Está bien —fue cuanto dijo, y las puertas empezaron a abrirse de inmediato.

Mientras recorrían el camino, Fin se fijó en las luces de seguridad y las cámaras de circuito cerrado de televisión instaladas alrededor de la casa y toda la finca. Era evidente que Paul Kelly estaba dispuesto a evitar a toda costa las visitas indeseadas. La puerta de entrada se abrió cuando llegaron al porche, donde un joven con camisa blanca de cuello abierto, pantalones grises planchados a la perfección y zapatos italianos los observaba con cautela. El pelo, negro y corto, lo llevaba retirado de la frente con fijador. Un corte de pelo caro. Fin olió su loción para después del afeitado desde dos metros de distancia.

—Tengo que cachearlo.

Sin decir palabra, Fin dio un paso al frente, separó las piernas y levantó los brazos. El joven lo palpó de arriba abajo con cuidado, por delante y por detrás, a lo largo de cada brazo y cada pierna.

—A la mujer también.

—Está limpia —respondió Fin.

—Tengo que comprobarlo.

—Confíe en mi palabra.

El joven lo miró de hito en hito.

—Me juego algo más que un trabajo, colega.

—Está bien —dijo Marsaili. Y se acercó para que la registrara.

Fin observó con creciente enojo mientras el hombre le ponía las manos encima. Por detrás y por delante, nalgas, piernas. Sin embargo, no se entretuvo donde no debía hacerlo. Profesional. Marsaili permaneció impasible, aunque se sonrojó levemente.

—Está bien. Síganme —dijo el joven.

Los hizo pasar a un vestíbulo de tonos crema y melocotón pálido cubierto con una gruesa alfombra roja, en el que una escalera de haya ascendía a los dos pisos superiores.

Paul Kelly estaba recostado en un sofá de cuero blanco, en la galería acristalada de la parte posterior de la casa, fumando un habano de gran tamaño. Si bien una suave brisa se colaba entre las hojas primaverales del jardín de fuera, el humo de Kelly se mantenía suspendido en volutas de color gris azulado allí donde las alcanzaba el sol que se filtraba entre los árboles. Daba la impresión de que estuvieran en el propio jardín, aunque desde allí no se olía ni se oía. Una serie de sillones rojos de felpa estaban dispuestos alrededor de una mesa de acero satinado, y la deslumbrante luz del sol se reflejaba en el suelo de madera pulida.

Kelly se levantó al tiempo que su esbirro los hacía pasar. Era un gigante, de casi dos metros, y aunque estaba un poco grueso, seguía en buena forma para tratarse de un hombre de más de sesenta años. Su rostro, rubicundo y redondo, lucía un afeitado apurado, y llevaba el pelo gris acero cortado a cepillo. La camisa rosa almidonada le quedaba demasiado tensa sobre la abultada barriga, y los vaqueros llevaban planchada una raya que resultaba del todo inapropiada.

Sonrió, ladeó la cabeza en un leve gesto de interrogación y les ofreció una mano enorme.

—Un ex poli que viene con historias del puente Dean. Tengo que admitir que ha despertado mi curiosidad. —Señaló con la misma manaza los sillones rojos—. Siéntense. ¿Les apetece tomar algo? ¿Té? ¿Café?

Fin negó con la cabeza.

—No, gracias. —Marsaili y él se sentaron incómodos en el borde de los sillones—. Intentamos establecer la identidad de un hombre que ahora vive en la isla de Lewis y que estuvo en el orfanato El Valle a mediados de la década de los cincuenta.

Kelly se rió.

—¿Seguro que no sigue en la policía? No suena como un ex poli —dijo, y se hundió de nuevo en el sofá blanco.

—Pues le garantizo que lo soy.

—Bueno, tendré que confiar en su palabra. —Pensativo, dio una calada a su puro—. ¿Qué le hace creer que puedo ayudarlo?

—Su familia vivía en las antiguas casas de los molineros, en el Dean Village de esa época.

Kelly asintió con la cabeza.

—Así es. —Se rió entre dientes—. Aunque ahora no reconocería el lugar. Hoy en día es el paraíso de los yuppies. —Hizo una pausa—. ¿Por qué piensan que podría conocer a un chico de El Valle?

—Porque creo que estuvo implicado en un incidente en el puente Dean que afectó a su familia.

Se produjo un leve destello en los ojos de Kelly y el color de su rostro se encendió de manera casi imperceptible.

Fin se preguntó si era dolor lo que veía en él.

—Tormod Macdonald —dijo Marsaili.

Fin le lanzó una mirada fugaz.

—Pero no lo conocerá por ese nombre —se apresuró a añadir Fin.

Kelly volvió los ojos hacia Marsaili.

—¿Qué relación tiene con usted ese hombre?

—Es mi padre.

El silencio que siguió se cernió pesado en el ambiente, como el humo del habano de Kelly, y se mantuvo el tiempo suficiente para volverse incómodo.

—Lo siento —dijo por fin Kelly—. Es algo que llevo toda la vida intentando olvidar. No es fácil perder a un hermano mayor siendo tan joven. Sobre todo cuando además era tu héroe. —Meneó la cabeza—. Patrick lo significaba todo para mí.

Fin asintió.

—Creemos que el chico se llamaba John. John algo. Y eso es lo que estamos intentando averiguar.

Kelly dio una larga calada al puro y soltó el humo por la nariz y las comisuras de los labios antes de liberar una potente corriente gris en la cargada atmósfera de la sala.

—John McBride —dijo al fin.

Fin trató de controlar la respiración.

—¿Lo conoció?

—No personalmente. No estuve en el puente esa noche. Pero tres de mis hermanos, sí.

—¿Cuando Patrick se cayó del puente? —preguntó Marsaili.

Kelly desvió su atención de Fin a Marsaili. Su voz apenas resultó audible.

—Sí. —Aspiró otra calada y Fin se asombró al descubrir que parecía tener los ojos empañados—. Pero hace más de treinta años que no hablo de este tema. Y no estoy seguro de que me apetezca hacerlo ahora.

Marsaili asintió con la cabeza.

—Lo siento. Lo entiendo.

Caminaron en silencio por Tipperlinn Road, junto a mansiones de piedra ocultas en la intimidad que les proporcionaban los altos muros y árboles, frente a la antigua cochera de Stable Lane hasta allí donde la adoquinada Albert Terrace ascendía por la colina a su derecha en una profusión de verde.

Hasta que llegó el momento en que Marsaili no pudo contenerse más.

—¿Qué crees que pasó en el puente Dean esa noche?

Fin negó con la cabeza.

—Es imposible saberlo. Todos los que estaban allí ya han muerto. Salvo tu padre. Y tal vez Ceit. Aunque no tenemos la menor idea de si sigue viva o no.

—Por lo menos ahora sabemos quién es mi padre. O quién fue.

Fin la miró.

—Ojalá no le hubieras dicho el nombre de tu padre.

Ella palideció de inmediato.

—¿Por qué?

Fin soltó un largo suspiro.

—No lo sé, Marsaili. Pero ojalá no lo hubieras hecho.

34

Fin miró hacia abajo, con la luz de la última hora de la tarde, a las recortadas lenguas de roca que se adentraban en el estrecho de Minch mientras el agua rompía en olas blancas a su alrededor. Tremedales que se extendían hasta el interior de la isla, cortados y cicatrizados tras siglos de extracciones. El Loch a Tuath reflejaba las oscuras e inquietantes nubes que empezaban a formarse sobre el agua, labradas por el viento a través del cual el pequeño avión de British Airways luchaba con valentía para lograr un aterrizaje tranquilo en la corta pista del aeropuerto de Stornoway. El mismo viento que los azotaba en el aparcamiento mientras metían las bolsas de viaje en el maletero y corrían al interior del vehículo para refugiarse de los primeros goterones que ya caían sobre el páramo en el oeste.

Fin arrancó y conectó el limpiaparabrisas. Habían necesitado muy poco tiempo en el centro de información sobre ciudadanos escoceses del Archivo Nacional de Escocia para localizar a John William y Peter Angus McBride, nacidos en 1940 y 1941 respectivamente, en la zona de Slateford en Edimburgo, hijos de Mary Elizabeth Rafferty y John Anthony McBride. John Anthony había muerto en 1944 mientras servía en la marina británica. Mary Elizabeth falleció once años después de un fallo cardíaco, las causas del cual no se especificaban. Marsaili había adquirido los certificados de nacimiento y de defunción de toda la familia, y los había metido en un sobre que guardó en la bolsa que ahora sostenía contra el pecho sentada en el asiento del acompañante.

Fin no podía sospechar qué la afligía. No había pronunciado una palabra durante el vuelo de regreso a las islas. Solo podía imaginar que estaba reconsiderando todo lo que, a lo largo de su vida, había sabido o pensado sobre sí misma. Acababa de descubrir que, aunque había nacido y crecido en la isla de Lewis, no tenía sangre isleña. Una madre inglesa y un padre del continente procedente de una familia católica de Edimburgo que se había inventado una vida. Era toda una revelación.

Fin le dirigió una rápida mirada. La tez pálida, los ojos ensombrecidos, la melena despeinada, mustia y sin brillo. Se la veía derrotada y encogida, y aunque le apetecía rodearla entre sus brazos, sintió una barrera entre los dos. Algo les había pasado en Edimburgo. Al parecer, en un instante habían redescubierto todo lo que algún día habían sido. Y al momento siguiente, todo había desaparecido, como humo en el viento.

El proceso de descubrimiento de la identidad de su padre la había cambiado. Y la Marsaili a la que había conocido se encontraba ahora perdida en algún lugar, en una confusión de historia e identidad. Fin temió la posibilidad de que ninguno de los dos lograra encontrarla de nuevo. O que, si lo hicieran, el cambio fuera irrevocable.

También era consciente de que el hecho de haber averiguado la identidad de su padre, y del hermano de este, no había servido para determinar los acontecimientos que habían llevado al asesinato de Peter McBride en Eriskay, hacía tantos años.

Después de un buen rato sentados en el coche con el motor en marcha, azotados por el viento y la lluvia, con el limpiaparabrisas a todo trapo, Marsaili por fin se volvió hacia él.

—Llévame a casa, Fin.

Sin embargo, Fin no hizo ademán de acelerar y salir del aparcamiento. Agarraba el volante con ambas manos. Le había venido algo a la cabeza, al parecer surgido de la nada. Algo sorprendentemente simple y tan evidente que saltaba a la vista.

—Quiero ir a casa de tu madre —dijo.

Marsaili suspiró.

—¿Para qué?

—No estaré seguro hasta que lo encuentre.

—¿Qué sentido tiene, Fin?

—El sentido, Marsaili, es que alguien asesinó a Peter McBride. Se abrirá una investigación. La semana que viene llegará un agente de alto rango. Y a no ser que podamos probar lo contrario, tu padre se convertirá en el sospechoso número uno.

Marsaili se encogió de hombros con gesto cansado.

—¿Y debería importarme?

—Sí, debería. Sigue siendo tu padre. Nada de lo que hemos descubierto cambia ese hecho. Sigue siendo el gigantón amable que te llevaba a hombros a la extracción de la turba. El mismo hombre que te daba un beso en la frente por las noches, cuando te arropaba en la cama. El que siempre estuvo a tu lado toda tu vida, desde tu primer día de colegio hasta el día que te casaste. Ahora es él quien te necesita a su lado.

Marsaili volvió unos ojos llenos de confusión hacia Fin.

—No sé qué sentir por él, Fin.

Él asintió con actitud comprensiva.

—Estoy seguro de que, si pudiera, te lo contaría todo, Marsaili. Todo lo que se ha guardado durante tantos años, todo lo que no ha podido compartir con nadie. No alcanzo a imaginar lo duro que habrá sido para él. —Le pasó una mano entre los rubios rizos en un gesto de empatía ante su frustración. ¿Quién podría haber adivinado la verdad tras la fachada?—. Entramos en esa residencia y lo único que vemos es a un montón de ancianos. Miradas vacías, sonrisas tristes. Y nos limitamos a considerarlos... pues eso, viejos. Acabados, por lo que no merece la pena preocuparse por ellos. Y sin embargo, detrás de esas miradas, todos han tenido una vida, una historia que contar. De dolor, amor, esperanza, desesperación. Las mismas cosas que sentimos nosotros. El hecho de envejecer no los vuelve menos válidos, ni menos reales. Y un día, nosotros estaremos en su lugar. Ahí sentados, mientras los jóvenes nos consideran... pues eso, viejos. ¿Cómo nos sentiremos entonces?

La culpa ardía en la mirada de Marsaili.

—Nunca he dejado de quererlo.

—Entonces cree en él. Y confía en que sucediera lo que sucediese, lo que quiera que hiciese, fue por algún motivo.

La visibilidad en la punta noroeste de Lewis era prácticamente nula. La lluvia llegaba del océano en cortinas oscuras, tan finas que parecían niebla. Tan solo el atisbo de grandes olas blancas rompiendo contra gneis negro alcanzaba a verse más allá del *machair*. Incluso el rayo de luz que desde el faro del Butt partía la oscuridad resultaba apenas perceptible.

La madre de Marsaili se sorprendió por su llegada, abrazados, cobijándose bajo el abrigo de Fin, y empapados tras la corta carrera del coche a la puerta de la cocina.

—¿Dónde habéis estado? Fionnlagh me dijo que os habíais marchado a Edimburgo.

—Entonces, ¿por qué preguntas?

La señora Macdonald chasqueó la lengua en señal de desaprobación.

—Ya sabes a qué me refiero.

—Se trata de un asunto personal, mamá. —Durante el trayecto a Ness, Marsaili y Fin acordaron no contar nada a su madre sobre lo que habían averiguado de su padre. Sin duda, todo saldría a la luz algún día, pero de momento habían decidido que no serviría de nada decírselo.

—Nos gustaría echar un vistazo a las cosas de Tormod, si es posible, señora Macdonald —dijo Fin.

La mujer se sonrojó.

—¿Por qué?

—Porque sí, mamá. —Marsaili cruzó la casa en dirección al antiguo estudio de su padre, perseguida por su madre.

—No servirá de nada, Marsaili. Sus cosas tendrían la misma utilidad para ti o para mí que para él en estos momentos. Ninguna.

Marsaili se detuvo en la puerta y echó un vistazo a la habitación vacía. Alguien había descolgado los cuadros de las paredes y el escritorio estaba despejado. Fue a abrir los cajones. Vacíos. El archivador. Vacío. Las cajas viejas llenas de sus baratijas habían desaparecido. La habitación había quedado aséptica, desinfectada, como si su padre hubiera sido una enfermedad. Cualquier rastro de él había sido eliminado. Se volvió y miró a su madre con incredulidad.

—Pero ¿qué has hecho?

—Él ya no está aquí, Marsaili. —La culpabilidad alimentó su actitud defensiva—. No quiero tener mi casa llena de sus trastos viejos.

Sin embargo, el tono de acusación en la voz de Marsaili era inconfundible.

—Mamá, ¡estuviste casada con él durante casi cincuenta años, por el amor de Dios! Lo querías. ¿O no?

—Ya no es el hombre con el que me casé.

—No es culpa suya. Tiene demencia, mamá. Es una enfermedad.

—¿Lo ha tirado todo? —preguntó Fin.

—No iba a sacarlo hasta el día de recogida de la basura. Las cajas están en el recibidor.

Marsaili estaba roja de indignación. Alzó una mano y apuntó a su madre con un dedo.

—¡Ni se te ocurra tirar sus cosas! ¿Me has oído? Son las

cosas de mi padre. Si no las quieres en tu casa, me las llevaré yo.

—¡Pues llévatelas! —El sentimiento de culpabilidad avivó su enfado—. Llévate las malditas cajas. No las quiero. ¡Por mí como si las quemas! —gritó y, a punto de romper a llorar, pasó junto a Fin y se marchó apresuradamente por el pasillo.

Marsaili, con la respiración agitada, miró a Fin con fuego en la mirada. Y él pensó que, por lo menos, había redescubierto lo que sentía por su padre.

—Bajaré los asientos traseros y las meteremos en el coche —dijo.

El vaho empañaba las ventanas de la cocina de Marsaili. Las cajas de cartón se habían mojado en el trayecto de la casa al coche y del coche al chalet de Marsaili. Pero Fin se había asegurado de proteger su contenido cubriéndolas con bolsas de basura. Sin embargo, ellos dos no se habían librado de quedar empapados. Fin se había quitado la chaqueta de inmediato, y Marsaili seguía frotándose el pelo enérgicamente con una toalla.

Fionnlagh observaba a Fin mientras este abría las cajas, una tras otra. Algunas contenían álbumes de fotografías; otras, facturas antiguas. Había cajas de quincalla, herramientas, botes de clavos, una lupa, cajas de bolígrafos sin usar con la tinta ya seca, una grapadora rota, botes de clips.

Entonces el joven anunció:

—Podría decirse que he hecho las paces con el reverendo Murray.

Fin levantó la mirada.

—Dice que fuiste a verlo.

—Varias veces.

Fin y Marsaili se miraron.

—¿Y?

—Ya sabes que ha accedido a que Donna y Eilidh vivan aquí.

Fin asintió.

—Sí.

—Bueno, le dije que iba a dejar el instituto para intentar conseguir trabajo en Arnish. Para asegurarme de poder alimentar y vestir a mi familia.

Marsaili se mostró sorprendida.

—¿Y qué te respondió?

—Me lo quitó de la cabeza. —Esbozó una sonrisa irónica—. Me dijo que si no terminaba los estudios y entraba en la universidad él mismo se encargaría de darme de hostias hasta cansarse.

Fin alzó una ceja.

—¿Con esas palabras?

Fionnlagh sonrió.

—Más o menos. Creía que se suponía que los pastores no utilizaban ese lenguaje.

Fin se rió.

—Los pastores tienen permiso especial de Dios para cagarse en todo si les apetece. Siempre que sea por una buena causa. —Hizo una pausa—. Entonces, ¿piensas ir a la universidad?

—Si entro, sí.

Donna apareció en la puerta con el bebé en un brazo, apoyado contra el hombro.

—¿Le das tú de comer o lo hago yo?

Fionnlagh sonrió a su hija y le acarició la mejilla con el dorso de los dedos.

—Ya lo hago yo. ¿El biberón se está calentando?

—Sí. —Donna le pasó a la niña.

Antes de salir tras Donna, se detuvo en la puerta.

—Por cierto, tenías razón, Fin. Sobre el padre de Donna. No es mal tipo.

Padre e hijo compartieron ese breve momento y, a continuación, Fin sonrió.

—Sí, aún no está todo perdido.

Cuando Fionnlagh se hubo marchado, Fin cogió la siguiente caja, y al abrirla la descubrió llena de libros y cuadernos. Levantó el libro de arriba, con la tapa dura en color verde. Era una antología de poesía del siglo XX.

—No sabía que a tu padre le gustaba la poesía.

—Yo tampoco. —Marsaili cruzó la cocina para echarle un vistazo.

Fin abrió el libro y en la portada, escritas con caligrafía elegante, leyó las palabras: «Tormod Uilleam Macdonald. Feliz cumpleaños. Mamá. 12 de agosto de 1976». Fin frunció el entrecejo.

—¿Mamá?

Percibió el temblor en la voz de Marsaili cuando respondió:

—Siempre se llamaban el uno al otro «mamá» y «papá».

Mientras pasaba las páginas, una hoja de papel doblado cayó al suelo. Fin la recogió. Estaba llena de trazos poco firmes y llevaba por título «Solas».

—Es el centro de día al que lo llevamos aquella vez, cerca de la residencia —aclaró Marsaili—. Es su letra. ¿Qué pone? —Le cogió la hoja a Fin, que se levantó para leerla junto a ella. Cada tres o cuatro palabras había un tachón, en ocasiones más de uno, como si hubiera tratado de corregir las faltas de ortografía. Marsaili se llevó una mano a la boca para contener su aflicción—. Siempre estuvo muy orgulloso de su ortografía. —Leyó—: «Había al menos veinte personas cuando estuve allí. Algunos son muy viejos». —Había necesitado tres intentos para escribir «viejos»—. «Algunos están muy débiles y parece que no pueden hablar. Otros no pueden andar, pero lo intentan, arrastrando los pies unos centímetros, despacio. Pero había otros que podían llegar a una distancia aceptable.» —Las palabras se le atragantaron y no pudo seguir leyendo.

Fin le tomó la hoja de las manos y leyó en voz alta.

—«Cuando escribo cartas no puedo evitar cometer algunos pequeños errores en las palabras. Por supuesto, esta pérdida no llegó de repente. Empezó hacia finales del undécimo año, pero al principio casi no se notaba. Sin embargo, con el paso del tiempo, empecé a darme cuenta de que día a día iba perdiendo mi capacidad de recordar. Es espantoso, y sé que casi he llegado al punto en que no sirvo para nada.»

Fin dejó la hoja sobre la mesa. Fuera, el viento seguía aullando frente a la puerta y la lluvia golpeaba la ventana. Pasó el dedo por el extremo irregular del papel, por donde lo habían arrancado del cuaderno. Casi peor que la propia enfermedad, pensó Fin, debía de ser la conciencia de estar siendo atacado por ella. La sensación de que, poco a poco, se perdían el juicio y la razón, los recuerdos, todo lo que hacía de uno la persona que era.

Miró a Marsaili, que respiraba hondo al tiempo que se secaba las mejillas con las palmas de las manos. Llegaba un punto en que no se podía llorar más. Así que dijo:

—Prepararé té.

Mientras ella se distraía con la tetera, las tazas y las bolsas de té, Fin se agachó para seguir abriendo cajas. La siguiente estaba llena de libros de contabilidad, con anotaciones de las entradas y salidas de la granja durante los años que había trabajado en ella. Los sacó de uno en uno, hasta que, al llegar al fondo, encontró un álbum grande y suave, repleto de artículos de periódicos y revistas recortados a lo largo de muchos años. Fin lo colocó encima de la caja que tenía al lado y lo abrió. En un primer momento, había enganchado los artículos a las primeras hojas, pero después los había metido, sin más, entre las páginas. Había muchísimos.

Oyó hervir la tetera, el tiempo que azotaba el exterior, la lejana vibración de la música a través del suelo procedente de la habitación de los chicos, y la voz de Marsaili:

—¿Qué pasa, Fin? ¿Qué son esos recortes?

Sin embargo, en el interior de Fin, todo estaba en calma. Oyó su propia voz como si le llegara de muy lejos.

—Creo que deberíamos llevar a tu padre a Eriskay, Marsaili. Es el único lugar donde descubriremos la verdad.

35

¡Marsaili está aquí! Sabía que vendría a buscarme algún día. Y el muchacho también ha venido. No estoy seguro de quién es, pero es muy amable y me ayuda a guardar mis cosas en la bolsa. Calcetines y calzoncillos. Un par de camisas. Unos pantalones. Dejan mucha ropa en el armario y en los cajones. Supongo que volverán por ella más tarde. No importa. ¡Tengo ganas de cantar! La buena de Marsaili. Me muero de ganas de llegar a casa, aunque no recuerdo dónde está exactamente. Pero ellos lo sabrán.

Todos me sonríen mientras me marcho, y yo los saludo contento con la mano. La señora que siempre intenta desnudarme y meterme en esa maldita bañera no parece muy contenta. Como si se hubiera agachado para mear en el páramo y se hubiera pinchado con un cardo. «¡Ja!», me dan ganas de gritar. Te está bien merecido. Pero no estoy seguro de lo que he dicho en realidad. Ha sonado como Pato Donald. ¿Quién ha dicho eso?

Fuera hace frío, y la lluvia me devuelve al pasado. A todos aquellos días solitarios en el campo con los animales. Me encantaban esos momentos. La libertad. Sin tener que fingir. Solo yo y la lluvia en la cara. El joven me dice que si necesito mear no dude en pedírselo. Parará donde sea, cuando lo necesite, dice. Bueno, por supuesto, respondo. No querrá que me mee encima, ¿verdad?

Tengo la sensación de que llevamos mucho rato de viaje. No sé si he dormido un poco. Miro el paisaje que se ve por la ventanilla. No me resulta familiar. No estoy seguro de si la hierba crece entre las rocas, o las rocas crecen entre la hierba. Pero es lo único que hay. Hierba y rocas que cubren las laderas de las colinas.

Ah, y ahora, a lo lejos, veo una playa. Nadie diría que una playa pudiera ser tan grande, o el océano tan azul. Recuerdo haber visto una playa así una vez. La más grande que he visto jamás. Mucho más grande que la playa de Charlie. Pero sentía tanto dolor y tanta culpa que apenas le presté atención. Conducía la vieja furgoneta de Donald Seamus. Peter seguía en la parte trasera, envuelto en una manta que me llevé de la habitación para cargarlo hasta el bote.

Mary-Anne y Donald estaban dormidos como troncos. Daba la impresión de que, en cuanto apoyaban la cabeza en la almohada, ya nada podía despertarlos. Y menos mal, porque esa noche se apoderó de mí el pánico y aún sigo llorando. Supongo que debí de dejar sangre por todas partes. Pero estaba tan alterado que no me importaba.

Cuando llegamos a Ludagh estaba un poco más tranquilo. Tuve que hacerme el valiente por Ceit. Aún recuerdo mirar por el retrovisor de la furgoneta de Donald Seamus y verla allí de pie, en el espigón, observándome mientras me marchaba. Y supe, ya en ese momento, que no volvería a verla. Sin embargo, tenía su san Cristóbal colgado al cuello, de modo que ella siempre estaría conmigo. De un modo u otro.

Tuve suerte con las mareas y pude cruzar los vados sin problemas. Sabía que tenía que poner tantos kilómetros entre la isla y yo como me fuera posible antes del amanecer. Donald Seamus no tardaría en darse cuenta de que Peter y yo habíamos desaparecido, con su escopeta y su dinero, y de que su furgoneta tampoco estaba allí. Lo más probable era que llamara a la policía de inmediato. Necesitaba poner distancia entre nosotros.

Estaba en Berneray esperando el primer ferry del día cuando el amanecer rompió pálidamente entre la bruma del estrecho de Harris. La mayoría de los vehículos que esperaban eran comerciales y nadie me prestó demasiada atención. Pero llevaba a mi hermano muerto en la parte trasera de una furgoneta robada, así que estaba tremendamente nervioso. Allí era donde corría un riesgo mayor, allí y en Leverburgh, cuando el ferry atracara. Pero traté de ponerme en la piel de la policía. Había robado un arma, dinero y una furgoneta. No sabían nada de Peter, claro. Imaginarían que habíamos actuado juntos. ¿Adónde iríamos? Estaba seguro de que creerían que intentaríamos regresar al continente. En tal caso, habríamos conducido hasta Lochmaddy para tomar el ferry hasta Skye. ¿Para qué querríamos ir al norte, a Harris o a Lewis? Bueno, ese fue mi razonamiento, aunque en ese momento no tenía mucha fe en él.

Esa mañana, el ferry cruzó el estrecho como un fantasma, con un suave oleaje en un mar de peltre, el sol oscurecido por nubes bajas y gruesas. Y poco después ya estaba en la rampa en Leverburgh y me encontré de nuevo en la carretera.

Fue entonces cuando vi las playas por primera vez, en Scarista y Luskentyre, y crucé la pequeña población de Seilebost, consciente de que se suponía que ese era mi lugar de origen. Me detuve allí unos minutos, seguí el camino que llevaba al *machair* y eché un vistazo a las arenas doradas que parecían extenderse hasta el infinito. Ahora era Tormod Macdonald. Y allí era donde me había criado. Había sido tanta gente, y aún lo era, y sin duda seguiría siéndolo en el futuro. Volví a la furgoneta y conduje sin parar, más allá de las afueras de Stornoway, y crucé el páramo de Barvas hacia la carretera de la costa oeste que llevaba a Ness. No podía alejarme mucho más.

En Barvas tomé un sendero de tierra lleno de baches que discurría frente a unas casas que se alzaban al borde del camino, hasta un lago barrido por el viento casi encerrado en su totalidad por la tierra. Vi el mar rompiendo contra la orilla a lo lejos y me quedé allí con Peter, esperando a que anocheciera.

Tuve la impresión de que tardó una eternidad. El estómago me rugía y se me encogía. No me había llevado nada a la boca en casi veinticuatro horas, y me sentía un poco mareado. Finalmente, la luz empezó a morir y, mientras la oscuridad se instalaba en el horizonte, la furgoneta de Donald Seamus escupió humo a la noche. Volví a recorrer el sendero entre sacudidas hasta llegar a la carretera principal y después giré hacia el norte.

En Siader, distinguí un camino que se adentraba en la oscuridad, en dirección al mar, y lo tomé, con las luces apagadas y avanzando lentamente hacia los acantilados, guiándome con las infrecuentes y fugaces parcelas de luz de luna. Lo bastante cerca de un mar que parecía casi fosforescente en la oscuridad, apagué el motor y bajé de la furgoneta. No se veía una luz por ningún sitio y saqué la *tarasgeir* de Donald Seamus de la parte trasera del vehículo.

Si bien la turba estaba blanda y húmeda, tardé casi una hora en cavar un hoyo lo bastante grande para que se convirtiera en la última morada de Peter. En primer lugar corté pedazos de la superficie y los dejé a un lado, y después cavé y cavé, lo suficiente para que el agua que se filtraba en el hoyo cubriera el cuerpo. Lo bastante para que, una vez lleno y tapado de nuevo con los pedazos de turba, nadie notara jamás que había escarbado esa tierra. Y aunque lo descubrieran, era posible que pensaran que se había tratado tan solo de un intento de extraer turba. Sin embargo, sabía que la tierra cicatrizaría enseguida, encerrándolo en su interior, escondiéndolo entre sus brazos y estrechándolo para siempre.

Cuando por fin terminé, desenvolví a mi hermano de la manta y lo deposité con cuidado en su tumba. Me arrodillé junto a su cabeza, lo besé y recé por su alma, aunque había dejado de estar seguro de que hubiera un Dios allí arriba. A continuación lo cubrí, tan consumido por el dolor y la culpa que apenas era capaz de sostener la pala. Cuando hube colocado el último pedazo de turba, permanecí inmóvil diez minutos o más, dejando que el viento me secara el sudor antes de recoger la manta y cruzar penosamente el páramo y tomar un descenso rocoso hasta una minúscula ensenada arenosa.

Allí me agaché en la arena para protegerme del viento mientras prendía fuego a la manta, y a continuación me levanté para verla arder en llamas que bailaron brevemente en la oscuridad, elevando chispas y humo en la noche. Una incineración simbólica. La sangre de mi hermano, devuelta a la tierra.

Me senté en la playa hasta que el frío estuvo a punto de apoderarse de mí, entonces crucé con paso rígido el páramo, subí a la furgoneta y encendí el motor. Deshice el camino hasta la carretera y después me dirigí al sur a través de Barvas, antes de girar al este y tomar un estrecho sendero de algún lugar cercano a Arnol. Un camino que serpenteaba a través del tremedal hacia una elevación de colinas. Había pensado en incendiar la furgoneta, pero temí que alguien lo viera, por lejos que estuviese. Y fue entonces cuando vi, en un momento de luz de luna, el lago resplandeciendo por debajo de mí. Saqué mis cosas de la parte trasera y conduje hasta el borde del precipicio. A continuación apagué el motor, salté sobre la tierra blanda y, con el hombro apoyado en la puerta, empujé la camioneta esos últimos metros, hasta que tomó la velocidad necesaria.

Se precipitó por la colina en la oscuridad, y más que verla, la oí caer al agua. Bajo breves destellos de luna, durante la hora siguiente, sentado en lo alto de la colina, distinguí una parte de ella aún visible en la superficie y pensé que tal vez hubiera cometido un error espantoso. Sin embargo, por la mañana ya había desaparecido.

Invertí las horas de oscuridad en desmontar la escopeta que Donald Seamus solía utilizar para cazar conejos, para que me cupiera en la bolsa. Después, al romper el día, atravesé de nuevo el páramo y llegué a la carretera. Llevaba tan solo cinco minutos caminando en dirección a Barvas cuando alguien se detuvo y se ofreció a llevarme. Un viejo granjero de camino a Stornoway. Habló sin cesar mientras yo recuperaba lentamente la sensibilidad en las extremidades gracias a la calefacción. Habíamos cruzado más o menos la mitad del páramo de Barvas cuando me dijo: «Hablas un gaélico raro, hijo. No eres de esta zona, ¿verdad?».

«No. Soy de Harris», respondí. Y alargué un brazo para estrecharle la mano. «Tormod Macdonald.» Que es quien he sido desde entonces.

«¿Qué has venido a hacer a Stornoway?»

«A tomar el ferry hasta el continente.»

El viejo granjero sonrió.

«Pues que tengas suerte, chico. Es un viaje duro.»

Entonces no sospechaba que volvería allí cuando hubiera terminado. Supongo que arrastrado por la necesidad de estar cerca de mi hermano, como si, de algún modo, así compensara el estrepitoso fracaso de la promesa que le había hecho a mi madre.

—¿Dónde estamos? —pregunto.

—En Leverburgh, papá. Tomaremos el ferry hasta North Uist.

¿North Uist? Estoy seguro de que no vivo allí. Me rasco la cabeza.

—¿Por qué?

—Vamos a llevarte a casa, papá.

36

Marsaili y Fin se habían despedido de Fionnlagh sin poder decirle cuánto tiempo pasarían fuera, así que ella le había dado su teléfono móvil para que pudiera ponerse en contacto con él cuando quisiera. Y a última hora de esa mañana, Fionnlagh había ido a las tiendas de Crobost para llenar la despensa para los próximos días.

Hacía una mañana de perros, el viento soplaba en violentas ráfagas sobre el cabo acompañado de olas de lluvia fina y los tiernos brotes de hierba primaveral. Pero a él no le importaba. Había crecido con ello. Era habitual. Le encantaba notar el escozor de la lluvia en la cara. Como también le encantaba el modo en que el cielo se abría por momentos, de manera inesperada, y vertía la luz del sol. Destellos de luz fría y cegadora sobre la superficie del océano, como charcos de mercurio. Podían durar minutos o segundos.

Nubes oscuras se extendían lentamente de un lado a otro del paisaje, tan cercanas a la tierra que casi parecía posible tocarlas. La cima de la colina ya estaba oculta tras la masa nubosa cuando Fionnlagh regresó al chalet. Donna le había prometido que la comida estaría lista cuando llegara. Nada especial. Una ensalada de huevo y beicon, le había dicho. Fionnlagh se sorprendió al ver un Range Rover blanco en el espacio de grava que quedaba por encima de la casa, donde él solía aparcar su Mini. No reconoció la matrícula. En Lewis era costum-

bre fijarse en la matrícula del vehículo con el
zaba y saludar con la mano si se recon
llegaban a ver las caras al otro lado del p
los reflejos de luz o cubiertos de lluvia.
de la isla.

Aparcó junto al Range Rover y al bajar de su
en un ejemplar del *Edinburgh Evening News* en el asie
ro. Sacó las bolsas de comida del Mini y corrió bajo la
hasta la puerta de la cocina. Consiguió encorvarse y girar
pomo sin soltar la bolsa de papel que sujetaba en la mano derecha, y cuando la puerta se abrió, vio a Donna de pie en la entrada del pasillo. Flotaba un extraño olor a humo en el ambiente, y Donna sostenía a Eilidh contra su cuerpo como si temiera que saliera volando. Tenía la cara del mismo color que el Range Rover aparcado en lo alto del camino y las pupilas tan dilatadas que sus ojos parecían negros. Fionnlagh supo enseguida que algo iba muy mal.

—¿Qué pasa, Donna?

Su mirada de conejo asustado se dirigió a la cocina, y Fionnlagh se volvió y vio a un hombre sentado a la mesa. Era un hombre corpulento con el pelo muy corto y canoso. Llevaba una camisa blanca abierta por el cuello debajo de una chaqueta Barbour, vaqueros y botas negras de la firma Cesari Paciotti. Fumaba un puro grande consumido por la mitad que sujetaba con dedos manchados de nicotina.

En ese momento, Donna fue empujada a la cocina por detrás. Dio dos o tres pasos forzados antes de recuperar el equilibrio y un hombre apareció tras ella. Era mucho más joven que el que estaba sentado a la mesa. El pelo, negro y brillante, lo llevaba peinado hacia atrás con fijador. Iba vestido de manera informal, con camisa azul y pantalones grises, y un impermeable largo y marrón. De manera ilógica, Fionnlagh se fijó en que llevaba los elegantes zapatos italianos cubiertos de barro. A continuación, con una mezcla de espanto e incredulidad, vio se parecía mucho a una escopeta recortada en la mano cha del joven.

—¿Qué? —La palabra le brotó de los labios antes de que udiera darse cuenta de lo ridícula que resultaba. Lo primero que pensó fue que debía de tratarse de una broma, pero no había nada ni remotamente divertido en la situación. Y lo que veía en el rostro de Donna era miedo auténtico. Permaneció de pie, cargado con la comida, con el viento y la lluvia azotándole las piernas por la puerta aún abierta, sin saber qué hacer.

El hombre sentado a la mesa estaba reclinado en la silla y lo observaba con curiosidad. Dio una lenta calada a su puro.

—¿Dónde está tu abuelo?

Fionnlagh volvió su gesto de consternación hacia él.

—No tengo ni idea.

—Creo que sí la tienes. Tu madre y su amigo lo han sacado de la residencia a primera hora de esta mañana. ¿Adónde han ido?

Fionnlagh sintió que empezaba a indignarse.

—No lo sé —respondió, con la esperanza de sonar desafiante.

—No te pongas chulo conmigo, hijo. —El tono del fumador permaneció sereno, imperturbable. Dirigió la mirada hacia Donna y el bebé—. Es tu hija, ¿verdad? ¿La biznieta del viejo Tormod?

El miedo se apoderó de Fionnlagh.

—¡Como les ponga un puto dedo encima...!

—¿Qué? ¿Qué me harás, hijo? Cuéntamelo.

Fionnlagh miró al hombre de la escopeta. Su expresión era del todo impasible. Sin embargo, había algo en su mirada que le advirtió que no debía cometer ninguna insensatez.

—Solo dime adónde han llevado a tu abuelo. Es lo único que te pido.

—¿Y si no lo hago?

Hubo un movimiento casi imperceptible de la cabeza del

fumador antes de que dejara escapar otra bocanada de hu
acompañada de una sonrisa.

—Estoy seguro de que no querrás saber lo que les haría a
tu novia y tu hija.

Al principio, Fionnlagh no logró respirar, por lo que sintió pánico. Antes de darse cuenta de que era una sueño. Tenía que serlo. Se encontraba en el fondo del océano. Estaba oscuro y hacía mucho frío, y era consciente de que si respiraba, los pulmones se le llenarían de agua. Así que tomó impulso para salir a la superficie. A lo lejos, sobre su cabeza, veía filtrarse la luz. Lentamente, con una lentitud excesiva, se volvió más intensa a su alrededor, pero la superficie seguía pareciéndole muy lejana. Notaba los pulmones a punto de estallar. Se impulsó con más fuerza, concentrado tan solo en la luz. Hasta que, de repente, rompió la superficie bajo un destello cegador y el dolor astilló todo pensamiento consciente.

Le dolía mucho la cabeza, y oía su propia voz convertida en un grito ahogado por culpa de su punzante intensidad. Se dio la vuelta y se preguntó por qué no podía mover los brazos ni las piernas, los ojos entornados hacia la luz hasta que, de manera gradual, la cocina empezó a cobrar forma. Sin embargo, su pensamiento seguía extraviado, confuso. La claridad y el recuerdo volvían con suma lentitud.

Permaneció inmóvil, controlando la respiración, tratando de no prestar atención al dolor que le invadía la cabeza, y se obligó a recordar lo que había visto al regresar de la tienda: el Range Rover blanco, el hombre con la escopeta, el hombre del puro que había amenazado con hacer daño a Donna y a Eilidh si no le decía adónde habían llevado a Tormod su madre y Fin. A pesar de ello, por mucho que lo intentara, no lograba recordar nada más. Entonces se dio cuenta de por qué no podía moverse.

Estaba tendido en el suelo, con los tobillos inmovilizados y las manos atadas detrás de la espalda. Vio sangre en las baldosas y se dejó llevar por el pánico. Gritó «¡Donna!» tan fuerte como pudo. Su voz resonó en la cocina vacía, y solo le respondió un silencio absoluto y perturbador. El miedo y el pánico estuvieron a punto de paralizarlo. La adrenalina era lo único que alimentaba sus intentos desesperados de incorporarse.

Cuando por fin logró sentarse, vio que tenía los pies atados con un paño de cocina, retorcido en un nudo tosco. Con gran esfuerzo, consiguió ponerse de rodillas y a continuación se sentó sobre sus pies, de modo que alcanzó el paño por la espalda. Tardó unos minutos en desatarlo y, con gran dificultad, se puso en pie. Volvió a gritar el nombre de Donna y siguió su voz por toda la casa. Resonó por habitaciones vacías. No había rastro de Donna ni de la niña. En la habitación, se vio fugazmente en el espejo y se fijó en que le corría un hilo de sangre por la cara, de una herida en la cabeza. Lo consoló pensar que la sangre en el suelo de la cocina debía de ser suya, y no de Donna o de Eilidh.

Pero ¿dónde estaban? ¿Dónde demonios se las había llevado esa gente?

Corrió de vuelta a la cocina y miró alrededor, desesperado. En la encimera había un juego de cuchillos en un bloque de madera, pero no se le ocurrió cómo alcanzarlos para cortarse las ataduras de las muñecas. Tenía que conseguir ayuda.

Con dificultad, consiguió abrir la puerta de la cocina, de espaldas, con los dedos buscando a tientas el pomo. A continuación salió. A la lluvia. Y corrió sobre la alta hierba por la pendiente que llevaba a la carretera. Cuando llegó al asfalto, tropezó y cayó pesadamente, arañándose la mejilla con la grava. La lluvia le azotó la cara mientras se levantaba y echaba a correr hacia las fauces del viento, carretera abajo, para tomar la salida hacia la iglesia y la casa del pastor.

No había un alma alrededor. Nadie en su sano juicio se

aventuraría a salir en una noche como esa si no fuera absolutamente necesario.

Sintió que lo abandonaban las fuerzas mientras subía por la colina, hacia el aparcamiento, y después cruzaba la reja de contención del ganado en lugar de intentar abrir la puerta, y seguía corriendo en dirección a las escaleras de la casa del pastor. Las subió de dos en dos. Cuando llegó a la puerta, se dio cuenta de que no podía llamar al timbre ni golpearla con los nudillos. Así pues, empezó a darle patadas y a gritar, casi ciego por las lágrimas y la sangre.

Hasta que por fin la puerta se abrió y apareció Donald Murray, que lo miró con absoluta consternación. La consternación tardó solo un instante en convertirse en miedo, y Fionnlagh lo vio palidecer.

37

Habían dejado atrás el mal tiempo y la lluvia y el viento que los habían acompañado desde el noroeste se quedaron en las montañas de North Uist. Cuanto más al sur, mejor era el tiempo; la lluvia amainó y el viento se hundió en el océano mientras la luz amarilla de última hora de la tarde proyectaba largas sombras sobre el paisaje.

Cuando se detuvieron en un salón de té de Benbecula, Fin se dio cuenta de que su móvil estaba descargado. Después de noches en habitaciones de hotel y en la tienda de campaña, habían pasado días desde la última vez que había recargado la batería. Cuando regresaron al coche, lo enchufó en el encendedor y lo dejó en el portavasos, entre los asientos. Una hora después, mientras rodeaban el cabo por East Kilbride, vieron el pequeño espigón de Ludagh y la isla de Eriskay bañada por la luz del sol al otro lado del agua.

Una suave brisa rizaba la clara superficie azul del estrecho mientras conducían por el recto paso elevado hasta allí donde se curvaba y ascendía ligeramente entre las pendientes. Al final de la carretera, Fin torció hacia la pequeña bahía y el puerto de Haunn.

Observó a Tormod por el retrovisor mientras el anciano miraba por la ventanilla, sin la más mínima señal de reconocer el paisaje en su mirada apagada. Había sido un viaje agotador por la columna vertebral de Long Island. Con la travesía en ferry y las paradas para almorzar y tomar café, habían tardado casi cinco horas. El hombre estaba agotado y se le cerraban los ojos.

Allí donde la carretera de sentido único se curvaba sobre la cabecera de la bahía, Fin tomó el camino de grava que conducía a la enorme casa blanca que había en lo alto de la colina. El coche traqueteó sobre la reja de contención del ganado, y a continuación Fin lo aparcó junto al Mercedes de color rosa. Marsaili y él ayudaron a Tormod a salir del vehículo. Se sentía anquilosado tras el viaje y le costó moverse hasta que estuvo de pie en el camino y pudo erguir la espalda para mirar alrededor, y sintió la brisa fresca en la cara y respiró el olor a sal. Ahora parecía más alegre. Tenía la mirada más clara, aunque seguía sin dar muestras de reconocer el entorno mientras observaba la ladera de la colina y dirigía la vista al puerto.

—¿Dónde estamos? —preguntó.

—Allí donde empezó todo, señor Macdonald. —Fin miró a Marsaili, pero ella no desvió la inquieta mirada de su padre—. Vamos, quiero presentarle a alguien.

Subieron las escaleras hasta el porche de la entrada y cuando Fin llamó al timbre, sonó la melodía de *La valiente Escocia* en algún lugar de la casa. Tras una corta espera, la puerta se abrió de par en par y apareció Morag, con un gin-tonic y un cigarrillo en una mano, y Dino ladrando sin cesar pegado a sus tobillos. Invitó a pasar a los tres visitantes antes de que un gesto de resignación le cruzara el rostro como una sombra.

—Tenía la extraña sensación de que volvería —dijo dirigiéndose a Fin.

—Hola, Ceit —respondió.

Una extraña intensidad ardió por un momento en sus ojos oscuros.

—Hacía mucho tiempo que no me llamaban así, *a ghràidh*.

—Puede que John McBride fuera uno de los últimos. —Fin se volvió hacia Tormod y Ceit se quedó mirándolo boquiabierta.

—Dios mío. —Se quedó sin aliento—. ¿Johnny?

El anciano le dirigió una mirada vacía.

—Sufre demencia, Ceit —aclaró Fin—. Y no se da mucha cuenta de lo que ocurre a su alrededor.

Ceit cruzó más de medio siglo para tocar a ese amor perdido de manera irrevocable una tormentosa noche de primavera, en otra vida, y sus dedos le acariciaron suavemente la mejilla. Él la miró con curiosidad, como si quisiera preguntarle: «¿Por qué me tocas?». Pero no la reconoció. La mujer apartó la mano y miró a Marsaili.

—Soy su hija —dijo Marsaili.

Ceit dejó el vaso y el cigarrillo en la mesa de la entrada y tomó la mano de Marsaili entre las suyas.

—Oh, *a ghràidh*, y podrías haber sido también mía, si las cosas hubieran salido de otro modo. —Se volvió hacia Tormod—. Llevo toda la vida preguntándome qué debió de pasarle al pobre Johnny.

Entonces Fin intervino.

—O a Tormod Macdonald, como también debió de conocerlo. —Hizo una pausa—. ¿Robó usted el certificado de nacimiento?

La mujer le lanzó una rápida mirada.

—Será mejor que entren. —Soltó la mano de Marsaili, recuperó el gin-tonic y el cigarrillo y los tres los siguieron, a ella y a Dino, hasta el salón con vistas panorámicas sobre la ladera y la bahía—. ¿Cómo ha sabido que soy Ceit?

Fin hurgó en su bolsa y sacó el álbum de recortes de Tormod. A continuación lo abrió sobre la mesa para que la mujer le echara un vistazo. La oyó dar un grito ahogado cuando se dio cuenta de que eran todos los artículos que se habían publicado sobre ella. Cortados o arrancados de periódicos y revistas a lo largo de más de veinte años, desde que se había convertido en una actriz famosa gracias a su papel en *The Street*. Montones de fotografías, miles de palabras.

—Puede que usted no supiera qué fue de Tormod, Ceit. Pero sin duda él siempre supo qué fue de usted.

Tormod dio un paso hacia la mesa y miró los recortes.

—¿Los recuerda, señor Macdonald? —preguntó Fin—. ¿Recuerda haberlos recortado y pegado en este libro? Recortes de la actriz Morag McEwan.

El anciano los miró fijamente durante un rato largo. Una palabra pareció formarse varias veces en sus labios antes de decidirse a hablar.

—Ceit —dijo. Y levantó la vista hacia Morag—. ¿Tú eres Ceit?

La mujer no fue capaz de hablar, de modo que se limitó a asentir con la cabeza.

Tormod sonrió.

—Hola, Ceit. Llevaba mucho tiempo sin verte.

Lágrimas silenciosas le corrieron por las mejillas.

—Es verdad, Johnny, mucho tiempo. —Parecía a punto de perder el control, por lo que tomó un rápido sorbo de gin-tonic antes de colocarse rápidamente detrás de la barra—. ¿A alguien le apetece beber algo?

—No, gracias —respondió Marsaili.

—Aún no nos ha hablado del certificado de nacimiento —dijo Fin.

La mujer volvió a llenarse el vaso con una mano temblorosa y encendió otro cigarrillo. Tomó un trago largo y dio una calada al cigarrillo antes de responder:

—Johnny y yo estábamos enamorados —dijo, y miró al anciano que estaba de pie en su salón—. Solíamos encontrarnos por la noche en el viejo espigón y después subir la ladera hasta la playa de Charlie. Allí había una vieja casa en ruinas, con vistas sobre el mar. Es donde solíamos hacer el amor. —Dirigió una mirada tímida a Marsaili—. En fin, que hablábamos de fugarnos juntos. Por supuesto, él nunca se habría marchado sin Peter. Jamás habría ido a ninguna parte sin él. Le había prometido a su madre, en su lecho de muerte, que cuidaría de su hermano pequeño. El pobre había tenido un accidente. Una herida en la cabeza. No estaba del todo bien.

Dejó el vaso sobre la barra pero no lo soltó, como si creyera que podría caerse si no se sujetaba a algo. A continuación miró a Tormod.

—Te habría seguido hasta el fin del mundo, Johnny —dijo. Como Tormod le devolvió una mirada vacía, la mujer volvió a dirigirse a Fin—. La viuda O'Henley solía llevarme con ella cuando iba a visitar a su prima Peggy a Harris en vacaciones. Semana Santa, verano, Navidades. Y me llevó al entierro del hijo de Peggy, que se ahogó en la bahía. Lo había visto un par de veces. Era un muchacho agradable. En fin, que la casa estaba llena de familiares y yo dormí en el suelo de su habitación. Esa noche no pude pegar ojo. Y alguien, tal vez sus padres, habían dejado su certificado de nacimiento encima de la cómoda. Pensé que con todo el lío del entierro, nadie lo echaría en falta de inmediato. Y que, cuando lo hicieran, nadie me relacionaría con ello.

—Pero ¿por qué se lo llevó? —preguntó Marsaili.

—Si íbamos a fugarnos juntos, Johnny y yo, creí que necesitaríamos una nueva identidad. Y no se pueden hacer muchas cosas sin un certificado de nacimiento. —Con gesto reflexivo, dio una larga calada a su cigarrillo—. Cuando me lo llevé, no sabía las circunstancias en que nos sería necesario. Desde luego, no fueron las que había previsto. —Entonces sonrió. Una minúscula sonrisa teñida de ironía y resentimiento—. Al final resultó que para mí fue mucho más fácil cambiar de nombre. Me registré con el nuevo en el sindicato de actores y dejé de ser Ceit para convertirme en Morag McEwan, actriz. Y podía hacer el papel que quisiera, dentro o fuera del escenario. Nadie sabría jamás que era una pobre huérfana abandonada a la que habían enviado a las islas para ser la esclava de una viuda.

Un silencio cargado de preguntas no formuladas y respuestas no pronunciadas se instaló en la habitación. Fue Tormod quien lo rompió.

—¿Podemos irnos a casa? —preguntó.

—Dentro de un rato, papá.

Fin miró a Ceit.

—A Peter lo asesinaron en la playa de Charlie, ¿verdad?

Ceit se mordió el labio inferior y asintió con la cabeza.

—Entonces creo que ya va siendo hora de que sepamos la verdad sobre lo que ocurrió.

—Me hizo prometerle que nunca se lo contaría a nadie. Y no lo he hecho.

—Han pasado muchos años, Ceit. Si pudiera contárnoslo él mismo, estoy seguro de que lo haría. Pero Peter ha aparecido. Lo sacaron de una turbera de la isla de Lewis. Habrá una investigación por asesinato. Así que es importante que sepamos qué ocurrió. —Vaciló—. No lo mató Johnny, ¿verdad?

—¡Oh, Dios, claro que no! —Ceit pareció escandalizada por la idea—. Habría muerto antes de tocarle un pelo a ese muchacho.

—Entonces, ¿quién lo hizo?

Ceit se tomó un momento para reflexionar y a continuación apagó su cigarrillo.

—Será mejor que los lleve a la playa de Charlie y se lo cuente allí. Lo entenderán mejor.

Marsaili le puso el gorro a su padre y siguieron a Morag hasta el vestíbulo, donde descolgó una chaqueta del perchero. Se agachó para levantar a Dino.

—Podemos ir todos en el Mercedes.

Fin entró un momento en su coche para coger el móvil. Parecía cargado y lo encendió. En la pantalla leyó que tenía cuatro mensajes. Pero podía escucharlos más tarde. Cerró la puerta y corrió sobre la grava hasta el Mercedes rosa.

La capota estaba bajada y Ceit aceleró por la colina, con Dino sentado encima de su brazo derecho y el suave viento primaveral de las Hébridas soplando cálido alrededor. Tormod se rió encantado mientras se sujetaba el sombrero a la cabeza y Dino ladró a modo de respuesta. Fin se preguntó si la iglesia de la colina, la escuela de primaria o el viejo cementerio despertarían algún recuerdo entre la bruma que ocupaba la mente de Tormod, pero el anciano parecía ajeno al entorno.

Ceit aparcó en un tramo de carretera desde el que se veía la playa de Charlie, justo por encima de una vieja granja en ruinas situada en la ladera, más abajo.

—Ya hemos llegado —anunció Ceit.

Bajaron del coche y el grupo empezó a descender con cuidado por el camino de hierba hasta la granja en ruinas. El viento soplaba con algo más de fuerza, pero seguía siendo suave. El sol empezaba a hundirse en el horizonte oeste y vertía cobre líquido sobre un mar en calma.

—Esa noche también estaba así —comentó Ceit—. O lo había estado por la tarde. Cuando llegué aquí ya casi había anochecido y se estaban formando nubes de tormenta en el horizonte, más allá de Lingeigh y Fuideigh. Sabía que era cuestión de tiempo que llegaran a la bahía. Pero entonces aún hacía buen tiempo, como la calma antes de la tempestad.

Se inclinó sobre el muro que quedaba en el gablete para sujetarse mientras observaba a Dino corretear como un loco por la playa, levantando la arena a su paso.

—Como les he dicho, al principio solíamos quedar en el espigón de Haunn antes de cruzar la colina juntos. Pero era arriesgado, y después de un par de veces en que estuvimos a punto de ser descubiertos, decidimos quedar directamente aquí, y que cada uno llegara por su lado.

Dino entraba y salía de la espuma que formaban las olas, ladrando a la puesta de sol.

—Esa noche se hizo tarde. La viuda O'Henley no se encontraba bien y tardó mucho más de lo habitual en acostarse. Así que salí a toda prisa y llegué aquí casi sin aliento. Y me llevé una gran decepción al no ver a Johnny. —Hizo una pausa, perdida en un instante de reflexión—. Entonces oí las voces que venían de abajo, de la playa. Las oí incluso por encima del batir de las olas y del viento que agitaba la hierba. Y algo en esas voces hizo que me pusiera en alerta de inmediato. Me agaché aquí, detrás del muro y miré hacia la arena.

Fin la observaba con atención. Notó en sus ojos que la mujer estaba allí, agachada entre las piedras y la hierba, presenciando la escena que estaba teniendo lugar en la playa.

—Vi cuatro siluetas. Al principio no sabía quiénes eran y no entendía lo que estaba pasando. Pero entonces se abrió el cielo y la luz de la luna iluminó la playa, y tuve que hacer un gran esfuerzo para no gritar.

Sacó un cigarrillo con dedos temblorosos y cubrió el extremo con una mano para encenderlo. Fin percibió el temblor en su respiración cuando inhaló el humo. Acto seguido, la concentración de la mujer se vio interrumpida por el sonido de su móvil en el bolsillo. Hurgó en él, lo sacó y vio que era una llamada de Fionnlagh. Lo que fuera, podía esperar. No quería interrumpir su relato. Lo apagó y volvió a metérselo en el bolsillo.

—Estaban justo en la orilla —dijo Ceit—. Peter estaba desnudo. Las manos atadas a la espalda, igual que los tobillos. Dos jóvenes lo arrastraban por la arena con un trozo de cuerda que le habían atado al cuello. Se detenían cada dos o tres metros y le daban patadas para que se levantara, y después tiraban de él hasta que volvía a caerse. Johnny también estaba, y al principio no entendí que no hiciera nada para evitarlo. Entonces me fijé en que llevaba las manos atadas por delante y una cuerda de medio metro anudada a los tobillos para limitar sus movimientos. Avanzaba cojeando tras ellos, implorándoles que pararan. Oía su voz por encima de la de los demás.

Fin miró a Marsaili. En su rostro se reflejaban la concentración y el horror. Era su padre, a quien Ceit describía en la playa de más abajo. Indefenso y desesperado, suplicando por la vida de su hermano. Y Fin se dio cuenta de que, aun cuando creemos conocer bien a alguien, es imposible saber lo que esa persona ha pasado en su vida.

La voz de Ceit sonaba grave y ronca por la emoción, y apenas alcanzaban a oírla por encima del ruido del viento y el mar.

—Habían caminado unos treinta o cuarenta metros, riéndose y armando jolgorio, cuando de repente se detuvieron y obligaron al pobre Peter a arrodillarse en la arena húmeda, mientras la marea entrante le bañaba las piernas. Y vi hojas de cuchillos destellar bajo la luna. —Se volvió a mirarlos, reviviendo el espantoso momento de la escena que había presenciado esa noche—. No podía creer lo que estaba viendo. No dejaba de pensar en que tal vez me hubiera encontrado con Johnny, y que habíamos hecho el amor, y que en ese instante estaba tumbada en la hierba, dormida, y que todo eso no era más que una horrible pesadilla. Vi a Johnny intentar detenerlos, pero uno de ellos lo golpeó y entonces él cayó al agua. Y después, ese hombre empezó a apuñalar a Peter. Por delante, mientras que el otro lo sujetaba por detrás. Vi la hoja del cuchillo subir y bajar, goteando sangre, y quise gritar con todas mis fuerzas. Tuve que taparme la boca con una mano para contenerme.

Se volvió de nuevo y contempló la arena mientras recreaba ese momento con desgarrador detalle.

—El que estaba detrás le cortó el cuello. Un único tajo y vi la sangre salir a chorros. Johnny estaba de rodillas en el agua, gritando. Y Peter se quedó allí arrodillado, con la cabeza hacia atrás, hasta que la vida abandonó por completo su cuerpo. No tardó en suceder. Entonces lo dejaron caer, boca abajo, en el agua. Incluso desde aquí pude ver la espuma de las olas teñirse de rojo. Acto seguido, sus asesinos se marcharon como si no hubiera pasado nada.

—¿Los reconoció? —preguntó Fin.

Ceit asintió.

—Los dos hermanos Kelly que estuvieron esa maldita noche en el puente Dean de Edimburgo. —Miró a Fin—. ¿Está al corriente de eso?

Fin ladeó la cabeza.

—No del todo.

—El hermano mayor cayó y murió. Patrick. Danny y Tam culparon a Peter. Creyeron que lo había empujado. —Meneó la cabeza con desesperación—. Solo Dios sabe cómo descubrieron dónde estábamos. Pero lo descubrieron. Y vinieron a buscarnos para vengar a su hermano muerto. —Dirigió la mirada a la playa.

Casi como si reflejara el momento, la naturaleza tiñó el mar del color de la sangre mientras el sol se ponía tras el horizonte.

—Cuando se hubieron ido, corrí a la playa donde Johnny estaba arrodillado sobre el cuerpo de Peter. Las olas rompían a su alrededor. Sangre en la arena, la espuma todavía rosa. Y entonces descubrí qué sonido emite un animal cuando llora a sus muertos. Era imposible consolar a Johnny. Jamás he visto a un adulto tan angustiado. Ni siquiera me dejó que lo tocara. Le dije que iría a buscar ayuda y se levantó de inmediato y me agarró por los hombros. Me asusté. —Miró a Tormod—. No fue la cara de Johnny la que vi en ese instante. Estaba poseído. Casi irreconocible. Me hizo jurar por mi alma que nunca contaría una palabra de aquello a nadie. Yo no lo entendía. Esos chicos acababan de asesinar a su hermano. Estaba histérica. Pero él me sacudió con fuerza, me dio una bofetada y me dijo que le habían asegurado que si le contaba a alguien lo que había sucedido, volverían a por mí.

Se volvió hacia Fin y Marsaili.

—Por eso decidió hacerles caso. Le habían dicho que se deshiciera del cuerpo y que no se le ocurriera decírselo a nadie. O volverían para matarme. —Abrió las manos frente a ella en un gesto de frustración—. En ese momento me traía sin cuidado. Solo quería que acudiera a la policía. Pero él se negó en redondo. Dijo que enterraría a Peter él mismo, donde nadie lo encontrara, y que después tenía algo que hacer. No me dijo el qué. Solo que se lo debía a su madre por haberle fallado.

Fin dirigió la mirada al otro lado de la granja, donde se hallaba Tormod, y se sentó en las ruinas de un muro de la fachada, con la mirada perdida en la playa de Charlie mientras el sol se perdía finalmente de vista y las primeras estrellas empezaban a cubrir un cielo azul oscuro. Se preguntó si las palabras de Ceit, que con tanto realismo habían recreado los hechos de aquella noche, habían penetrado de algún modo en su conciencia. O si el simple hecho de estar allí, tantos años después, bastaría para despertar algún recuerdo lejano. Sin embargo, se dio cuenta de que eso era algo que, casi con certeza, no sabrían jamás.

38

Me cuesta tanto recordar las cosas. Sé que están ahí. Y a veces las siento, pero no las veo o no puedo alcanzarlas. Estoy tan cansado… Cansado de tantos viajes, de estas conversaciones que no logro seguir. Creía que me llevarían a casa.

Aunque esta es una playa bonita. No como las de Harris. Es bonita. Una suave media luna de plata.

Oh. ¿Eso de ahí es la luna? La arena casi resplandece bajo su luz, como si estuviera iluminada por debajo. Creo que estuve aquí una vez. Sí, estoy seguro, dondequiera que estemos. Me resulta familiar. Con Ceit. Y con Peter. Pobre Peter. Aún puedo verlo. La mirada en sus ojos cuando supo que estaba muriendo. Como la oveja en el cobertizo, la vez aquella que Donald Seamus le cortó el cuello.

A veces todavía sueño con la ira. Ira que se ha vuelto fría. Ira nacida del dolor y la culpa. Recuerdo esa ira. Cómo me comía por dentro, devorando hasta el último pedazo del ser humano que una vez fui. Y me observo en el sueño. Es como ver una película antigua, parpadeante, en blanco y negro o en marrón sepia. Espero. Espero.

Esa noche sentía el aire cálido en la piel, si bien no podía dejar de temblar. Los ruidos de la ciudad son tan distintos… Me había acostumbrado a las islas. Me causó gran impresión encontrarme de nuevo entre edificios altos, coches y gente.

Mucha gente. Pero no aquí. Esa noche, no. Estaba en calma, y el sonido del tráfico se oía muy lejano.

Llegado el momento llevaba esperando casi una hora. Escondido entre los matorrales, agachado, con las piernas casi entumecidas. Pero la ira te da paciencia, es como el deseo de retrasar el orgasmo para que sea todavía más dulce. Te vuelve ciego, también. Ciego a las posibilidades y a las consecuencias. Embota la imaginación, reduce tu atención a un solo punto y borra todo lo demás.

Entonces se encendió una luz en el porche y todos mis sentidos se aguzaron. Oí deslizarse el pestillo de la puerta y el chirrido de las bisagras antes de verlos aparecer bajo la luz. A los dos. Uno detrás del otro. Danny se detuvo a encender un cigarrillo y Tam se inclinó para cerrar la puerta.

Fue entonces cuando salí al camino. A la luz. Quería asegurarme de que me vieran. De que supieran quién era y lo que iba a hacer. No me importaba quién más pudiera verme siempre y cuando ellos lo supieran.

La cerilla llameó frente a la punta del cigarrillo de Danny, y gracias a la luz que iluminó sus ojos vi que sabía que iba a matarlo. Tam se volvió en ese momento y también me vio.

Y esperé.

Quería que se diera cuenta.

Y se dio cuenta.

Levanté la escopeta y disparé el primer cañón. Alcancé a Danny de pleno en el pecho y la fuerza del impacto lo impulsó hacia la puerta. Jamás olvidaré la mirada de puro terror y certeza en los ojos de Tam cuando dispararé de nuevo. Un poco desviado, pero lo bastante certero para volarle la mitad de la cabeza.

Me volví y me marché. No tuve que correr. Peter estaba muerto y yo había hecho lo que tenía que hacer. ¡Al diablo con las consecuencias! Había dejado de temblar.

No sé cuántas veces he tenido ese sueño. Tantas que ya no

estoy seguro de si eso fue todo lo que pasó. Pero por muchas veces que lo sueñe, nada cambia. Peter sigue muerto. Y nada puede devolvérmelo. Se lo había prometido a mi madre, y le fallé.

—Vamos, papá. Empieza a hacer frío.

Me vuelvo y veo a Marsaili que se acerca para cogerme del brazo y ayudarme a ponerme de pie. Me levanto y la miro bajo la luz de la luna mientras me ajusta el sombrero. Sonrío y le acaricio la cara.

—Me alegro tanto de que estés aquí —le digo—. Sabes que te quiero, ¿verdad? Te quiero mucho, muchísimo.

39

Mientras conducía por el camino que llevaba a su casa, Ceit frunció el entrecejo y comentó:

—Las luces están apagadas. El temporizador tendría que haberlas encendido hace horas.

Sin embargo, no fue hasta que cruzaron la reja de contención del ganado que vieron el Range Rover blanco aparcado junto al coche de Fin.

Fin miró a Ceit.

—Parece que tiene visita. ¿Conoce el coche?

Ceit meneó la cabeza.

Bajaron del Mercedes y Dino corrió ladrando a la entrada. Mientras subían al porche a oscuras, Fin sintió el crujido del cristal bajo los pies. Alguien había roto la bombilla de encima de la puerta.

Gritó a Ceit:

—¡Coja al perro! —Y algo en su tono provocó una respuesta inmediata que no admitía réplica. Fin estaba en alerta máxima. Tenso e inquieto. Avanzó con cautela hasta la puerta, con el brazo extendido hacia el pomo.

—No está cerrada con llave —susurró Ceit—. Nunca lo está.

Fin lo giró y abrió la puerta a la oscuridad. Mantuvo la mano en alto a sus espaldas para indicar al resto que no lo siguieran y entró con cuidado en el vestíbulo. Más cristales sobre la alfombra de tartán bajo sus pies. La bombilla del vestíbulo también estaba hecha añicos.

Permaneció a la escucha, conteniendo la respiración. Pero no oyó nada más que los ladridos de Dino, en brazos de Ceit, en el porche de la entrada. La puerta que daba al salón estaba entreabierta. Se fijó en la sombra del guepardo de plata a la luz de la luna que se colaba por los ventanales. Entró en el salón y de inmediato notó una presencia, antes de que el llanto apagado de un bebé sonara en la oscuridad.

Una cerilla se encendió y a la luz de su llama vio el rostro iluminado de Paul Kelly. Estaba sentado en una silla junto a la ventana este de la sala. Dio varias caladas a su puro, hasta que la punta se puso incandescente, y a continuación alargó un brazo para encender una lámpara de pie de cristal. Fin vio la escopeta recortada en su regazo.

Frente a él, sentada en el borde del sofá, se encontraba Donna abrazada al bebé. El joven de pelo negro que había visto en la casa de Edimburgo estaba de pie junto a ella, con otra recortada apuntándole a la cabeza. Parecía nervioso. Donna se había convertido en un espectro. Encogida y con los ojos ensombrecidos. Temblando visiblemente.

Fin oyó el crujido del cristal a sus espaldas y el grito ahogado de Morag. El perro se mantenía en silencio, pero el «¡Dios mío!» de Marsaili resultó casi ensordecedor.

Nadie se movió, y en los segundos que siguieron, Fin hizo un análisis sombrío de la situación. Kelly no había ido hasta allí solo para asustarlos.

La voz de Kelly sonó abiertamente tranquila.

—Siempre supuse que fue John McBride quien mató a mis hermanos —dijo—. Pero cuando mi gente llegó aquí arriba, se había esfumado sin dejar rastro. Como si nunca hubiera existido. —Hizo una pausa para dar una calada a su puro—. Hasta ahora. —Levantó la escopeta y se puso de pie—. Así que ahora podremos ver morir a su hija y a su nieta, igual que yo vi morir a mis hermanos en mis brazos. —Sus labios se torcieron en una mueca que apenas lograba controlar, horrible y amenazadora—. Yo estaba en el vestíbulo, detrás de ellos, la noche que les dispararon y los dejaron desangrándose en las escaleras. Hay que saber cómo se siente uno después de eso para entender cómo me siento ahora. Llevo toda una vida esperando este momento.

—Si mata a uno, tendrá que matarnos a todos —dijo Fin.

Paul Kelly sonrió y entrecerró los ojos en un gesto de auténtica diversión.

—No me diga.

—No puede matarnos a todos a la vez. Dispare a la chica y tendrá que vérselas conmigo.

Kelly levantó la escopeta y la volvió hacia Fin.

—No si me lo cargo el primero.

—¡Es una locura! —La voz de Marsaili perforó el silencio de la habitación—. Mi padre sufre demencia avanzada. Matar a gente no servirá de nada. No significará nada para él.

La mirada de Kelly se volvió fría.

—Pero para mí, sí. Al fin y al cabo, lo del ojo por ojo me parece bastante bien.

Ceit dio un paso al frente con Dino todavía contra su pecho.

—Solo que no será un ojo por ojo, señor Kelly. No será más que un maldito y vulgar asesinato. Usted no estaba en el puente esa noche. Yo sí. Y Peter McBride no empujó a su hermano. Patrick perdió el equilibrio por culpa del miedo que le entró al oír que había llegado la policía. Iba a caerse. Peter arriesgó su vida subiéndose al parapeto para intentar agarrarlo. Sus hermanos mataron a un hombre inocente. Un pobre chico retrasado que nunca habría hecho daño a nadie. Y tuvieron su merecido. ¡Se acabó! Déjelo correr.

Sin embargo, Kelly negó con la cabeza.

—Mis tres hermanos están muertos por culpa de los McBride. Ha llegado la hora de la venganza. —Se volvió a medias hacia Donna, la escopeta dirigida al bebé. Y mientras Fin, desesperado, se abalanzaba sobre Kelly, vio que el joven se volvía de repente para apuntarlo a él.

El ruido del arma sonó ensordecedor en el reducido espacio del salón. El ambiente pareció llenarse de cristales rotos. Fin notó que le cortaban el rostro y las manos cuando las levantó para protegerse. Sintió sangre caliente en la cara y en el cuello, y su olor le invadió las fosas nasales. Solo fue consciente a medias del cuerpo de Paul Kelly tambaleándose hacia atrás por la fuerza del impacto. Estaba completamente confuso. El hombre chocó contra la ventana del otro extremo de la sala y la tiñó de rojo, con un agujero enorme en el centro del pecho y una expresión de sorpresa absoluta congelada en el rostro mientras resbalaba hacia el suelo. Una mujer gritaba, Dino ladraba, Eilidh lloraba. Fin sintió el viento en la cara y vio a Donald Murray de pie, al otro lado del ventanal que había destrozado con su disparo. Mantenía su arma en alto, apuntando al joven protegido de Kelly. El hombre, que parecía horrorizado, soltó la suya y se apresuró a levantar las manos.

Fin la alcanzó a toda prisa y la arrojó al otro extremo de la sala, momento en que Donald bajó la escopeta. Tras él, en la oscuridad, Fin vio a un Fionnlagh pálido y con los ojos como platos.

—No me ha dejado llamar a la policía. No me ha dejado. —El chico estaba casi histérico—. Me dijo que complicarían las cosas. Te llamé, Fin. Te llamé. ¿Por qué no cogiste el teléfono?

El color había abandonado por completo el rostro de Donald. Dirigió su mirada desesperada a Donna y al bebé.

—¿Estáis bien? —susurró.

Donna era incapaz de hablar y sostenía a la niña con fuerza contra el pecho. Asintió con la cabeza y, a continuación, su padre desvió la mirada a los ojos de Fin y la mantuvo fija en él durante unos instantes. Tras aquella mirada se escondía el recuerdo de todas esas creencias defendidas una noche de borrachera en la que se habían peleado bajo la lluvia, y de nuevo en los acantilados azotados por el viento, bajo la fría luz de la mañana siguiente. Esfumado en el momento de apretar el gatillo. A continuación sus ojos se volvieron hacia el hombre que yacía muerto entre cristales rotos y objetos de decoración, en un charco de su propia sangre. Donald entornó los ojos para librarse de esa imagen.

—Que Dios me perdone —dijo.

40

No sé qué está pasando. Los oídos aún me pitan y apenas oigo nada. Ha pasado algo espantoso, lo sé. Me han sentado aquí, en la cocina, lejos de todo. En la sala de al lado hay toda clase de gente y el maldito perro no deja de ladrar.

Hay luces azules y naranja ahí fuera en la oscuridad. Antes he oído un helicóptero. No había visto tantos policías en toda mi vida. Y el hombre que vino a hablar conmigo en Solas. Solo me acuerdo de él por el pelo en forma de pico sobre la frente. Me recuerda a un muchacho de El Valle.

Me pregunto qué hace aquí el pastor. Lo he visto antes. Parecía enfermo, como si no se encontrara bien. Me da lástima. No tiene las agallas de su padre. Él sí que era un hombre bueno y temeroso de Dios. ¡Que me aspen si recuerdo su nombre!

Ahora esa mujer entra en la cocina. Sé que la conozco de algún sitio. Pero no me acuerdo de dónde. Hay algo en ella que me recuerda a Ceit. Pero no sé qué es.

Arrastra una silla, se sienta frente a mí y se inclina hacia delante para sujetarme las manos. Me gusta el contacto con ella. Tiene las manos suaves y bonitas, y unos preciosos ojos oscuros que me miran fijamente.

—¿Te acuerda de El Sagrado Corazón, Johnny? —pregunta. Pero no sé a qué se refiere—. Os llevaron allí, a ti y a Peter, después de la noche en que os quedasteis atrapados en los acantilados. Te rompiste el brazo, ¿te acuerdas? Y Peter tuvo neumonía.

—Había monjas —digo. Es extraño, pero las veo en la penumbra amarilla de la sala del hospital. Faldas negras, tocas blancas.

Me sonríe y me aprieta las manos.

—Eso es. Ahora es una residencia, Johnny. Voy a pedirle a Marsaili que te deje quedarte allí. Y yo iré a verte todos los días y te traeré a casa a almorzar. Y después podemos ir a pasear por la playa de Charlie, y hablar de El Valle y de la gente que conocimos aquí en la isla. —Tiene unos ojos preciosos, cuando me sonríe así—. ¿Te gustaría, Johnny? ¿Te gustaría?

Le aprieto las manos mientras le devuelvo la sonrisa y recuerdo esa noche en que la vi llorando en el tejado de El Valle.

—Me gustaría —respondo.

Agradecimientos

Me gustaría ofrecer mis más sinceras gracias a quienes me cedieron generosamente su tiempo y sus conocimientos durante el proceso de documentación de *El hombre sin pasado*. Especialmente, quiero expresar mi gratitud al patólogo Steven C. Campman, forense de San Diego, California; a Donald Campbell Veale, antiguo «interno» de El Valle; a Mary-Alex Kirkpatrick, actriz (Alyxis Daly), por su maravillosa hospitalidad cuando estuve en South Uist buscando localizaciones; a Derek (Pluto) Murray, por su asesoramiento sobre lengua gaélica; a Marion Morrison, funcionaria de la Tarbert Registry Office; a Bill Lawson, del centro de información Seallam!, Northton, isla de Harris, que lleva más de cuarenta años especializándose en la historia familiar y social de las Hébridas Exteriores de Escocia.

Nota: el actual Dean Orphanage («El Valle») cerró sus puertas a finales de la década de los cuarenta y los niños se repartieron entre otras residencias. Para los efectos de esta historia he alargado su existencia entre ocho y diez años. Sin embargo, las condiciones del orfanato que se relatan en la novela son las descritas por el último «interno» que cruzó sus puertas.

El papel utilizado para la impresión de este libro
ha sido fabricado a partir de madera
procedente de bosques y plantaciones
gestionados con los más altos estándares ambientales,
garantizando una explotación de los recursos
sostenible con el medio ambiente
y beneficiosa para las personas.
Por este motivo, Greenpeace acredita que
este libro cumple los requisitos ambientales y sociales
necesarios para ser considerado
un libro «amigo de los bosques».
El proyecto «Libros amigos de los bosques» promueve
la conservación y el uso sostenible de los bosques,
en especial de los Bosques Primarios,
los últimos bosques vírgenes del planeta.

Papel certificado por el Forest Stewardship Council®